# GNIEW

# Zygmunt Miłoszewski

# GNIEW

Wydawnictwo W.A.B.

*dla Marty*

# TERAZ

Wyobraźcie sobie dziecko, które musi się chować przed tymi, których kocha. Robi wszystko to, co robią inne dzieci. Układa wieże z klocków, zderza samochodziki, prowadzi rozmowy między pluszakami i maluje domy stojące pod uśmiechniętym słońcem. Dzieciak to dzieciak. Ale strach sprawia, że wszystko wygląda inaczej. Wieże nigdy się nie przewracają. Motoryzacyjne katastrofy to bardziej stłuczki niż wypadki. Pluszaki mówią do siebie szeptem. A woda w kubeczku od farb szybko zamienia się w breję o kolorze brudnej szarości. Dziecko boi się iść zmienić wodę i w końcu wszystkie farbki umazane są breją z kubka. Każdy kolejny domek, uśmiechnięte słońce i drzewko mają ten sam kolor złej, sinej czerni.

Takim kolorem namalowany jest tego wieczoru warmiński pejzaż.

Gasnące grudniowe światło nie potrafi wydobyć żadnych barw. Niebo, ściana drzew, dom pod lasem i błotnista łąka różnią się jedynie odcieniami czerni. Z każdą minutą zlewają się coraz bardziej, aż w końcu poszczególne elementy stają się nie do odróżnienia.

Monochromatyczny nokturn, przejmujący chłodem i pustką.

Trudno uwierzyć, że w tym martwym pejzażu wewnątrz czarnego domu żyją dwie osoby. Jedna już ledwie, ledwie, za to druga w sposób tyleż intensywny, co męczący. Spocona, zdyszana, ogłuszona dudnieniem własnej krwi w uszach, próbuje wygrać z bólem mięśni, żeby doprowadzić sprawę jak najszybciej do końca.

Osoba ta nie może odpędzić myśli, że w filmach to zawsze inaczej wygląda i że po napisach powinni dawać ostrzeżenie: „Szanowni państwo, ostrzegamy, że w rzeczywistości dokonanie zabójstwa wymaga zwierzęcej siły, dobrej koordynacji ruchowej i przede wszystkim doskonałej kondycji. Nie próbujcie tego w domu".

Samo utrzymanie ofiary to wyczyn. Ciało broni się przed śmiercią na wszelkie sposoby. Trudno nazwać to walką, to raczej coś pomiędzy spazmami a atakiem epileptycznym, wszystkie mięśnie się naprężają i wcale nie jest tak, jak to opisują w powieściach, że ofiara słabnie. Im bliżej końca, tym silniej i tym mocniej komórki mięśniowe próbują wykorzystać resztki tlenu, aby oswobodzić ciało.

Co oznacza, że nie można im dać tego tlenu, bo wszystko się zacznie od początku. Co oznacza, że nie dość, że trzeba trzymać ofiarę, żeby się nie wyrwała, to jeszcze należy ją dusić. I mieć nadzieję, że następne wierzgnięcie będzie tym ostatnim, że na kolejne nie starczy sił.

Tymczasem wydaje się, że ofiara ma sił nieskończony zapas. Zabójca – wręcz przeciwnie. W ramionach narasta ostry ból przeciążonych mięśni, palce mu drętwieją i zaczynają odmawiać posłuszeństwa. Widzi, jak pomału, milimetr po milimetrze, ześlizgują się ze spoconej szyi.

Myśli, że nie da rady. I w tym samym momencie ciało pod jego dłońmi nieruchomieje niespodziewanie. Oczy ofiary stają się oczami trupa. Zbyt wiele widział ich w swoim życiu, żeby tego nie poznać.

Mimo to nie potrafi zabrać rąk, z całej siły dusi zwłoki jeszcze przez pewien czas. Rozumie, że rządzi nim histeria, ale mimo to zaciska ręce mocniej i mocniej, nie zważając na ból w dłoniach i ramionach. Nagle krtań nieprzyjemnie zapada się pod jego kciukami. Przestraszony, rozluźnia uchwyt.

Wstaje i patrzy na leżące u jego stóp zwłoki. Mijają sekundy, potem minuty. Im dłużej stoi, tym bardziej nie jest zdolny do ruchu. W końcu zmusza się, żeby sięgnąć po przewieszony przez oparcie krzesła płaszcz i naciągnąć go na ramiona. Powtarza sobie, że jeśli nie zacznie szybko działać, za chwilę jego zwłoki dołączą do leżącej na podłodze ofiary. Dziwi się, że to jeszcze nie nastąpiło.

Ale z drugiej strony, myśli prokurator Teodor Szacki, czyż nie tego pragnę teraz najbardziej?

# WCZEŚNIEJ

# ROZDZIAŁ 1

## poniedziałek, 25 listopada 2013

Naukowcy udowadniają na myszach, że można całkowicie wyeliminować męski chromosom Y bez szkody dla zdolności prokreacyjnych. Seksmisja staje się właśnie naukowo możliwa. Świat żyje sprawą Ukrainy, której władze ostatecznie oświadczyły, że nie podpiszą umowy stowarzyszeniowej z Unią. W Kijowie 100 000 osób wychodzi na ulice. Międzynarodowy Dzień Eliminacji Przemocy wobec Kobiet. Statystyki mówią, że 60 proc. Polaków zna co najmniej jedną rodzinę, gdzie kobieta jest ofiarą przemocy, a 45 proc. żyje lub żyło w rodzinie, w której doszło do przemocy. 19 proc. jest zdania, że nie istnieje coś takiego jak gwałt w małżeństwie, a 11 proc., że uderzenie żony lub partnerki to nie przemoc. Pendolino w czasie testów bije w Polsce kolejowy rekord prędkości: 293 km/h. Kraków, trzecie najbardziej zanieczyszczone miasto Europy, zakazuje palenia węglem. Mieszkańcy Olsztyna wypowiadają się, co im jest w mieście najbardziej potrzebne: ścieżki rowerowe, hala sportowa i ważny festiwal. I nowe drogi, żeby pokonać zarazę korków. Zadziwia niskie poparcie dla sieci tramwajowej, flagowej miejskiej inwestycji. Wiceprezydent tłumaczy: „Wydaje mi się, że wielu ludzi dawno nie jeździło nowoczesnym tramwajem". Trwa warmińska jesień, jest szaro i brzydko, bez względu na wskazania termometru wszyscy czują tylko to, że jest cholernie zimno. W powietrzu wisi mgła, a na ulicy zamarza mżawka.

# 1

Prokurator Teodor Szacki nie uważał, że ktokolwiek zasługuje na śmierć. Nigdy. Nikt, niezależnie od okoliczności, nie powinien nikomu zabrać życia, ani wbrew prawu, ani zgodnie z jego literą. Wierzył w to głęboko od zawsze, odkąd pamiętał, i teraz, stojąc na światłach na skrzyżowaniu Żołnierskiej i Dworcowej, po raz pierwszy poczuł, jak jego dogmat się chwieje.

Z jednej strony bloki, z drugiej szpital, *vis-à-vis* szpitala jakieś pawilony, na których olbrzymi baner reklamuje „kiermasz skór". Przez chwilę Szacki zastanawiał się, czy tylko w jego prokuratorskiej głowie to brzmi dwuznacznie. Typowe skrzyżowanie w wojewódzkim mieście, dwie ulice przecinające się tylko dlatego, że gdzieś muszą, nikt tu nie zwalnia, żeby podziwiać widoki za oknem, ludzie przejeżdżali i tyle.

To znaczy nie przejeżdżali. Dojeżdżali, zatrzymywali się i stali jak barany, czekając na zielone światło, przez ten czas stopy wrastały im w pedały, siwe brody rosły i układały się na kolanach w sterty, a na końcach palców pojawiały się krogulcze paznokcie.

Kiedy zaraz po przeprowadzce przeczytał w „Gazecie Olsztyńskiej", że osobnik zarządzający ruchem w mieście nie wierzy w zieloną falę, bo wtedy ludzie się za bardzo rozpędzają, co stwarza zagrożenie w ruchu drogowym, pomyślał, że to nawet śmieszny żart. To nie był żart. Wkrótce dowiedział się, że w tym niewielkim koniec końców mieście, które na piechotę można przejść w pół godziny i gdzie komunikacja odbywa się szerokimi ulicami, wszyscy bez przerwy stoją w korkach. I – tu trzeba oddać urzędnikowi sprawiedliwość – co prawda groziła im apopleksja, ale przynajmniej nie stwarzali zagrożenia dla innych uczestników ruchu.

Na dodatek nie wierzono, aby mieszkańcy Olsztyna potrafili normalnie skręcić w lewo, przepuszczając najpierw jadące z naprzeciwka samochody. Dlatego, w trosce o ich bezpieczeństwo, na prawie każdym skrzyżowaniu było to niedozwolone. Każda ulica trafiająca do skrzyżowania dostawała po kolei zielone światło dla siebie, podczas gdy reszta grzecznie stała i czekała.

Bardzo długo stała i czekała.

Dlatego Szacki głośno zaklął, kiedy przy Dworcowej dwieście metrów przed jego citroenem zapaliło się żółte. Nie było szans, żeby zdążył. Zatrzymał się, wrzucił na luz i westchnął ciężko.

Z nieba leciał jakiś warmiński szajs, ani deszcz, ani śnieg, ani grad. To coś zamarzało, gdy tylko spadło na szybę, i nawet najszybciej latające wycieraczki nie potrafiły zwyciężyć tajemniczej substancji. Płyn do spryskiwacza jedynie się rozmazywał, Szacki nie mógł uwierzyć, że żyje w miejscu, gdzie takie zjawiska atmosferyczne są możliwe.

Żałował, że Polska nie ma zamorskich kolonii, zostałby prokuratorem na jakiejś rajskiej wyspie i tam ścigał leciwe emerytki za to, że nakłaniają kelnerów i nauczycieli rumby do poddania się innej czynności seksualnej. Chociaż – znając jego szczęście – jedyna polska zamorska kolonia byłaby zapewne wyspą na Morzu Barentsa, gdzie emerytów nie ma, bo nikt nie dożywa czterdziestki, a kelnerzy trzymają wódkę w zamrażarce, żeby nie zamarzła.

Dla rozrywki zaczął sobie wyobrażać, co zrobiłby z olsztyńskim inżynierem ruchu. Na ile sposobów by go ukarał, jaki ból zadał. To wtedy właśnie jego dogmat o nieuśmiercaniu zaczął trzeszczeć, bo im bardziej wyrafinowane tortury Szacki wymyślał, tym większą czuł radość i satysfakcję.

Przejechałby na czerwonym, gdyby nie to, że jako prokurator nie mógł normalnie dostać mandatu, zapłacić i zapomnieć. Złapany przez drogówkę musiał się niestety przyznać do swojej profesji, a policja musiała wysłać do przełożonego informację o zdarzeniu i poprosić o ukaranie pirata w todze. Zazwyczaj kończyło się na upomnieniu, ale zostawało w aktach, zabagniało historię służby i w zależności od złośliwości przełożonego mogło się odbić na pensji. A Szacki miał wrażenie, że w nowej pracy i tak go nie kochali, wolał się nie podkładać.

W końcu ruszył, przejechał obok szpitala, minął burdel i starą wieżę ciśnień i łagodnym łukiem wjechał – odstawszy swoje na światłach – w ulicę Kościuszki. Tutaj już było na czym oko zawiesić, przede wszystkim na budzącym respekt ogromnym Sądzie Administracyjnym, wybudowanym niegdyś jako urząd rejencji olsztyńskiej w Prusach Wschodnich. Gmach był wspaniały, majestatyczny, dostojny, pięciopiętrowe morze czerwonej cegły na wymurowanym z kamiennych ciosów parterze. Gdyby to od Szackiego zależało, umieściłby w tym budynku wszystkie trzy olsztyńskie prokuratury. Uważał, że to nie jest bez znaczenia, czy świadków wprowadza się po szerokich schodach do takiego gmachu, czy do biedabudyneczku z lat siedemdziesiątych, gdzie mieścił się jego rejon. Klienci powinni wiedzieć, że państwo to majestat i siła na kamiennym fundamencie, a nie oszczędności, niedoróbki, prowizorki, lastryko i olejna do wysokości lamperii.

Prusacy wiedzieli, co robią. Urodził się w Warszawie i na początku irytowała go atencja olsztynian do budowniczych ich małej ojczyzny. Jemu Niemcy niczego nie zbudowali. Zamienili stolicę w kupę gruzów, dzięki czemu jego miasto stało się żałosną karykaturą metropolii. Nigdy ich nie kochał, ale trzeba było oddać sprawiedliwość: wszystko, co w Olsztynie ładne, co nadawało temu miastu charakter, co sprawiało, że było interesujące nieoczywistą urodą twardej i zahartowanej kobiety z Północy – wszystko to zbudowali Niemcy. Cała reszta była w najlepszym razie obojętna, najczęściej jednak brzydka. A w nielicznych wypadkach tak szpetna, że stolica Warmii raz po raz stawała się pośmiewiskiem Polski ze względu na architektoniczne koszmarki, jakimi ją upiększano z uporem godnym lepszej sprawy.

Miał to gdzieś, ale gdyby był starym Niemcem, odbywającym podróż sentymentalną do krainy dzieciństwa, chybaby się popłakał.

Jadąc Kościuszki, przeciął Piłsudskiego, skręcił w Mickiewicza, minął Kopernika i znalazł miejsce do parkowania przy Dąbrowszczaków. Wysiadając, pomyślał zgryźliwie, że jak w każdym mieście na Ziemiach

Odzyskanych ulicom nadano bardzo narodowe nazwy, znaleźć gdzieś tutaj skrzyżowanie Szewskiej z Kotlarską było niemożliwością.

Liceum, do którego zmierzał, nosiło imię, jakże by inaczej, Adama Mickiewicza. Ale pierwsze roczniki się tutaj o polskim wieszczu narodowym nie uczyły, tylko o Goethem i Schillerze. Ponownie pomyślał, że miejsce ma znaczenie, patrząc na ponure dziewiętnastowieczne gmaszysko z czerwonej cegły. Byłaby to zwyczajna, duża poniemiecka szkoła, gdyby nie neogotyckie elementy wystroju – ostre szczyty, oculusy i ogromne okna w centralnej części budynku. Dodawało to gmachowi surowego, kościelnego charakteru, wyobraźnia podsuwała scenerię horroru o eksperymencie dydaktycznym, w którym wszystko poszło nie tak. Siostry zakonne z zaciśniętymi ustami, dzieci siedzące bez ani jednego słowa w identycznych mundurkach, wszyscy udają, że nie słyszą zwierzęcych wrzasków kolegi, który po raz trzeci zgłosił nieprzygotowanie. Nikt go nie bije, nie. Po prostu musi spędzić jedną godzinę lekcyjną sam w małym pokoju na poddaszu. Nic się tam nikomu jeszcze nie stało. Ale też nikt nie wrócił stamtąd taki sam. Siostry nazywają to „korepetycjami".

– Prokurator Szacki?

Przez chwilę patrzył nieprzytomnie na stojącą przed nim w drzwiach do szkoły kobietę.

Skinął głową i uścisnął wyciągniętą rękę.

Nauczycielka poprowadziła go przez szkolne korytarze. Wnętrze nie wyróżniało się niczym szczególnym, poza tym, że niektóre elementy – zwieńczone łagodnymi łukami otwory drzwiowe, grube mury, drewniane drzwi podzielone w charakterystyczny sposób na kwadraty i prostokąty – przypominały mu wakacje z rodzicami, które spędzał nad morzem w poniemieckiej chałupie nieopodal Koszalina. Pewnie czuć by tu było ten sam zapach starych ceglanych murów, gdyby nie łaskocząca w nosie mieszanka nastoletnich hormonów, dezodorantów i pasty do podłogi.

Nie zdążył się zastanowić, czy tęskni za licealnymi czasami i czy chciałby znowu przechodzić piekło młodości, kiedy weszli do auli, gdzie zgromadzeni uczniowie oklaskami nagradzali trzy kobiety w różnym wieku, które skończyły dyskusję na podwyższeniu i stały uśmiechnięte.

– Ma pan przygotowane jakieś krótkie przemówienie? – spytała szeptem nauczycielka. – Młodzież bardzo na to liczy.

Potwierdził, myśląc, że nawet kodeks karny pozwala kłamać we własnej sprawie.


## 2

Tymczasem w okolicach Olsztyna, nie bardzo blisko i nie bardzo daleko, w niewyróżniającym się niczym domu przy ulicy Równej zwyczajna kobieta, tak zwyczajna, że wręcz statystyczna, pogrążyła się w niewesołych myślach na własny temat. Właśnie doszła do wniosku, że była do bani już w momencie narodzin. Ponieważ wcześniej miała całe dziewięć miesięcy, żeby oddalić się od perfekcyjnej siebie. Tak to sobie wyobrażała, że może jeszcze w chwili poczęcia wskazówka na jej manometrze na boskiej tablicy stała pośrodku zielonego pola i nagle drgnęła, zupełnie nie w tę stronę co trzeba. Nie na tyle, żeby była chora, upośledzona czy głupia – nic z tych rzeczy. Po prostu wskazówka drgnęła i przesunęła się z zielonego na pomarańczowe. I kiedy pierwsza komórka – kto wie, może jeszcze naprawdę fajna – podzieliła się na dwie, to były to dwie pierwsze części niedoskonałej jej. Potem już poszło z górki i w momencie narodzin składała się z tak olbrzymiej ilości parszywych komórek, że szkody były nieodwracalne.

Lista niedoskonałości ciągnęła się w nieskończoność i paradoksalnie łatwiej było jej znieść te psychiczne, bo o nich wiedziała tylko ona. Brak cierpliwości. Brak systematyczności. Brak koncentracji. Brak empatii. Brak instynktu macierzyńskiego, ten chyba bolał ją najbardziej. Znajomym powtarzała, że co ona poradzi, że tylko własne dziecko znieść potrafi, tylko własne nie działa jej na nerwy. Wszyscy się śmiali, ona też się śmiała, ale nie z tego, co powiedziała, tylko z tego, że to gówno prawda – własne dziecko najbardziej jej działało na nerwy. Nawet kiedy nie miała lustra, wystarczyło, że spojrzała na kwadratowego bachora z małymi oczkami, żeby zobaczyła siebie, wszystkie swoje sparszywiałe geny, wyprodukowane przez sparszywiałe komórki.

No właśnie, małe oczka. Ciężko je ukryć. Włosy jeszcze od biedy można ufarbować i ułożyć, wąskie usta powiększyć, spiczaste uszy zakryć. Ale małe oczka? Nie było takiego makijażu, który by zamienił te schowane głęboko w oczodołach ślipka w piękne migdałowe oczy. Takie oczy, które by ją ocaliły, żeby mogli mówić: w sumie nic specjalnego, ale te oczy, no naprawdę z przodu stała, jak Bozia dawała. Cóż, nie stała z przodu.

Oczu nie dało się ukryć, figury też nie, na figurę nawet ciemnych okularów się nie założy. Ta figura bolała ją najbardziej. Nic jej nie wyróżniało. Jakby była bardzo szczupła – to takie mają swoich fanów. Bardzo obfita – też. Z ogromnymi piersiami – legion by się za nią oglądał. A on mógłby mówić: ech, te moje cyce, cyce moje kochane. Ale nie, ona była kwadratowa, prostokątna raczej. Bez bioder i bez talii, z nogami jak chłopska baba, co to można na nich stać cały dzień. Niby nie była płaska, ale chwycić też nie było za co, otyli faceci czasami mają takie cycki. I te ramiona, jakby cały czas nosiła bluzkę z poduszkami, w latach dziewięćdziesiątych takie były modne.

Próbowała właśnie dobrać długą spódnicę i sweter, żeby jakoś tak wyszło, że ma talię i biodra. Bardzo jej dziś zależało, żeby wyglądać ładniej niż zwykle. Żeby coś mieć specjalnie dla niego, żeby wiedział, że to nie była pomyłka.

Z salonu dobiegło zawodzące wycie. Jakże by inaczej, przecież już kwadrans się nim nie zajmuje, jakby umiał, toby pewnie na niebieską linię zadzwonił. Rzuciła sweterek na półkę pod lustrem i pobiegła do dziecka. Mały klęczał przy kanapie z głową schowaną w poduszki i płakał.

– Co się stało?

– Nie ce.

– Czego nie chcesz?

– Nie. – Pokazał na telewizor.

– Nie chcesz tej bajki?

– Nie.

– Chcesz inną bajkę?

– Nie.

– Boba?

– Nie.

– Franklina?

– Nie, nie, nie!

Już się śmiał, uznał, że to świetna zabawa. A łzy mu jeszcze nie wyschły na policzkach. Podobno dzieci tak mają, potrafią w ułamku sekundy zapomnieć złe emocje. Nie wiedziała, jaki hormon był za to odpowiedzialny, ale powinni go wyodrębnić i sprzedawać w tabletkach. Wiadro by takich kupiła.

– Zebrę?

– Nie.

– Niebieskiego misia?

– Nie.

– Chuja pierdolonego w galarecie? – Ton jej głosu nie zmienił się ani o tysięczną oktawy.

– Nie. Cika.

Roześmiał się tak słodko, jakby rozumiał, o co jej chodzi. Potarła twarz dłońmi. Naprawdę, cudowna z niej matka. W końcu włączyła cokolwiek, bo nie pamiętała, gdzie jest płyta z Krecikiem, na szczęście akurat były reklamy, które działają na małe dziecko jak strzał heroiny. Mały zastygł z półotwartymi ustami, a ona spojrzała na zegarek i poszła wrzucić naleśniki z serem do mikrofali.

Nie wie, co się dzieje z tym czasem, godzinę temu już powinien zjeść obiad. I w ogóle powinna coś zrobić. Siedzi cały dzień w chałupie, a jak on wróci, to ma do zaoferowania naleśniki sprzed dwóch dni z mikrofali. Nawet jak do tego zrobi bitą śmietanę i rozmrozi maliny, to ciągle będą to naleśniki sprzed dwóch dni.

Co powie? Przepraszam, najdroższy, cały dzień usiłowałam dobrać takie ubrania, żebyś nie poznał, że twoja żona nie ma talii.

Poczuła, jak w gardle panika rośnie jej jak trzeci migdał. Z trudem przełknęła ślinę. Czemu czegoś nie zrobi? Czemu jest taka nic nie-warta? Taka – on naprawdę potrafi ująć to w słowa – rozmemłana. Dokładnie tak, rozmemłana, każda sylaba w tym słowie brzmi jak policzek: roz-mem-ła-na. Pierwszy siarczysty, z zaskoczenia, ostatni mlaskający, taki bez przekonania.

Dlaczego czegoś nie zrobi? Ma cudownego synka, cudownego męża, dom pod lasem, nie musi pracować, tylko służby jej do pełni szczęścia brakuje. Weź się w garść, kobieto. Weź małego, pojedź do Lidla i zrób jakąś kolację porządną. Dokładnie tak!

Wyjęła z mikrofali naleśnika, wrzuciła syna do plastikowego fotelika do karmienia, natychmiast się rozpłakał, nie lubił, kiedy coś robić gwałtownie. Pocałowała go w czoło i ustawiła fotelik przodem do telewizora, nie miała czasu na prawidłowe wychowanie, jeśli miała zdążyć ze wszystkim. Pokroiła naleśnika na kawałki i poleciała do lustra, z pięć minut będzie jadł, przez ten czas się ubierze i podmaluje trochę.

– Nie ce! – doleciało z jadalni.

– Chcesz, chcesz, pyszny naleśniczek, jedz sam jak duży chłopiec, pójdziemy na spacer za chwilę.

Robiła w głowie listę zakupów. Prosto, efektownie i szybko. Woło-wina z patelni grillowej, sos ze śmietany i sera pleśniowego. Do tego purée. Tak naprawdę ziemniaki z wody i blendera, a można ładnie ułożyć, jak w knajpie wygląda. U każdego na talerzu zrobi z tego purée inicjał imienia. Mały też na pewno chętnie zje, każdy facet lubi ziemniaki, proste. Jakaś zielenina, nie sałata z torebki, nie cierpi tego. Zielony groszek, zielony groszek z majonezem. Część groszku zostawi, na tym purée jakiś wzorek zrobi.

Już w butach poleciała do jadalni, jeszcze zabrała kombinezon małego, żeby już nie latać.

To, co zastała na miejscu, ciężko jest opisać słowami.

Jej synowi udało się wycisnąć twarożek z każdego kawałka naleśnika. A potem rozsmarować po sobie, po foteliku, po stole, a co gorsza, na pilocie. Wypasionym pilocie, gwiazdkowym prezencie, który można było programować i potem jednym obsługiwać telewizor, dekoder Cyfry, DVD i wieżę. Czarny designerski przedmiot z dotykowym ekranem teraz wyglądał jak ulepiony z twarożku. Mały celował nim w telewizor.

– Cika.

Zakręciło jej się w głowie. Uklękła przy foteliku, kolano poślizgnęło się na kawałku naleśnika.

– Posłuchaj mnie, synku, bo mam ci coś ważnego do powiedzenia – zaczęła spokojnie. – Jesteś pierdolonym, złośliwym, złym bachorem. I cię nienawidzę. Nienawidzę cię tak mocno, że mam ochotę urwać ci twój łysy łeb i postawić go na półce z pluszakami obok jebanego, poddającego się Niemcom bez jednego wystrzału, cwelowatego Krecika. Rozumiesz?

– Cika?

Patrzyła na niego długą chwilę i w końcu parsknęła śmiechem. Zrozumiał, nie ma co. Podniosła go i przytuliła, myśląc o tym, że jej specjalny sweter od „projektu talia" nadaje się tylko do prania. Trudno.


3


Nie chciał tu być, nienawidził takich imprez, miejsce prokuratura było w gabinecie, na sali sądowej albo tam, gdzie dokonano zbrodni. Każda inna działalność marnotrawiła pieniądze podatnika, który płacił im pensje za stanie na straży porządku prawnego. Nie za przecinanie wstęg, bywanie i lansowanie się przed młodzieżą licealną. Ale ktoś uznał, że trzeba ocieplić wizerunek prokuratury, i prośba z olsztyńskiego liceum o wręczenie nagrody za pracę o przeciwdziałaniu przemocy nie została uprzejmie odrzucona. Została entuzjastycznie przyjęta, a on wytypowany na przedstawiciela urzędu. Nie zdążył zaprotestować, kiedy szefowa uprzedziła jego pytanie, mówiąc: „Wiesz, dlaczego wysyłam do normalnych ludzi takiego zrzędliwego, socjopatycznego mizantropa jak ty?". Od razu uprzedziła też jego odpowiedź: „Bo jako jedyny wyglądasz na prokuratora".

O przemawianiu nie wspomniała.

– Dziękujemy wam za wszystkie prace – nauczycielka, która go przywitała, przemawiała do młodzieży z belferską rutyną – i za wysiłek, który w nie włożyliście. Podziwiam wasze zaangażowanie i altruizm, ponieważ nie wierzę złośliwym plotkom, jakoby wielu z was robiło to tylko po to, aby wyżebrać lepszą ocenę z zachowania.

Wybuch śmiechu.

– Mam nadzieję, że moja klasa poinformowała was wszystkich, że przy tej ocenie liczy się trzyletni całokształt, a nie jednorazowe zrywy.

Teatralny jęk zawodu.

Szacki rozejrzał się po auli i poczuł ukłucie nostalgii. Niekoniecznie za czasami, kiedy był młody. Raczej za czasami, kiedy nie był zgorzkniały. Udawał zgryźliwego cynika od ogólniaka, ale wszyscy ci, którzy go wtedy znali, rozumieli świetnie, że to poza. Dziewczyny ustawiały się w kolejce do wrażliwego intelektualisty, który ukrył się przed światem w zbroi z dystansu i cynizmu. Tak było w liceum, tak było na studiach. Nawet na asesurze i w pierwszych latach pracy powszechne było przekonanie, że pod togą, nieskazitelnym garniturem i kodeksem kryje się wrażliwy i dobry człowiek. Stare dzieje. Zmienił pracę raz, drugi, trzeci, zestarzał się, ostatecznie rozeszły się jego drogi z tymi, którzy znali go jako młodego człowieka i młodego prokuratora. Zostali ci, którzy nie mieli podstaw podejrzewać, że jego chłód i dystans kryją cokolwiek. A i on musiał ostatnio przed sobą przyznać, że przegapił punkt ostatniej szansy, moment, kiedy zbroja przestała być ochronnym ubraniem, a stała się częścią Teodora Szackiego. Wcześniej mógł ją zdjąć i powiesić na kołku, teraz, niczym cyborg z fantastycznej powieści, umarłby, gdyby odebrano mu sztuczne części.

W tej auli po raz pierwszy poczuł, jak bardzo go jego własna konstrukcja uwiera. Że gdyby mógł jeszcze raz wybrać, wybrałby identycznie, ale dałby sobie spokój z wystudiowaną pozą.

– Rynek pracy jest trudny – kontynuowała wystąpienie nauczycielka – i mam wrażenie, że wielu z was zapunktowało tymi pracami, jeśli będziecie kiedyś szukać zatrudnienia w ministerstwie spraw wewnętrznych lub sprawiedliwości...

– W Szczytnie! – krzyknął ktoś z sali.

Wybuch śmiechu.

– Ty, Muniek to w Barczewie raczej!

Dzika wesołość.

– Mam zaszczyt powitać człowieka, dla którego sprawiedliwość to zawód, ale też, mam nadzieję, powołanie. Pan prokurator Teodor Szacki.

Wstał.

Niemrawe brawa. Jasne, kto by oklaskiwał prokuratora. Przedstawiciela fachu, który zajmuje się głównie włażeniem politykom w dupę albo wypuszczaniem złych przestępców złapanych przez dobrą policję, albo partoleniem postępowań lub aktów oskarżenia. Gdyby znał swój zawód tylko z mediów, chodziłby w wolnych chwilach do sądu, żeby pluć prokuratorom na togi.

Zapiął górny guzik marynarki i pewnym krokiem przeszedł przez aulę do trzech schodków wiodących na podwyższenie. Nie sięgało mu nawet kolan i mógłby na nie wejść jednym krokiem. Ale po pierwsze nie miał ochoty podskakiwać jak małpa, a po drugie chciał przedefilować przed widownią, żeby zobaczyli, jak się prezentuje ktoś, kto stoi na straży prawa.

Miał na sobie, jak to sam nazywał, „bondowski zestaw": brytyjska klasyka, która nigdy go nie zawiodła, kiedy chciał zrobić wrażenie.

Garnitur w szarym kolorze nieba przed burzą, w prawie niewidoczne jasne prążki, błękitna koszula, wąski grafitowy krawat w delikatny deseń. Poszetka z surowego lnu, wystająca na centymetr z kieszonki marynarki. Spinki i zegarek z matowej stali chirurgicznej. W tym odcieniu, co jego gęste, idealnie siwe włosy. Wyglądał jak ostoja mocy i trwałości Rzeczpospolitej.

Czuł na sobie spojrzenia dziewcząt, które dopiero zdążyły przeobrazić się w kobiety – większość z nich właśnie odkryła, że męski świat nie kończy się na bluzach ich kolegów, wygniecionych marynarkach ojców i pulowerkach dziadków. Że istnieje klasyczna elegancja, która oznacza męską deklarację spokoju i pewności siebie. Sposobem na powiedzenie: moda mnie nie interesuje. Ja byłem, jestem i zawsze będę modny.

Kiedy to wymyślił, jeszcze na studiach, i zdecydował się na brytyjski krój, bliższy jego sercu od włoskiego i amerykańskiego, przyjął za pewnik, że nigdy nie będzie go stać na asortyment z Saville Row, a nawet na *pret-à-porter* z wyższej półki. Musiał więc znaleźć sposób na nadwiślańskie garnitury, które wyglądają jak od Huntsmana albo Andersona i Shepparda. I znalazł. To była chyba najpilniej strzeżona tajemnica prokuratora Szackiego.

Teraz odprowadzały go setki młodych par oczu, niedowierzających, że ten gość, na którym ciuchy leżą lepiej niż na Danielu Craigu, jest pracownikiem budżetówki. Świadomy robionego przez siebie wrażenia, Szacki przeszedł koło nudnego akademickiego obrazu, przedstawiającego jakąś scenę z antyku, i stanął przed mikrofonem.

Powinien powiedzieć coś wesołego, miał wrażenie, że wszyscy tego oczekują: młodzież, nauczyciele, chłopak z dredami filmujący uroczystość do kroniki szkolnej. Szefowa też by chciała zobaczyć na Youtube, jak lekko i ze swadą reprezentuje urząd prokuratorski, w końcu prawdziwy człowiek zamiast sztywniaka recytującego przed kamerami przepisy kodeksu. A i on chciałby się poczuć przez chwilę jedną z osób na sali, przypomnieć sobie, że był kiedyś nawet nie młody – do tego nie tęsknił – ale świeży. Inaczej: niezepsuty.

Szukał w głowie jakiegoś szkolnego żartu na zagajenie, ale uznał, że nie może zastąpić jednej stylizacji drugą.

Cisza się przedłużała, po sali przebiegł szmer, pewnie kilkadziesiąt osób właśnie szepnęło do sąsiada „ty, ale o co chodzi". Nauczycielka zrobiła ruch, jakby chciała wstać i ratować sytuację.

– Statystyka jest przeciwko wam – powiedział chłodno. Mocny głos, wyćwiczony w czasie setek rozpraw i mów końcowych, zagrzmiał nad głowami zebranych zbyt głośno, zanim ktoś zareagował i przykręcił poziom dźwięku. – W Polsce każdego roku popełnianych jest ponad milion przestępstw. Pół miliona osób ma przedstawione zarzuty. Co oznacza, że w przeciągu swojego życia część z was na pewno popełni czyn zabroniony. Najprawdopodobniej coś ukradniecie albo spowodujecie wypadek drogowy. Może kogoś oszukacie lub pobijecie. Ktoś z was pewnie kogoś zamorduje. Oczywiście teraz nie dopuszczacie do siebie takiej myśli, ale większość morderców jej nie dopuszcza. Budzą się jako normalni ludzie, myją zęby, robią sobie śniadanie. A potem coś się dzieje, niefortunny splot wydarzeń, okoliczności, emocji. I idą spać jako mordercy. Kogoś z was też to spotka.

Mówił spokojnie, przekonująco, jak na sali sądowej.

– Ale statystyka kłamie. – Szacki uśmiechnął się delikatnie, jakby miał dobre wiadomości. – Obejmuje tylko zło ujawnione. Tak naprawdę przestępstw i krzywd jest znacznie więcej. Czasami nigdy nie wychodzą na jaw, ponieważ zbrodnie doskonałe dokonywane są codziennie. Czasami są to rzeczy zbyt drobne, żeby poszkodowani chcieli je zgłaszać. Najczęściej jednak zło ukryte jest za podwójną kurtyną strachu i wstydu. To przemoc w rodzinie. Szkolne prześladowania. Mobbing w firmach. Gwałty. Molestowanie. Czarna liczba krzywd, których nie sposób policzyć. Was to też spotka. Jedna na pięć spośród siedzących tu dziewczyn będzie ofiarą gwałtu lub próby gwałtu. Będziecie się znęcali psychicznie nad partnerami, będziecie kraść pieniądze niedołężnym rodzicom. Dzieci będą kuliły się w łóżkach, słysząc wasze kroki na korytarzu. Wykorzystacie żonę, uznając, że to wasze prawo. Albo będziecie udawali, że krzyki bitych i gwałconych za ścianą was nie dotyczą, że nie ma co się mieszać w sprawy innych.

Zrobił pauzę.

– Nie znam waszych prac i nie wiem, w jaki sposób wyobrażacie sobie zapobieganie przemocy. Ja, jako prokurator, znam tylko jeden sposób.

Nauczycielka patrzyła błagalnie na Szackiego.

– Chcecie zapobiegać przemocy? Nie czyńcie zła.

Odsunął się o krok od pulpitu, dając znak, że skończył. Nauczycielka skorzystała z okazji, szybko weszła na podwyższenie i wywołała uczennicę, która wygrała konkurs. Wiktoria Sendrowska, klasa IIE. Za esej *Przysposobienie do przeżycia w rodzinie*.

Oklaski.

Na podium wskoczyła dziewczyna niczym się nieróżniąca od podobnych jej klonów, które Szacki codziennie mijał na ulicy, taki klon nawet mieszkał z nim pod jednym dachem. Ani wysoka, ani niska, ani chuda, ani gruba, ani brzydka, ani piękna. Ładna, na ile ładne są wszystkie osiemnastolatki, u których defekty urody bywają co najwyżej słodkie. Włosy zebrane z tyłu głowy, okulary. Biały cienki golf na szkolną akademię. Jedyne, co ją wyróżniało, to długa do ziemi, lejąca się spódnica, czarna jak wulkaniczna lawa.

Nauczycielka najpierw zrobiła ruch, jakby chciała dać Szackiemu dyplom do wręczenia, ale zmieniła zdanie, spojrzała na prokuratora z niechęcią i dała oprawioną kartkę dziewczynie. Wiktoria skinęła grzecznie jej i Szackiemu, po czym wróciła na miejsce.

Prokurator uznał, że to dobry moment na zniknięcie, sam się skłonił i wymknął się na korytarz. Ledwie przebiegł pod wiszącą nad drzwiami do auli sceną antyczną – na pierwszym planie stała zadumana i nieszczęśliwa kobieta, najpewniej bohaterka tragedii – w kieszeni zawibrował mu telefon.

Z firmy. Szefowa.

O Zeusie, pomyślał, daj mi jakąś porządną sprawę.

– Już po lekcjach?

– Aha.

– Przepraszam, że panu zawracam głowę, ale mógłby pan pojechać na Mariańską? To chwila, trzeba odfajkować Niemca.

– Niemca?

– Jakieś stare zwłoki znaleźli przy okazji robót drogowych.

Szacki spojrzał na szkolny sufit i zaklął w myślach.

– Nie można wysłać Falka?

– Pinokio słucha w Barczewie. Poza tym wszyscy są w sądzie albo w okręgowej na szkoleniu.

Milczał. Co to za szefowa, która się tłumaczy.

– Mariańska to tam, gdzie prosektorium?

– Tak. Zobaczy pan radiowóz na samym dole, koło szpitala. Może pan zanieść te kości na drugą stronę Łyny, wtedy to będzie sprawa południa.

Nie skomentował. Zarządzanie poprzez serdeczność, przyjacielskość i dowcipasy zawsze działały mu na nerwy. Wolał po prostu załatwić sprawę. W Olsztynie było wyjątkowo źle, od razu przechodzenie na ty i żarciki, a drzwi do gabinetu Ewy były zawsze tak ostentacyjnie szeroko otwarte, że jej sekretarka musiała cierpieć na chroniczne przeziębienie.

– Pojadę – powiedział tylko i się rozłączył.

Włożył i zapiął płaszcz. Niby blisko zaparkował, ale ten lód spadający z nieba był jak biblijna plaga.

– Panie prokuratorze?

Odwrócił się. Za nim stała Wiktoria Sendrowska, uczennica klasy IIE. Trzymała swój dyplom jak tarczę. Milczała, nie wiedział, czy oczekuje gratulacji, czy jakiegoś zagajenia. Nie miał jej nic do powiedzenia. Przyjrzał się dziewczynie. Ciągle niczym się nie wyróżniała, oczy miała bardzo duże, jasne, w bladobłękitnym odcieniu lodowca. I bardzo poważne. Być może wydałaby mu się interesująca, gdyby nie to, że miał szesnastoletnią córkę. Już dawno życie przestawiło w jego głowie jakiś przełącznik i przestał kompletnie zwracać uwagę na młode kobiety.

– Te krzyki bitych i gwałconych za ścianą.

– Tak?

– Nie miał pan racji. Niezawiadomienie o przestępstwie jest karalne, ale tylko w wyjątkowych wypadkach, jak zabójstwo albo terroryzm. Gwałcić można na stadionie przy pełnych trybunach i dla widzów będzie to co najwyżej moralnie naganne.

– Akurat w wypadku gwałtu można uznać, że czterdzieści tysięcy widzów brało udział w zamachu na wolność seksualną razem ze sprawcą i przykleić im wszystkim gwałt zbiorowy. Nawet lepiej, wyższa sankcja. Chce mnie pani przepytywać z kodeksu?

Odwróciła wzrok zakłopotana. Zareagował zbyt ostro.

– Wiem, że zna pan kodeks. Byłam ciekawa, dlaczego pan tak powiedział.

– Nazwijmy to zaklinaniem rzeczywistości. Uważam, że artykuł dwieście czterdziesty powinno się rozszerzyć o przemoc domową. Zresztą tak to działa w prawodawstwie kilku krajów. Uznałem, że w tym wypadku lekka przesada ma wartość edukacyjną.

Dziewczyna skinęła głową jak nauczycielka, która wysłuchała dobrej odpowiedzi.

– Fajnie powiedziane.

Szacki ukłonił się i wyszedł. Marznąca mżawka uderzyła go w twarz jak strzał ze śrutówki.


4


Z daleka wyglądało to jak scenografia modowej sesji fotograficznej, takiej w stylu industrial. Na trzecim planie z mroku wyłaniał się ciemny budynek poniemieckiego szpitala miejskiego. Na drugim planie żółta koparka pochylała się nad dziurą w ziemi, jakby zaglądając do niej z zaciekawieniem, a tuż obok stał radiowóz. Światła latarń i reflektory policyjnego auta ryły tunele w gęstej, warmińskiej mgle, rzucały dziwne cienie. Trzech mężczyzn obok radiowozu patrzyło na głównego bohatera kadru, doskonale ubranego siwego mężczyznę, który stał w otwartych drzwiach kanciastego citroena.

Prokurator Teodor Szacki wiedział, na co czekali stojący przed nim inżynier, mundurowy policjant i nieznany mu młody dochodzeniowiec. Czekali, aż wypiękniony urzędas z prokuratury w końcu grzmotnie dupą o trotuar. Faktycznie, z trudem utrzymywał równowagę na chodniku z polbruku, który pokryty był – podobnie jak wszystko – warstewką lodu. Sytuacji nie ułatwiało to, że Mariańska biegła lekko pod górę, a jego pantofle do robienia wrażenia na licealistach teraz zachowywały się jak łyżwy. Bał się, że runie, jak tylko puści drzwi samochodu.

Jego obecność, podobnie jak policji, była formalnością. Prokuratora wzywało się właściwie do wszystkich zgonów pozaszpitalnych, kiedy pojawiała się wątpliwość, czy śmierć nie jest wynikiem czynu zabronionego, i trzeba było zadecydować, czy wszczynać śledztwo. Oznaczało to, że czasem musieli się tłuc na jakąś budowę drogi albo żwirowni, gdzie znaleziono kości sprzed stu lat. W Olsztynie nazywano to „odfajkowaniem Niemca". Niewdzięczny i czasochłonny obowiązek, często wyprawa na drugi koniec powiatu i brodzenie w błocie po kostki. Tutaj przynajmniej Niemiec leżał sobie w środku miasta.

Formalność. Szacki mógł ich zawołać, żeby powiedzieli co i jak, potem wypełnić kwity w cieplutkim gabinecie.

Mógł, ale nigdy tak nie postąpił, i uznał, że jest za stary na zmianę przyzwyczajeń.

Wypatrzył na ziemi grudki oblodzonego błota, które rozdeptane, powinny dawać przyczepność. Stanął na jednej i delikatnie zamknął drzwi auta. Potem w czterech dziwacznych krokach dotarł do koparki i złapał się jej ubłoconej łyżki, z trudem powstrzymując uśmiech tryumfu.

– Gdzie zwłoki?

Młody dochodzeniowiec wskazał dziurę w ziemi. Szacki spodziewał się wystających z błota kości, tymczasem w jezdni ziała czarna jama, z której wystawał koniec aluminiowej drabinki. Oblodzonej jak wszystko. Nie czekając na dodatkowe informacje, zlazł do wnętrza. Cokolwiek tam czekało, na pewno było lepsze od zamarzającego deszczu.

Zszedł po omacku na dół, w dziurze pachniało mokrym betonem, po kilku stopniach stanął na mokrym, twardym podłożu. Otwór, z którego zacinał zamarzający deszcz, miał pół metra nad sobą, mógł sięgnąć ręką do stropu. Zdjął rękawiczki i przejechał po nim ręką. Zimny beton, ze śladami po szalunku. Schron? Bunkier? Magazyn?

Odsunął się, robiąc miejsce dla schodzącego dochodzeniowca. Policjant włączył latarkę, drugą wręczył Szackiemu. Prokurator zapalił ledowe światło i obrzucił spojrzeniem towarzysza. Młody, około trzydziestki, z zupełnie niedzisiejszymi wąsami. Przystojny prowincjonalną przystojnością zdrowego chłopskiego syna, który wyszedł na ludzi. O smutnych oczach przedwojennego działacza ludowego.

– Prokurator Teodor Szacki.

– Podkomisarz Jan Paweł Bierut – przedstawił się policjant i posmutniał, oczekując zapewne na żarcik, jaki zwykle słyszał w takiej sytuacji.

– Nie kojarzę pana, ale jestem tu dopiero dwa lata – powiedział Szacki.

– Z drogówki niedawno przyszedłem.

Szacki nie skomentował. Zmorą prokuratorów była rotacja wśród dochodzeniowców. Nie trafiały tam nigdy żadne żółtodzioby, tylko oficerowie, którzy już odsłużyli swoje, przede wszystkim w operacyjnym. W większości przekonywali się, że robota w śledztwach nie przypomina bycia detektywem z amerykańskiego filmu, a że wkrótce potem mogli przejść na mundurową emeryturę, skwapliwie z tego korzystali. Łatwiej dziś było o doświadczonego dzielnicowego niż oficera śledczego.

Bierut bez słowa odwrócił się na pięcie i ruszył w głąb korytarza. Zwykłego betonowego korytarza, który mógł być pozostałością po wszystkim, nie miało to dla Szackiego większego znaczenia. Po kilkunastu krokach boczne ściany zniknęły i znaleźli się w sklepionej sali o kształcie kwadratu, wysokiej na nieco ponad dwa metry, długiej na piętnaście. W jednym kącie piętrzyły się zardzewiałe graty, szpitalne łóżka, krzesła i stoliki. Bierut minął stertę i podszedł do przeciwległej ściany. Stało tam kompletne łóżko, białe w kilku miejscach, gdzie nie zeszła emalia, poza tym pomarańczowe od rdzy. Na ramie leżał czarny od wilgoci kawał dykty, a na dykcie stary szkielet. Dość kompletny, na ile Szacki mógł się rozeznać, choć kości były częściowo wymieszane, być może przez szczury, a część leżała na ziemi. Czaszka w każdym razie była calutka, z prawie pełnym uzębieniem. Wzorcowy Niemiec.

Szacki zacisnął usta, żeby nie westchnąć głośno. Od miesięcy czekał na jakąś sensowną sprawę. Może trudną, może kontrowersyjną, może nieoczywistą. Pod jakimkolwiek względem, dochodzeniowym, dowodowym, prawnym. I nic. Z poważniejszych rzeczy miał dwa morderstwa, jeden rozbój i jeden gwałt w Kortowie. Wszystkich sprawców ujęto zaraz następnego dnia po zdarzeniu. Morderców, bo byli z najbliższej rodziny. Rozbójnika, bo miejski monitoring nagrał go nieomal w jakości HD. Gwałciciela, bo koledzy z akademika go najpierw poturbowali, a potem doprowadzili na policję – znak, że jednak coś się zmienia w narodzie. Nie dość, że wszyscy sprawcy zostali zatrzymani tego samego dnia, to wszyscy się od razu przyznali. Ze szczegółami złożyli wyjaśnienia i Szacki o szesnastej mógł iść do domu, tętno mu nie podskoczyło ani o dziesięć uderzeń.

A teraz Niemiec. Na deser po szkolnej akademii.

Bierut spojrzał na niego pytająco. Nic nie mówił, bo też nic nie było do powiedzenia. Na twarzy miał wyraz takiego smutku, jakby kości należały do członka jego rodziny. Jeśli policjant miał tak cały czas, to koledzy z Partyzantów pewnie przekazują sobie numery do terapeuty, który wyciągnie ich z depresji.

Nic tu nie było do roboty. Omiótł pomieszczenie latarką, trochę z rutyny, a trochę dlatego, że chciał przedłużyć ten moment, pod ziemią było znacznie cieplej niż na górze i nie atakowały go żadne zjawiska atmosferyczne.

Nic ciekawego. Puste ściany i wyloty korytarzy, sądząc po architekturze, pomieszczenie było starym schronem, zapewne dla personelu i pacjentów szpitala. Gdzieś muszą być zasypane wejścia, sanitariaty, może jeszcze kilka takich sal, jakieś pokoje.

– Sprawdziliście resztę pomieszczeń?

– Pusto.

Ciekawe, jak to wyglądało, pomyślał. Ewakuowali ich na czas jakiegoś ostrzału pod sam koniec wojny, potem ten umarł, a reszta wyszła? Za dużo się działo, żeby pamiętać o jednych zwłokach pod ziemią? Czy może już po wojnie ktoś się tutaj ukrył i serce mu wysiadło w czasie drzemki?

Podszedł do szczątków i przyjrzał się czaszce. Żadnych widocznych uszkodzeń, charakterystycznych wgłębień lub dziur po uderzeniu tępym narzędziem, o ranach postrzałowych nie wspominając. Wygląda na to, że jeśli ktoś pomógł się Niemcowi przenieść na tamten świat, to nie w ten sposób. Tak czy owak śmierć nie uratowała go przed wojennym lub powojennym szabrem.

– Nie miał ubrania. – Jan Paweł Bierut czytał w jego myślach.

Szacki twierdząco skinął głową. Nawet zakładając, że gryzonie i robaki zjadły, co było do zjedzenia, to i tak powinny zostać jakieś strzępy, sprzączki, klamerki, guziki. Ktoś musiał się obsłużyć zaraz po śmierci, jeszcze zanim ubranie wtopiło się w rozkładającą się tkankę.

– Zabezpieczcie te szczątki i zawieźcie na uniwersytet. Napiszę postanowienie o przekazaniu. Niech się jeszcze Niemiec na coś przyda.

Stara warszawska praktyka. Żaden NN nigdy nie trafiał do ziemi. Po pierwsze: szkoda pieniędzy podatnika, po drugie: uczelnie medyczne są w stanie przerobić każdą ilość zwłok. Stare gnaty są dla nich warte więcej niż kość słoniowa.

Nie spieszyło mu się do domu. Zajrzał jeszcze do biura, napisał szybko postanowienie o przekazaniu zwłok dla celów dydaktycznych, żeby mieć to z głowy. Ze swojego gabinetu w budynku prokuratury rejonowej Olsztyn-Północ przy Emilii Plater prawie mógł zobaczyć miejsce, gdzie pół godziny wcześniej schodził do starego schronu. W ogóle ze swojego gabinetu miał niezły widok. Bezosobowy budynek stał na szczycie skarpy, pod którą płynęła wąska Łyna, od której Olsztyn wziął swoją nazwę. Oczywiście poprzednią nazwę, kiedy rzeka nazywała się *Alle*, a miasto *Allenstein*. Wokół koryta rozciągały się dzikie chaszcze, które tylko naprawdę bez pamięci zakochani w swoim mieście olsztynianie nazywali parkiem. Szacki nazywał je czarną zieloną dziurą i z parkiem miały one jego zdaniem tyle wspólnego, co pożar z ogrzewaniem mieszkania. Po zmroku nie zapuściłby się tam nawet z obstawą, ponieważ przeczuwał, że czarna zielona dziura jest zamieszkana nie tylko przez żuli, rozbójników i chętnych do dokonania zamachu na wolność seksualną. Jedyny powód, dla którego coś takiego mogło się uchować w samym centrum wojewódzkiej stolicy, to siły nieczyste.

Teraz zmuszone do odwrotu przez buldożery, ponieważ dziurę właśnie zaczęto rewitalizować. Biorąc pod uwagę, że w Olsztynie słowo „upiększanie" brzmiało jak groźba, zapewne wyrwą wszystko z korzeniami i na tym miejscu ułożą gigantyczną mozaikę z różowej kostki, a potem będą się chwalić, że to jedyna konstrukcja z polbruku widoczna gołym okiem z kosmosu.

– *They paved Allenstein and put up a parking lot* – zanucił, przybijając pieczątkę.

Ważne, że mu nie wybudują tutaj żadnych różowych hoteli i dalej będzie miał swój widok. Wstał, założył płaszcz i zgasił światło. Za oknem czerń zielonej dziury oddzielała go od miasta. Na wprost rzęsiście oświetlona katedra górowała nad zabudowaniami starówki, jak wielka kwoka zagarniająca stado kurczaków. Po prawej nad dachami wybijała się baszta gotyckiego zamku i wieża zegarowa ratusza. Po lewej Olsztyn schodził w dół i to tam, tuż za zieloną dziurą, mieścił się stary szpital miejski i schron, który chwilę temu przestał być miejscem wiecznego spoczynku dla pana Niemca.

Przestało padać, podniosła się lekka mgła i boczna uliczka Emilii Plater zamieniła się w marzenie fotografa, przygotowującego album o warmińskiej melancholii. Wszystko było czarno-szare, jak to pod koniec listopada, wszystko pokryte cieniutką warstwą lodu. Na chodniku wyglądało to jak zagrożenie życia i zdrowia, ale na bezlistnych drzewach efekt był bajkowy. Każda najdrobniejsza gałązka zamieniła się w sopelek, który mienił się w miękkim, rozproszonym przez mgłę świetle latarni. Odetchnął głęboko zimną wilgocią i pomyślał, że lubi tę wiochę coraz bardziej.

Ostrożnie przeszedł na drugą stronę ulicy i pomyślał, że muszą się przeprowadzić. Po pierwsze, nieprzyjemnie perwersyjny był fakt, że mieszkał dokładnie naprzeciw pracy. Jak kiedyś skrupulatnie policzył – trzydzieści dziewięć kroków. Po drodze nie miał czasu się osadzić, uspokoić myśli, przestawić na tryb domowy. Po drugie, nie cierpiał tej ponurej poniemieckiej willi, kiedyś domu dyrektora prywatnej kliniki ginekologicznej, znajdującej się po drugiej stronie płotu, dziś domu młodzieży. Niestety dyrektor chciał być nowoczesny i zamiast normalnej chałupy postawił ciężkiego kloca, modernistyczne monstrum, monumentalne na tyle, na ile dom jednorodzinny może być monumentalny. Starczy powiedzieć, że tradycyjną balustradkę przy schodach wejściowych zastępowała zadaszona kolumnada. Szacki żartował sobie, wywieszając niedawno flagę na święto niepodległości, że powinni zatrudnić kogoś, żeby stał na baczność z zapaloną pochodnią.

Na dodatek ostatnimi czasy naprawdę potrzebował chwili, żeby przygotować się psychicznie na to, co go czeka. Dlatego postanowił dać sobie jeszcze moment i zamiast wejść od razu do domu, okrążył willę, przeszedł przez lodowy ogród i zajrzał do kuchni, starając się stać poza padającym z okna światłem. W płaszczu i z aktówką wyglądał jak jakiś podglądacz zboczeniec z lat siedemdziesiątych.

Oczywiście duża obrażona jędza i mała obrażona jędza doskonale się razem bawiły, dawno to już zauważył. Duża jędza kreśliła coś na ogromnej płachcie brystolu, zapewne rozmieszczenie gości na kolejnym weselu. Mała siedziała na wysokim taborecie, machała nogami i opowiadała coś z przejęciem, gwałtownie gestykulując. Duża podnosiła głowę, zaciekawiona, w końcu wybuchnęła śmiechem.

– Cholerne modliszki – szepnął Szacki.

W Olsztynie mieszkał ponad dwa lata, z Żenią spotykał się niewiele krócej, od ponad roku mieszkali razem. Jego pierwszy poważny związek od rozstania z Weroniką przed ponad sześcioma laty. Dobry związek, udany, fajny. Nie bał się użyć słowa: szczęśliwy.

Mimo różnych przeszkód i drobnych perturbacji dogadywał się też z Helcią, która przyjeżdżała do nich raz na krócej, raz na dłużej. Ostrożnie przyzwyczajał się do myśli, że może jeszcze będzie miał normalne życie, co przez długie lata nie było wcale takie oczywiste.

Dlatego kiedy wielki scenarzysta zdecydował się na zwrot akcji, czuł bardziej ekscytację niż niepokój. Mąż Weroniki dostał stypendium na politechnice w Singapurze, a ona zdecydowała się na przygodę życia. Uznała również, że skoro jej nabuzowana hormonami córka akurat skończyła gimnazjum, to nowy szczebel edukacji może połączyć z umacnianiem relacji z ojcem. Zareagował na tę propozycję entuzjastycznie, na co jego była żona najpierw długo milczała, a potem zaśmiała się ciężkim, gorzkim śmiechem doświadczonej kobiety.

I tak oto pod koniec sierpnia przywiózł zaryczaną i rozhisteryzowaną Helenę Szacką do Olsztyna, żeby mogła kształcić się w II LO, niemającym tak ładnej siedziby jak ogólniak Wiktorii Sendrowskiej, ale za to chlubiącym się mianem najlepszej szkoły w województwie. Hela oczywiście wygrzebała złośliwie właściwe rankingi, aby mu pokazać, że szczyt podium na Warmii i Mazurach oznacza w Polsce miejsce osiemdziesiąte drugie, a przed legendarną i hołubioną tutaj „dwójką" zmieściło się dokładnie dwadzieścia pięć szkół warszawskich.

Potem było już tylko gorzej.

Dwie kobiety jego życia zamieniły się w dużą obrażoną jędzę i małą obrażoną jędzę. Funkcjonujące normalnie, dopóki nie pojawił się w polu widzenia, kiedy to zaczynały ze sobą walczyć o jego atencję jak Justyna Kowalczyk i Marit Bjørgen o metry śniegu. Rozumiał, że to on coś robi źle, ale nie miał pojęcia co. I był w tej emocjonalnej matni zupełnie bezradny.

Zdrętwiała mu noga. Zmienił pozycję i stało się to, co musiało się stać: chwilę tańczył w miejscu, po czym runął na zamrożone różane krzaki.

Okno od kuchni uchyliło się momentalnie.

– Jerzy? – spytała przestraszona Żenia.

Jerzy był kiedyś mężem Żeni, prześladował ją po rozwodzie, dostał nawet za to jakieś małe zawiasy.

– To ja. Chciałem się przejść po ogrodzie. – Szacki gramolił się, posykując, bo różane kolce poraniły mu dłonie.

– Aha. – Chłód zastąpił strach w jej głosie. – Zawsze myślałam, że to Jerzy jest pojebany. Ale może to ze mną jest coś nie tak, skoro wszyscy moi faceci chowają się po krzakach.

– Daj spokój. Spójrz, jak jest ładnie. Powietrza trochę chciałem złapać.

– Tato? – Słaby głosik dobiegł nieoczekiwanie z okna na górze, musiała się tam teleportować chyba, skoro dopiero co siedziała w kuchni.

Hela miała minę jak dziecko z filmu dokumentalnego o sierocińcach Trzeciego Świata.

– Cześć, kochanie. Wszystko w porządku?

– Trochę źle się czuję. Tato, możemy porozmawiać? Przyjdziesz?

Żenia zamknęła kuchenne okno bez słowa.

Powiesił płaszcz i poszedł do kuchni uściskać Żenię. Faktycznie siedziała nad listą gości; sądząc po układzie stolików, wesele miało się odbyć w jakiejś nietypowej przestrzeni.

– Gdzie to?

– Tratwy na Wulpińskim. Wesele połączone z kupałnocką. Masakra, cały czas wyobrażam sobie zwłoki unoszące się na falach. Muszę wpisać chyba prohibicję w umowę. Chcesz swój makaron z wczoraj, przegryzł się... – Zawahała się, jakby chciała powiedzieć, że mu zostawiły, ale to by oznaczało przyznanie, że zjadły razem obiad. – Za ostry trochę dla mnie – dokończyła.

– Wstaw, pójdę do Heli.

– Aha, ale wrócisz o jakiejś konkretnej porze, czy mogę iść na basen?

Jej ton nie pozostawiał wątpliwości, że nie ma na żaden basen najmniejszej ochoty. Jedynie daje do zrozumienia, jak bardzo będzie skrzywdzona i rozczarowana, jeśli kolejny wieczór spędzi sama.

– Zaraz będę.

W pokoju Heli paliła się tylko lampka nocna, jego szesnastoletnia córka leżała na łóżku, nakryta cienką kurtką, jakby to było jedyne dostępne jej okrycie.

– Posiedzisz ze mną?

Usiadł przy niej.

– Coś ci jest?

– Głowa mnie boli. To chyba ten klimat. Wiesz, że pruscy żołnierze mieli tutaj dodatek za pracę w trudnych warunkach? Wilgoć niszczyła im zdrowie. Nie mogę się skupić przez to na nauce.

Poczuł irytację. Już chciał wybuchnąć, że ta barwna anegdota dotyczy Wrocławia, a po drugie, na jakiej, do jasnej cholery, nauce, dopiero co rozwijała się towarzysko w kuchni. Ale uciekł od otwartego konfliktu. Nie potrafił znaleźć żadnego rozsądnego środka w rozmowach z córką, kiedy dochodziło do sytuacji spornych, zwłaszcza emocjonalnie trudnych, które wymagałyby szczerej i poważnej rozmowy. Albo uciekał w agresję, albo wycofywał się w jakieś pogawędki o niczym, rozmowy wedle schematu „jak tam w szkole – fajnie – to super".

– A co masz do nauki?

– Musimy zrobić projekt, prezentację o polskim naukowcu.

– Kopernik czy Skłodowska?

Wyprostowała się, dość dziarsko jak na osobę, której trzy miesiące w Olsztynie zrujnowały zdrowie, zainfekowały stawy reumatyzmem.

– No właśnie wolałabym nie. Znalazłam w internecie różne projekty warszawskie i prezentację o Wolszczanie. Kojarzysz, to ten...

– Kojarzę.

– Pokażę ci zresztą.

Sięgnęła po komputer.

– Ale nie chcę o Wolszczanie. Tu jest taki dokument, spójrz...

– Prawdę mówiąc... mój makaron... – Brakowało tylko, żeby zaczął się jąkać. Gdyby ktoś nagrał tę scenę i wrzucił do internetu, wielu osadzonych przez prokuratora Teodora Szackiego w polskich zakładach karnych tarzałoby się ze śmiechu.

Spojrzała na niego, trochę z niedowierzaniem, trochę pytająco. Jej matka zawsze tak na niego patrzyła.

– Maria Janion? – zapytał w końcu z uprzejmym zainteresowaniem.

– Wybitna naukowiec. Kobieta. I lesbijka. Pomyślałam, że przyda się na wsi trochę gender. Pokażę ci fragment tego filmu, chciałabym zacząć od tego. Tak się podniecam, ale muszę w nowej szkole się wybić trochę na początku. Rozumiesz?

Na dole trzasnęły drzwi.

Prokurator Teodor Szacki pomyślał, że to będzie długi wieczór.

# ROZDZIAŁ 2

## wtorek, 26 listopada 2013 roku

W rocznicę śmierci Adama Mickiewicza swoje urodziny obchodzi, jak co roku, Tina Turner. Kończy 74 lata. Organizacja Human Rights Network alarmuje o skali gwałtów w Syrii, gdzie przemoc wobec kobiet stała się narzędziem wojny. Seks pozamałżeński jest zakazany, a ofiara gwałtu jest winna złamania tego zakazu. Europa ciągle ma cień nadziei, że władze Ukrainy zmienią zdanie w sprawie gotowej umowy stowarzyszeniowej. Termin upływa w piątek. Poza tym premier Szkocji oficjalnie zapowiada referendum, na którym Szkoci zdecydują o wystąpieniu ze Zjednoczonego Królestwa, a papież Franciszek krytykuje kult pieniądza. W Polsce trwa dyskusja o czekającej na podpis prezydenta ustawie o „bestiach", która ma wtrącać wyjątkowo niebezpiecznych przestępców po odbyciu kary do specjalnego ośrodka psychiatrycznego. W Olsztynie, mieście kontrastów, tematem dnia jest zamierzchła przeszłość i odległa przyszłość. Archeolodzy odkopali obok Wysokiej Bramy gotycki filar, pozostałość średniowiecznego mostu. Wygląda na to, że przed setkami lat Łyna biegła inaczej, niż sądzili. Jednocześnie wojewódzcy urzędnicy podpisali umowę, dzięki której wiosną ruszą prace przy budowie międzynarodowego portu lotniczego w Szymanach; olsztyńska ulica kpi, że po zakończeniu prac tajni więźniowie CIA będą w końcu odprawiani w komfortowych warunkach. W całej Polsce dość pogodnie i słonecznie jak na tę porę roku, na Warmii mgła i marznąca mżawka.

# 1

Sączył kawę w kuchni rozmiarów kawalerki i udawał, że jest pochłonięty lekturą „Gazety Olsztyńskiej", żeby nie brać udziału w rozmowie o emocjach, która wisiała w powietrzu. Kamuflaż był mocno przeciętny, nie było na świecie osoby, którą „Gazeta Olsztyńska" mogłaby aż tak zainteresować. Szacki nie raz zastanawiał się, kto tutaj patrzy władzy na ręce, skoro lokalne media zajmują się – jak w tym numerze – plebiscytami na najsympatyczniejszego listonosza. Przeleciał wzrokiem standardowy tekst o przemocy w rodzinie – trzy tysiące nowych niebieskich kart w regionie, jakiś sensowny policjant apeluje o czujność, bo bardzo rzadko ofiary i sprawcy pochodzą z rodzin patologicznych. Jego wzrok przykuł na chwilę dramatyczny fotoreportaż z ratowania łosia, który utknął w jakimś dole pełnym błota. Pomyślał, że musi schować gazetę przed Hęlą, inaczej znowu będzie wywracała oczami, że musi mieszkać w lesie z dzikimi zwierzętami. Łosia uratowali myśliwi, co zrodziło w Szackim podejrzenie, że sami go tam najpierw wrzucili, żeby móc potem mówić w telewizji, że wcale nie są zgrają testosteronowych wariatów, którzy chcą sobie trochę pozabijać przy wódce i bigosie. Skądże znowu, oni ratują zwierzęta.

– Jest coś o tobie?

Spojrzał zdziwiony.

– Nie, dlaczego?

– Adela pisała, podobno dałeś wczoraj w jedynce występ.

Wzruszył ramionami, przekartkował do końca gazetę i odrzucił ją teatralnie.

– Jakoś z Polski to lepiej wygląda. Dzieciobójczynie, lincze na wioskowych oprawcach, prezydenci wsadzający podwładnym ręce do majtek. Gdzie to wszystko jest?

Żenia zerknęła na niego przez ramię, unosząc wysoko jedną brew. Był to gest tak charakterystyczny, że powinna go wydrukować na wizytówkach zamiast imienia i nazwiska.

– Oszalałeś? Chcesz, żeby ludzie dzieci mordowali?

– Oczywiście, że nie. Ale skoro już muszą, to niech to robią na mojej zmianie. Takie Włodowo, tak, nie byłoby źle.

– Jesteś chory.

– Patrzysz zbyt emocjonalnie. To była fascynująca fabularnie i prawniczo sprawa, a co się stało? Zginął zapijaczony zek i oprawca, który terroryzował okolicę. Żadna wielka krzywda. Sprawcy odsiedzieli kilka miesięcy, a potem ich prezydent ułaskawił, więc jak na to, co zrobili, jakoś się szczególnie nie nacierpieli.

– I słusznie.

– To już dyskusyjny pogląd. Społeczeństwo powinno zostać poinformowane, że nie wolno rozwiązywać konfliktów poprzez zatłukiwanie kijami na śmierć.

– Gadasz jak prokurator.

– Ciekawe dlaczego.

Wstał, poprawił mankiety koszuli i założył marynarkę. Było za trzy ósma. Objął Żenię i pocałował ją czule w usta. Nawet na bosaka była prawie taka wysoka jak on, podobało mu się to.

– Po pierwsze, musimy w końcu porozmawiać. Wiesz o tym?

Skinął niechętnie głową. Wiedział.

– Po drugie, pamiętasz o zasadzie dwóch minut, prawda? – Wskazała na ślady po jego śniadaniu. Okruszki, plama kawy i naczynia. A on pomyślał, że sporo jej wypowiedzi zamienia się w pytania. U przesłuchiwanego wziąłby to za objaw niepewności, u niej była to socjotechnika, która wymuszała na rozmówcy ciągłe potakiwanie, dzięki czemu godził się z rozpędu na to, na co nie miał ochoty.

Dlatego nie potaknął.

– Wszystkie czynności, które nie zajmują więcej niż dwie minuty, robimy od razu, tak? Ułatwiając wszystkim życie w ognisku domowym. Teraz pytanie...

Co za niespodzianka, pomyślał.

– Ile zajmuje umycie talerza, szklanki i kubka? Więcej niż dwie minuty?

– Mam pracę. – Wskazał ręką na duży dworcowy zegar, wiszący nad drzwiami.

– Och tak – obniżyła głos – taką męską, prawdziwą, biurową pracę. Nawet masz aktówkę, mój samcu. A ja pracuję na bosaka w domu, mam taką śmieszną babską pracę, hobby właściwie, więc mogę po tobie sprzątać. Stuknij się, to nie lata siedemdziesiąte.

Poczuł, jak rośnie w nim złość. Dość miał tego rozstawiania po kątach. Założył już marynarkę, teraz musiałby ją zdjąć, wyjąć spinki, zawinąć mankiety, pozmywać. Dla niej to była chwila, nawet tego nie zauważy przecież.

Zerknęła przez ramię na widoczny za oknem budynek prokuratury, jedna brew wysoko podniesiona.

– Jeszcze mi powiedz, że musisz lecieć, bo się boisz, że utkniesz w korku.

Nie wiedzieć czemu ta uwaga sprawiła, że na oczy spadła mu czerwona zasłona. Może to nie są lata siedemdziesiąte, ale każdy zasługuje na odrobinę szacunku.

– Mam pracę – wycedził zimno.

I wyszedł.


2


Edmund Falk czekał już pod drzwiami jego gabinetu. Jak tylko zobaczył Szackiego, wstał i wyciągnął rękę na powitanie. Nie powiedział „dzień dobry", ale też Falk w ogóle niewiele mówił, a zapytany, odpowiadał uprzejmie i tak oszczędnie, jakby za każdą sylabę pobierali mu opłatę z konta.

Szacki otworzył drzwi i wpuścił młodego asesora do środka. Falk usiadł na miejscu dla klientów, od razu wyjął z teczki plik kartek i czekał bez słowa na znak, że może przedstawić swoje sprawy.

Szacki wiedział, że cały prawniczy Olsztyn kpi sobie z „króla sztywniaków" i „księcia sztywniaków", jak ich nazywano. I faktycznie, było w tym trochę prawdy, bo gdyby Szacki miał syna, to nie było szans, żeby ten syn, krew z krwi i kość z kości, był do niego podobny bardziej niż Edmund Falk.

Młody prawnik należał do pierwszego rocznika osób, które musiały naprawdę chcieć i się postarać, żeby zostać prokuratorami. Wcześniej było odwrotnie: do prokuratury często szli ci absolwenci prawa, którym nie powiodło się w dostaniu na inne aplikacje albo nie mieli wystarczających pleców lub odpowiednio ustosunkowanych rodzin. Kilka lat temu zlikwidowano aplikację prokuratorską oraz sędziowską i powołano elitarną Krajową Szkołę Sądów i Prokuratury.

Prawnicy z dyplomem, którym marzyła się toga z czerwoną lub fioletową lamówką, musieli teraz dostać się do szkoły w Krakowie, przejść przez trzyletni morderczy maraton wykładów, staży i egzaminów, ale jeśli przetrwali, mieli zagwarantowane miejsce na asesurze. Było o co walczyć, jako studenci dostawali wysokie miesięczne stypendium, pensja asesora wynosiła na rękę ponad trzy tysiące, a prokuratora rejonowego – ponad cztery na początek. Może nie majątek, ale w niepewnych czasach oznaczało etat i pewność zatrudnienia w budżetówce.

Do egzaminów teoretycznych i praktycznych w KSSiP przystępowało dwa tysiące osób. Na pierwszy ogólny rok przyjmowano trzysta. Potem stu pięćdziesięciu skreślano, a resztę szlifowano na prawnicze diamenty. Falk był przedstawicielem pierwszego rocznika, który przyszedł na asesurę nie po trzech latach aplikacji, czyli parzenia kawy w rejonie, tylko po trzech latach ciężkiej pracy. Kodeksy i procedury znał na wyrywki, pracy z pokrzywdzonymi uczyły go europejskie organizacje pozarządowe, a technik przesłuchań – instruktorzy ze szkoły FBI w Quantico. Miał za sobą staże w laboratoriach kryminalistycznych, prosektoriach, komendach policji, prokuraturach i sądach wszystkich szczebli. Miał dyplom ratownika wodnego i ratownika medycznego. Znał angielski na poziomie, który pozwalał mu uczyć tego języka, a rosyjskiego nauczył się już na studiach, ponieważ uznał, że to logiczna decyzja. Że w pracy prokuratora w Olsztynie, graniczącym z obwodem kaliningradzkim, będzie to umiejętność przydatna. Zachwycona szefowa poinformowała też Szackiego, że Falk był mistrzem Polski juniorów w tańcu towarzyskim i ma papiery instruktora jeździectwa. Szacki pomyślał wtedy, że to ostatnie tylko po to, żeby dopełnić wizerunek szeryfa. Pewnie potrafił też kręcić rewolwerem na palcu.

Niedawno rozmawiał o absolwentach KSSiP ze znajomym z apelacji gdańskiej, twardzielem od przestępczości zorganizowanej. „Za dwa lata będziemy ich wszystkich widywać w sądach po drugiej stronie – mówił. – Są zwyczajnie za dobrzy. Naszemu państwu rzadko coś wychodzi, ale tym razem efekty są zdumiewające. Wykształciliśmy nowoczesne maszyny do wymierzania sprawiedliwości. I teraz te maszyny montujemy w naszym systemie. Oczywiście można włożyć sportowy silnik z turbosprężarką do poloneza. Tylko po co?".

Edmund Falk był rodowitym olsztynianinem. Wiedział, że jedno z miejsc asesorskich czeka w jego rodzinnym mieście. I wiedział, że zasady rozdziału miejsc są bardzo proste. Dlatego zdał egzamin końcowy najlepiej na roku. Nie dlatego, że zależało mu na wyniku. Po prostu chciał wybierać jako pierwszy. To była logiczna decyzja.

A potem przyjechał do Olsztyna, spotkał się z szefową i zamiast pocałować ją w pierścień jak królową matkę, postawił warunek: jest gotów na uczynienie im zaszczytu w postaci swojej asesorskiej obecności, ale tylko jeśli jego patronem zostanie prokurator Teodor Szacki.

I tak oto Szacki po raz pierwszy w swojej karierze dorobił się terminatora. Nie zapytał Falka, dlaczego tak mu na tym zależało, myśląc, że Falk sam go o tym poinformuje. Nie poinformował.

– Załatwiłem sprawę w Barczewie. Nie powinni już nas niepokoić – zameldował Falk. Nigdy nie wdawał się w dyskusje o sporcie i pogodzie.

– Przesłuchałem osadzonego Grzegorza Jędrasa i uznałem, że jego zawiadomienie jest częścią większego problemu, który należy rozwiązać.

Szacki spojrzał pytająco. Zawiadomienie Jędrasa było typowym humbugiem. Więzień zaświadczał, że przeszedł na islam, jest głęboko wierzący, a administracja tego nie zaakceptowała i prześladuje go ze względu na wyznanie, nie chcąc wyeliminować wieprzowiny z menu, a przede wszystkim nie godząc się na przydzielenie mu celi z oknem na Mekkę i nie dostosowując rozkładu dnia do rytmu islamskich modlitw. Ostatnio nawrócenia stanowiły modną rozrywkę wśród osadzonych, zawsze można było liczyć na zmianę celi albo chociaż kilka przesłuchań, żeby potem rozerwać towarzyszy opowieścią, jak to się witało prokuratora zwrotem „salam alejkum".

– I jak pan rozwiązał ten problem? – Starał się nie okazać zdziwienia. Sam był legalistą, ale nie mógł uwierzyć, że Falk potraktował sprawę poważnie.

– Porozmawiałem z naczelnikiem więzienia i wspólnie ustaliliśmy, że położenie geograficzne zakładu w Barczewie niestety nie pozwala nikomu mieć celi z oknem w stronę Mekki. Dlatego w trosce o wolność wyznania osadzonego Jędrasa zostanie on w trybie pilnym przeniesiony do zakładu w Sztumie. Tamtejszy naczelnik był na tyle wyrozumiały, że choć w stosunku do Jędrasa nie ma podstaw do zastosowania artykułu osiemdziesiątego ósmego kodeksu karnego wykonawczego, zgodził się go umieścić w jedynym bloku z celami wychodzącymi na Mekkę. Z diety Jędrasa zostaną też wyeliminowane wszystkie produkty pochodzenia mięsnego, ponieważ uznaliśmy, że nie sposób na tyle skontrolować kuchni i pracujących w niej więźniów, żeby nie skrzywdzili, złośliwie lub przez przypadek, osadzonego Jędrasa obecnością wieprzowiny w menu.

Szacki skinął głową z aprobatą, chociaż wiele go kosztowało zachowanie powagi. Falk rozerwał Jędrasa na strzępy. Wyrwał go z naturalnego środowiska kumpli, gdzie się najwyraźniej dobrze bawił, i wysłał do cieszącego się złą sławą więzienia w Sztumie. Na dodatek uczynił go wegetarianinem i w trosce o wiarę umieścił w „ence", oddziale dla niebezpiecznych przestępców. Było to wyjątkowo ponure miejsce, gdzie nie wolno posiadać swoich ubrań, trzeba przechodzić rewizję przy każdym wyjściu i wejściu do jednoosobowej celi, a defekacji dokonuje się pod czujnym okiem kamery. Oczywiście Jędras się z tego wybroni, pisząc kolejne odwołania, ale młyny penitencjarne mielą powoli. Przez ten czas bez wątpienia zostanie wojującym ateistą.

– Nie przeszkadza panu działanie na granicy prawa? – zapytał wprost asesora.

– Na papierze wszystko wygląda jak wyraz najwyższej troski o osadzonego. Szukałem rozwiązania, które nie tylko uspokoi Jędrasa, ale też wyśle czytelny sygnał do innych osadzonych, czym kończy się marnowanie czasu urzędu prokuratorskiego. Podatnik ma słuszne prawo wymagać, żebyśmy dbali o porządek, a nie zabawiali osadzonego Jędrasa. To było logiczne rozwiązanie.

Czasami Szacki rozumiał, dlaczego reszta rejonu nazywała Falka „Pinokiem". Był naprawdę sztywny, jak wystrugany z drewna. Innym to przeszkadzało, niestety naturalną ludzką tendencją było bratanie się, zaprzyjaźnianie i skracanie dystansu. Szackiemu ta postawa imponowała.

– Coś jeszcze?

– Umorzyłem sprawę Kiwita.

Szacki spojrzeniem poprosił o przypomnienie.

– Przedwczoraj szpital wojewódzki zawiadomił policję, że pogotowie przywiozło im mężczyznę z obrażeniami. Sam wezwał pomoc. Obrażenie niezagrażające życiu, ale dość poważne, nigdy już nie będzie słyszał na lewe ucho. Witold Kiwit, lat pięćdziesiąt dwa, przedsiębiorca.

– Jaka kwalifikacja?

Falk nie zawahał się ani na sekundę.

– Sto pięćdziesiąt siedem.

Szacki potwierdził. Pytanie było podchwytliwe, teoretycznie wcześniejszy artykuł 156 mówił wprost o pozbawieniu człowieka „wzroku, słuchu, mowy, zdolności płodzenia", ale z orzecznictwa wynikało, że musiało to być całkowite pozbawienie, a nie uszkodzenie. Różnica była spora, za 156 było od roku do dychy, za 157 od trzech miesięcy do pięciu lat.

– Nie chciał być przesłuchiwany, powtarzał w kółko, że nie składa skargi.

– Wystraszony?

– Zdeterminowany raczej. Wytłumaczyłem mu, że to nie Ameryka, że z urzędu zajmujemy się ściganiem ludzi wkładających innym ludziom ostre przedmioty do ucha, bo tacy ludzie są źli. A nie dlatego, że poszkodowany tego sobie życzy. Wtedy zmienił front, powiedział, że to był wypadek. Poślizgnął się na lodzie, wracając do domu, i uderzył uchem w ostry słupek z ogrodzenia. Nie pamięta gdzie, był w szoku. Pewnie gdzieś na Rybakach, bo tam mieszka.

– Rodzina?

– Żona, dwóch synów w liceum i gimnazjum.

– A ten jego biznes? Pensjonat? Knajpa?

– Plandeki.

Szacki pokiwał głową. Raczej nie była to działalność, przy której chłopcy z miasta upominali się o swoją dolę. A taką możliwość trzeba było rozważyć przy dziwacznych uszkodzeniach ciała. Oczywiście facet mógł działać w szarej strefie, plandeki mogły być, nomen omen, przykrywką. Posiadanie rodziny tłumaczyłoby wtedy strach Kiwita przed angażowaniem organów ścigania.

– Porozmawiałem z nim spokojnie. Wyjaśniłem, że jeśli ktoś mu grozi, to jego rodzina wcale nie będzie bezpieczniejsza, jak zacznie udawać, że zagrożenia nie ma. – Falk udowadniał, że bezbłędnie nadąża za tokiem rozumowania swojego patrona. – Opowiedziałem o prawach pokrzywdzonego, wytłumaczyłem, jakie środki możemy zastosować wobec podejrzanego sprawcy. Że przy takim uszkodze-

niu i groźbach areszt byłby możliwy. Że on sam nie musiałby się bać
o dzieci. Liczyłem, że coś go ruszy. Ale nie.

Szacki myślał. Coś mu tu nie grało.

– Jak on wygląda? Mały, chudy?

– Postawny, barczysty, z brzuchem.

– Inne obrażenia?

– Nie.

Sprawa powinna być z automatu umorzona, nie było sensu prowadzić śledztwa w wypadku bójki, kiedy pokrzywdzony nie chce zezna-
wać. Jeśli to nie była bójka, tylko facet prowadził szemrane interesy
na przykład z Rosjanami, sam był sobie winien. I Falk podjął bardzo
życiową, logiczną decyzję. Szacki chyba zrobiłby to samo.

– Proszę, żeby pan odroczył decyzję jeszcze o dwa dni – powiedział
do asesora. – Jeśli nie ma innych obrażeń ciała, to pan Kiwit ani się nie
przewrócił na nic, ani nie brał udziału w pijackiej bójce. To oznacza, że
musiało ich być co najmniej trzech, żeby móc go obezwładnić i gme-
rać czymś w uchu. Ewentualnie zaszantażowali groźbami lub twardą
przemocą wobec rodziny. Proszę, żeby pan sprawdził, skąd zgarnęło
go pogotowie, zrobił szopkę z przeszukaniem domu pod kątem krwi,
przesłuchał żonę i synów, a potem jeszcze raz go przycisnął. Najlepiej
na Partyzantów. Pokój z weneckim lustrem, kamery, niech myśli, że
to poważna sprawa.

Edmund Falk nie dyskutował. Pokiwał głową, jakby rozumiał, że
jeszcze niejedną życiową decyzję podejmie. Teraz pora na naukę. Schował papiery i wstał. Był niski, może nie w sposób budzący zdumienie,
ale zauważalny, zwłaszcza że pochodził z pokolenia dobrze odżywio-
nych olbrzymów. Albo geny, albo jego matka nie umiała odstawić
używek w czasie ciąży.

Niski, drobny, szczupły, o figurze tancerza. Szackiemu nagle zrobiło
się przykro, że pytając o Kiwita, użył sformułowania „mały, chudy".
To Falk był mały i chudy, na dodatek zawsze ubierał się na czarno lub
ciemnoszaro, co sprawiało, że zajmował sobą jeszcze mniej miejsca.

Mógł pomyśleć, że to od patrzenia na niego Szackiemu przyszło takie pytanie do głowy.

– Ładnie pan przemawiał w mojej starej szkole, panie prokuratorze – powiedział przed wyjściem.

– Słyszał pan?

– Widziałem. Dwudziesty pierwszy wiek. – Musiał go zaboleć „mały, chudy". Zwykle asesor nie pozwalał sobie na złośliwości.

Od konieczności riposty wybawił Szackiego telefon. Falk wyszedł.

– Szacki.

– Dzień dobry, mówi doktor Frankenstein.

– Bardzo zabawne.

– Profesor doktor habilitowany Ludwik Frankenstein ze szpitala uniwersyteckiego na Warszawskiej. Pan się podpisał pod postanowieniem o przekazaniu nam NN.

– Tak.

– Musi pan do mnie przyjechać jak najszybciej. Zakład anatomii, kwadratowy budynek na lewo za szlabanem.


# 3

Chwilę błądził, bo z Warszawską w Olsztynie było jak z Koszykową w Warszawie, występowała w dwóch niekompatybilnych wariantach. Kojarzył ulicę jako szeroką wylotówkę w stronę uniwersytetu i dalej Olsztynka, tymczasem miała ona brzydszą siostrę – krótki odcinek obstawiony zapuszczonymi kamieniczkami tuż obok starówki. Trzeba było skręcić w lewo koło mostu Jana. Szpital mieścił się *vis-à-vis* „pijalni piw regionalnych".

Pokazał stróżowi legitymację i znalazł miejsce do parkowania między zabudowaniami. Kiedyś był to niemiecki szpital garnizonowy, raczej drugorzędny, budynki z nieśmiertelnej czerwonej cegły wydawały się znacznie mniejsze i skromniejsze w porównaniu z neogotyckimi gmachami szpitala miejskiego. Część wyglądała na zaniedbaną, część została wyremontowana, w głębi pysznił się nowoczesny budynek, ładnie wkomponowany w pruską architekturę. Panowała tu atmosfera placu budowy, wynikająca z faktu, że wydział medyczny działał w Olsztynie dopiero od kilku lat. Przez ten czas udało się przekształcić zapyziały wojskowy szpital w kliniczne cudeńko. Szacki odwiedzał tu w zeszłym roku matkę Żeni i już wtedy uznał, że całość ma dość ludzki wymiar w porównaniu z różnymi medycznymi monstrami, które widywał w swojej karierze. Wtedy na dodatek panowała upalna wiosna, kasztany między budynkami kwitły, stare ceglane mury dawały przyjemny chłód.

Teraz chłód był ostatnim, czego potrzebował. Okutał się płaszczem i szybkim krokiem przeszedł do jedynego kwadratowego budynku, wyjątkowo otynkowanego na biało. Pomyślał, że skoro ktoś się nazywa Frankenstein, to na pewno normalnie wygląda i normalnie się zachowuje. Byłaby to miła odmiana po tych wszystkich szalonych patologach, których spotkał. Poza tym to wykładowca akademicki, a nie jakiś świr krojący trupy całymi dniami. Musi być normalny, w końcu dzieci uczy.

Próżne nadzieje.

Profesor doktor habilitowany Ludwik Frankenstein czekał na niego u szczytu schodów, przy wejściu do Collegium Anatomicum. Cóż, zrobił wszystko, żeby upodobnić się do szalonego naukowca z powieści gotyckiej. Stał wyprostowany jak trzcina, wysoki, chudy, o długiej, szlachetnej, klasycznie przystojnej twarzy tego jedynego dobrego niemieckiego oficera z amerykańskich filmów wojennych. Stalowe spojrzenie, nos prosty jak odrysowany przy ekierce, krótka jasna broda, przystrzyżona *à la* Reymont. Do tego okrągłe okulary w bardzo cienkich drucianych oprawkach i przedziwny medyczny fartuch ze stójką, zapinany z boku na rząd guzików jak oficerski szynel. Żeby stylizacja była pełna, brakowało mu fajki z długim cybuchem i odciętych dłoni wystających z kieszeni fartucha.

– Frankenstein – powiedział, wyciągając rękę na powitanie. Brakowało tylko, żeby na drugim planie huknęła błyskawica.

Kiedyś to była szpitalna stołówka – objaśnił Szackiemu, prowadząc go przez laboratoryjne wnętrze.

– Widzę – mruknął prokurator, patrząc na poustawiane pod ścianą papierowe talerzyki z resztkami tortu i puste butelki od szampana. – Przyzwyczajenie drugą naturą budynków.

Po chwili naukowiec otworzył drzwi i weszli do sali prosektoryjnej, bez wątpienia najnowocześniejszej, jaką Szacki kiedykolwiek widział. Chromowany stół, wyposażony w całe instrumentarium niezbędne do krojenia, kamery do rejestracji, lampy i potężny wyciąg. Pewnie nie radził sobie do końca z zapachem trupa, ale może przynajmniej nie trzeba było po sekcji wrzucać wszystkich ciuchów do pralki.

Wokół stołu w kilku wysokich rzędach piętrzyły się krzesła, sala była nie tylko prosektorium, ale też akademicką aulą.

– Tutaj – powiedział niskim głosem Frankenstein – wydzieramy śmierci jej tajemnice.

Poważne słowa profesora brzmiałyby dostojnie, gdyby nie to, że w tej świątyni śmierci na parapetach stały kolejne butelki po szampanie, pod sufitem wolno sunęły poruszane przez wentylację baloniki, a z bezcieniowych lamp zwisało kilka kolorowych serpentyn. Szacki nie skomentował ani śladów imprezy, ani zagajenia naukowca. Patrzył na kości swojego wczorajszego Niemca, pieczołowicie ułożone na stole. Na pierwszy rzut oka szkielet wyglądał na kompletny. Wsadził dłonie do kieszeni płaszcza i mocno ścisnął kciuki. Naukowiec nazywał się dziwacznie i wyglądał jak wariat, ale przecież ciągle mógł być normalnym facetem o niecodziennej aparycji. Rzeczowym, konkretnym, miłym.

– Ten stół – profesor pogładził chromowaną powierzchnię – jest dla zwłok tym, czym bugatti veyron dla siedemdziesięcioletniego playboya. Trudno sobie wyobrazić lepsze połączenie.

54

Próżne nadzieje.

Szacki puścił swoje kciuki, przełknął komentarz o tym, czy w związku z tym ma przepraszać za dostarczenie jedynie starych kości, i przeszedł do rzeczy:

– O co chodzi?

– Pan, jako prokurator, zna na pewno podstawy biologii, jej pseudonaukową wersję wystarczającą do badań kryminalistycznych. Ile potrzeba lat, żeby z człowieka został szkielet?

– Koło dziesięciu, zależy od warunków – odpowiedział spokojnie, chociaż czuł rosnącą irytację. – Ale żeby był w tym stanie, żadnych tkanek, chrząstek, żadnych ścięgien, włosów, to nie mniej niż trzydzieści. Nawet biorąc pod uwagę, że rozkład ciał pozostawionych na powietrzu trwa szybciej niż w wodzie i znacznie szybciej niż tych pogrzebanych.

– Bardzo dobrze. Są różne drugorzędne czynniki, ale w naszym klimacie zwłoki pozostawione same sobie potrzebują minimum dwóch, trzech dekad, żeby osiągnąć taki stan. Tak pomyślałem, kiedy układałem naszego delikwenta. Pomyślałem też, że szkielet jest na tyle kompletny, że zrobię z niego puzzle: różne elementy powrzucam do torebek i studenci będą je musieli układać na czas. Byłem gotów samemu dorobić brakujące elementy. – Poprawił okulary i uśmiechnął się przepraszająco. – Takie małe plastyczne hobby.

Szacki szybko zrozumiał, do czego zmierza ten wywód.

– Ale nie ma brakujących elementów.

– Właśnie. Dało mi to do myślenia, taka zagadka. Zwłoki leżą kilkadziesiąt lat i nie zginęła ani jedna kostka. Żadna myszka nie zabrała?

Szacki wzruszył ramionami.

– Zamknięta żelbetowa konstrukcja.

– Przyszło mi to do głowy, ale zadzwoniłem do znajomych zajmujących się historią Olsztyna... Pan jest z Olsztyna?

– Nie.

55

– Tak też myślałem. Wrócimy do tego. Zadzwoniłem do znajomych i powiedzieli mi, że to był zwykły schron przeciwlotniczy, piwnica. Czyli nie musiał być hermetyczny, miał sanitariaty, kanalizację, wentylację. Wszystko można o nim powiedzieć, ale nie że była to zamknięta konstrukcja. Co oznacza, że szczury, walcząc o jedzenie, powinny rozwlec te zwłoki po wszystkich zakamarkach. Dlaczego tego nie zrobiły?

Szacki tylko spojrzał.

– Ciało ma swoje tajemnice. – Frankenstein ściszył głos, żeby nikt nie miał wątpliwości, że zamierza zdradzić jedną z nich. – Wie pan, że w płucach mamy receptory smakowe jak na języku?

– Teraz już tak.

– I to gorzkiego smaku! Pęcherzyki płucne reagują na gorzki smak. Co oznacza, że ostatecznym lekiem na astmę może być nie jakaś cudem wyprodukowana substancja, ale cokolwiek obojętnego, byleby było gorzkie. Nie zazdroszczę facetowi, który to odkrył. Koncerny farmaceutyczne pewnie już wyznaczyły nagrodę za jego głowę.

– Panie profesorze, proszę...

– *Ad rem.* Tylko jeszcze informacja na wieczór: szyjka macicy też posiada receptory smakowe. Ona z kolei lubi smak słodki. Myśli pan, że to ma coś wspólnego z tym, że plemniki dla żywotności podróżują sobie na podkładce z fruktozy?

Szacki pomyślał, że atak jest najlepszą obroną przed szaleńcem.

– Ciekawe – powiedział, naśladując ton Frankensteina. – Może chciałby pan w takim razie wejść do spółki produkującej ogromne czekoladowe wibratory? Pańska wiedza o ludzkiej anatomii mogłaby być w tym wypadku niezastąpiona.

Frankenstein poprawił druciane okulary i spojrzał na niego wzrokiem niemieckiego oficera.

– Przemyślę to. Ale wróćmy do kości. – Założył ręce za plecami i zaczął się przechadzać wokół stołu. – Stanąłem przed zagadką, do której kluczem były te oto szczątki. Więc zacząłem im się przyglądać. Na początku nie zwróciłem na to uwagi...

– To kobieta czy mężczyzna? – wtrącił Szacki.

– Mężczyzna oczywiście. Nie zwróciłem uwagi, bo czasami nawet w wyniku rozkładu paliczki palców stopy nie rozpadają się na oddzielne kości, zapieczone przez cienkie torebki stawowe i zwyrodnienia. Proszę spojrzeć. – Podniósł jedną kość i rzucił w kierunku Szackiego.

Prokurator złapał ją bez zastanowienia i bez obrzydzenia, widział gorsze trupy niż pan profesor.

Były to dwie niewielkie kości, jedna długości może trzech centymetrów, druga pięciu. Połączone cienką warstwą białej, przezroczystej właściwie chrząstki stawowej.

– Nic pana nie dziwi?

– Staw nie uległ rozkładowi.

– Proszę spróbować poruszyć kośćmi.

Poruszył. O dziwo, można je było zgiąć. To niemożliwe, żeby w kilkudziesięcioletnich zwłokach były działające stawy.

– A teraz proszę spróbować je rozdzielić.

Pociągnął delikatnie. Wystarczyło. W jednym ręku trzymał krótszą kość, zakończoną niewielką metalową płytką z otworkiem, wyglądało to jak podkładka pod nakrętkę. Na dłuższej kości została chrząstka, o dziwo zakończona długim na centymetr kwadratowym bolcem.

– Co to jest? – zapytał.

– To jest silikonowa endoproteza stawu śródstopno-paliczkowego, zwana też endoprotezą pływającą, nowoczesne rozwiązanie w dziedzinie protez stawowych. Sposób na operacyjne rozprawienie się ze schorzeniem zwanym sztywnym paluchem. Najbardziej dokuczliwym dla sportowców. I dla kobiet, bo nie można chodzić na obcasach. Ten miał, oceniając po szwach czaszkowych, około pięćdziesiątki. Czyli ani kobieta, ani sportowiec. Czyli pewnie lubił dbać o siebie.

Mózg Szackiego pracował na szybkich obrotach.

– To ma jakiś numer seryjny? – zapytał.

– Normalne tak, silikonowe nie, ale jest tylko jeden ośrodek w Warszawie, gdzie robią takie rzeczy, specjalizują się w chirurgii stopy.

Mój dawny student dorabia się tam majątku, bo kobiety potrzebują do swoich szpilek w cenie samochodu idealnych produktów anatomicznych. Zadzwoniłem do niego. Tak z ciekawości.

– I?

– Protezę tego rodzaju i tej wielkości wszczepił na razie tylko jedną. Pacjentowi z Olsztyna. Któremu bardzo zależało na tej operacji, bo kocha długie spacery po swojej kochanej Warmii. A panu jak się podoba w Olsztynie?

– Wspaniałe miejsce – burknął Szacki.

Potrzebował nazwisk i namiarów.

Frankenstein rozpromienił się i wyprostował, jakby miał dostać order od samego Führera.

– Też tak sądzę. Wie pan, że my tu mamy jedenaście jezior w samych granicach miasta? Jedenaście!

– Powiedział, kiedy była ta operacja? – zapytał Szacki, myśląc, że pięcio- lub siedmioletnie zwłoki to ciągle niezbyt świeża sprawa, ale zawsze jakaś zagadka w tym jest.

– Dwa tygodnie temu. Dziesięć dni temu pacjent wyszedł od nich z lecznicy i pojechał do domu. Dokładnie piętnastego listopada. Podobno nie mógł się doczekać sobotniego spaceru.

– To niemożliwe – odparł Szacki, wpatrując się w dwie trzymane przez siebie kości stopy, która ponad tydzień temu spacerowała podobno po warmińskim lesie. Połączył je i zaczął wyginać, sztuczny staw pracował idealnie.

Frankenstein wręczył mu niewielką kartkę.

– Dane pacjenta.

Piotr Najman, zamieszkały w Stawigudzie. Urodzony w 1963 roku, tydzień temu skończył pięćdziesiątkę. Albo skończyłby pięćdziesiątkę.

– Dziękuję, profesorze – powiedział. – Niestety muszę panu utrudnić życie na wydziale. Nie może pan ruszać tych szczątków, nikt nie może tutaj wchodzić ani niczego dotykać, dopóki policja nie zabierze tego do laboratorium do dalszych analiz. Już wystarczająco zanieczyściliśmy materiał dowodowy. Wychodzimy.

Idąc do drzwi, układał w głowie plan czynności śledczych. Oczywiście może się okazać, że Najman sobie w kapciach telewizję ogląda, doszło do jakiegoś kuriozalnego nieporozumienia, a na uczelni pomieszały im się różne kości w czasie imprezy. Ale musiał działać tak, jakby to była najmniej prawdopodobna możliwość.

– Panie prokuratorze... – Frankenstein wymownie wskazał na niego palcem.

Zaklął w myślach. Bardzo profesjonalnie się zaprezentował, szlag by to trafił. Wrócił do stołu sekcyjnego i odłożył na miejsce połączone sztucznym stawem kości.

– Widzę, że spędzacie tu wolny czas – powiedział złośliwie, wskazując na pozostałości po imprezie.

– Nie czytał pan gazet? Dostaliśmy Grand Prix na targach innowacji w Brukseli. Pierwszy raz od czasu Religi i jego sztucznego serca. Za projekt pozwalający w 3D oglądać modele tworzone na podstawie łączonych badań rezonansem i tomografem. Genialna sprawa.

– I świętujecie w prosektorium?

– Zawsze – odpowiedział profesor takim tonem, jakby nie było rzeczy zwyczajniejszej. – Musimy pamiętać, kto nam towarzyszy na każdym kroku.

– Kto? – zapytał Szacki mechanicznie, kiedy już wyszli z prosektorium i szli korytarzem do wyjścia. Myślami był zupełnie gdzie indziej.

– Śmierć.

Prokurator zatrzymał się i spojrzał na profesora.

– Potrafi pan wyjaśnić, jak z człowieka może w tydzień zostać szkielet?

– Oczywiście. Obecnie rozważam pięć różnych hipotez.

– Na kiedy będzie pan gotowy, żeby o nich porozmawiać?

Frankenstein zapatrzył się nagle, jakby miał przed sobą bezkresną dal, a nie planszę z grafikiem ćwiczeń wywieszoną na ścianie. To nie mógł być dobry znak. Biegły patolog kazałby na taką opinię czekać kilka miesięcy. A profesor doktor habilitowany?

– Jutro o jedenastej. Ale musi mi pan zostawić te szczątki. Proszę się nie martwić. Po pierwsze szkoliłem większość polskich patologów, po drugie mam tutaj sprzęt, przy którym olsztyńskie laboratorium kryminalistyczne to zestaw małego chemika.

– Nie martwię się – odparł Szacki. – Do jutra.

Profesor doktor habilitowany Ludwik Frankenstein niespodziewanie położył mu rękę na ramieniu i spojrzał głęboko w oczy.

– Lubię pana – powiedział.

Szacki nawet nie uśmiechnął się w odpowiedzi. Na schodach odetchnął głęboko listopadowym powietrzem. Czuł się słabo i kręciło mu się w głowie. Czuł się słabo, bo gdyby nie przyzwyczajenie z Warszawy, rutynowo kazałby pewnie zakopać szczątki, a razem z nimi dowód niecodziennej zbrodni. Oczywiście martwiło go trochę, że sprawiedliwości nie stałoby się zadość. Ale na myśl, że mógł się pozbawić najbardziej obiecującej sprawy od lat – na tę myśl naprawdę ugięły się pod nim nogi.


4


Chyba brakowało mu akcji. Powinien teraz wrócić do firmy, poinformować szefową o nowej, trudnej i zapewne wkrótce bardzo głośnej sprawie. Ściągnąć do siebie smutnego dochodzeniowca Bieruta, zrobić plan czynności. Wysłać jak najszybciej kogoś do domu Najmana, wezwać rodzinę na przesłuchanie. Poprosić kogoś w Warszawie o przesłuchanie lekarza od stopy. Czekać na wyniki badań. Ot, śledztwo. Jednak zamiast tych rutynowych czynności kazał Bierutowi ustalić adres, kwadrans później był już po rozmowie telefonicznej z żoną Najmana i jechał Warszawską – tą prawdziwą szeroką Warszawską – w stronę Stawigudy. Przejeżdżał koło Kortowa, kiedy z nieba zaczęło coś padać. Tym razem nie był to zamarzający deszcz, tylko dziwacznie mokry śnieg. Ogromne płatki wyglądały, jakby po drodze z chmury ktoś je przeżuł, a potem wypluł z nienawiścią na szybę citroena.

W gruncie rzeczy miła odmiana po wczorajszym, bo wycieraczki dawały sobie z tym radę.

Szacki minął teren uczelni i zaraz potem opuścił Olsztyn, po obu stronach drogi wyrosła ściana lasu. Nie mówił o tym nikomu, ale uwielbiał ten drogowy pejzaż. Inne większe polskie miasta otoczone były buforem szkaradnej podmiejskości. Po opuszczeniu centrum najpierw jechało się przez blokowiska, a potem przez strefę magazynów, warsztatów, zardzewiałych szyldów, podwórek pełnych rozjeżdżonego błota. W Olsztynie też mieli takie wylotówki – przede wszystkim na Mazury – ale ta była inna. Po wyjechaniu z centrum trafiało się na kompleks uniwersytecki, niegdyś pruski szpital psychiatryczny. Najpierw stare, owiane legendami budynki, potem nowoczesne, sfinansowane przez Unię zabudowania. Jeszcze stacja benzynowa i już, koniec miasta, droga biegła łagodnym łukiem, kilkaset metrów po tabliczce informującej o końcu Olsztyna nie było już śladu cywilizacji. Kochał w tym mieście, że w kilka minut można się znaleźć w leśnej głuszy.

Ruch był niewielki, Szacki przyspieszył trochę na drodze, która falowała delikatnie zgodnie z rytmem pagórkowatego warmińskiego krajobrazu. Do Stawigudy miał niecałe dwadzieścia kilometrów.

Zawsze mieszkał w mieście. Nigdy nie miał z okien innego widoku niż na inne mieszkania w innych budynkach. Przez czterdzieści cztery lata. Gdyby teraz jego grat wpadł w poślizg na mokrej brei, Szacki umarłby, nie wiedząc, jak to jest, kiedy się staje z kubkiem kawy w oknie sypialni i wzrok zatrzymuje się dopiero na linii horyzontu.

Trzy lata temu wrócił do Warszawy po krótkim pobycie w Sandomierzu jedynie po to, aby przekonać się, że on i jego miasto rodzinne dali już sobie wszystko, co mieli do zaoferowania. Męczył się potwornie, fizycznie odczuwał, jak go ten brzydki moloch gnębi i gniecie. Zaczął się rozglądać za konkursami na etaty, zanim jeszcze rozpakował walizkę z ciuchami. I gdzieś przy Olsztynie zdecydowało takie ukłucie, że to Mazury. Jeziora, lasy, słońce. Wakacje. W życiu tam nie był, zawsze jeździł nad morze, ale tak to sobie wyobrażał. Że się osadzi, znajdzie mały domek z widokiem na sosnowy zagajnik i będzie szczęśliwy, czytając wieczorami pogodne książki i dorzucając drewna do kozy. Nie mieszkały w tych wizjach żadne kobiety – tylko on, cisza i spokój. Gorąco wtedy wierzył, że jedynie samotność może dać mężczyźnie prawdziwe spełnienie.

Dwa lata później rzeczywistość nijak nie przystawała do wcześniejszych wizji. Tkwił w związku, ciągle świeżym, ale już nie namiętnym romansie. I przeprowadził się, owszem, z kawalerki w bloku na Jarotach do mieszkania swojej dziewczyny, tak bardzo w mieście, że bardziej byłby tylko namiot rozbity na schodach ratusza. Niby mieszkanie w starej willi, niby z ogrodem, ale z kuchni widział miejsce pracy – złośliwość losu. No i przestał mówić „Mazury". Mieszkał na Warmii i podobała mu się ta odrębność, a Żenia się śmiała, że sposób, w jaki to podkreśla, najlepiej świadczy o tym, że podpisał volkslistę.

To prawda. Miejsce urodzenia przestało go definiować i to było dobre.

Stawiguda to duża wieś, rozrastająca się chaotycznie, składająca się w większości ze współczesnej, jednorodzinnej zabudowy. Nie było tu żadnej urbanistycznej ani architektonicznej myśli, która zamieniłaby przestrzeń w przyjazne miejsce. Istny przegląd projektów z katalogu, oddzielonych od siebie różnymi murami i płotami. Gargamele mieszały się z dworkami polskimi, amerykańskimi willami i chatami z bali. Na dodatek ambicją każdego sąsiada było posiadanie ścian w wyróżniającym się kolorze, jakby sam adres nie wystarczał do identyfikacji nieruchomości.

Dom Najmanów był domem – na ile Szacki zobaczył w zapadającym mroku – seledynowym. Poza tym niczym się nie wyróżniał. Dość nowy, wybudowany pewnie w ciągu ostatnich siedmiu, dziesięciu lat. Na planie kwadratu, parterowy, z małymi oknami i ogromnym dachem, wyższym od kondygnacji. Jakby strych miał tam być najważniejszym pomieszczeniem. Oddzielony od sąsiednich posesji metalowym ogrodzeniem z solidnymi, murowanymi słupami. Podjazd z kostki brukowej, teraz przykrytej topniejącym śniegiem.

Prokurator Teodor Szacki zaparkował w błocie przed bramą i wysiadł, Najmanowa czekała przy furtce, okryta długim swetrem. Skrzyżowane ramiona przyciskała mocno do ciała, włosy miała mokre od śniegu. Możliwe, że czekała dość długo.

Szacki zastanawiał się, czy to coś znaczy.

Wewnątrz dom niczym się nie wyróżniał. Parter miał sporą powierzchnię, a przy tym mało okien i dość nikczemną wysokość. Salon połączono z kuchnią i jadalnią w jedno nieprzytulne pomieszczenie.

Zamknięty kominek, telewizor wielkości ekranu kinowego, duża skórzana kanapa w kształcie litery U, przed nią dwupoziomowy szklany stolik. Na dolnym poziomie gazety, na górnym stos pilotów do wszystkiego. Żadnych książek.

Milczał, czekał, aż gospodyni zrobi kawę, i zastanawiał się, co powiedzieć. Gdyby po prostu znaleźli trupa Najmana w krzakach, byłaby pierwszą podejrzaną – żona, która przez tydzień nie zgłosiła zaginięcia. Ale ktoś sobie zadał dużo trudu, żeby go zabić, zamienić w suche kości i ukryć w mieście. A poza wszystkim nie był stuprocentowo pewny, czy to zwłoki Najmana. Przez telefon ustalił tylko tyle, że faktycznie od ponad tygodnia nie było go w domu.

Postawiła przed nim kawę. Obok wylądował talerzyk z delicjami.

Napił się kawy. Kobieta usiadła naprzeciw, nerwowo obgryzała skórki przy paznokciach. Chciał, żeby odezwała się pierwsza.

– Co się stało? – zapytała.

– Nie mamy pewności, ale podejrzewamy, że najgorsze.

– Zrobił komuś krzywdę – bardziej stwierdziła, niż zapytała. Oczy jej się rozszerzyły.

Takiej odpowiedzi się nie spodziewał.

– Przeciwnie. Podejrzewamy, że pani mąż nie żyje.

– Jak to?

Nie miał wprawy w takich rozmowach. Zwykle jego rozmówcy byli już wstępnie obrobieni przez policję. Przydałby się Falk, na pewno miał z tego szkolenie.

– Podejrzewamy, że zginął.

– W wypadku?

– W wyniku czynu zabronionego.

– To znaczy że kto inny spowodował wypadek?

– To znaczy że kto inny być może pozbawił go życia.

– Zamordował?

Skinął głową. Monika Najman wstała i wróciła z kartonem soku warzywnego. Nalała sobie całą szklankę i wypiła połowę. Wyglądała zwyczajnie, jak nauczycielka albo urzędniczka. Średniego wzrostu, szczupła, o niezapadającej w pamięć twarzy, z popielatymi włosami do ramion. Podmiejska matka. Rozejrzał się, ale nigdzie nie widział śladu bytności dzieci. Żadnych pomazanych ścian, porozrzucanych zabawek, kredek w kubku. Ale też Najman miał pięćdziesiątkę, ona koło trzydziestu pięciu. Może nastolatek?

– Ale kto?

– Proszę pani, proszę się skupić na chwilę. W Olsztynie znaleźliśmy zwłoki, w stanie nienadającym się do identyfikacji. Podejrzewamy i tylko podejrzewamy, że mogą to być zwłoki pani męża. – Poczuł, że musi teraz powiedzieć coś jak normalny człowiek. – Bardzo mi przykro, że przekazuję pani te informacje. Muszę zadać pani kilka pytań, potem przyjedzie policjant i poprosi o coś, gdzie jest DNA pani męża, najlepiej włosy z grzebienia. To nam pozwoli dokonać identyfikacji. Chciałbym też dostać jego zdjęcie, jeśli to możliwe.

Dolała sobie soku, wypiła duszkiem. Wokół ust został czerwony ślad, jakby się po omacku umalowała. Chwilę jeszcze siedziała bez słowa, po czym wstała i zniknęła w głębi domu. Szacki odnotował w myślach, że albo nie nosi zdjęcia męża w portfelu, albo w tej sytuacji nie chce akurat tego najbardziej osobistego oddawać. Odnotował też, że Monika Najman nie jest szczególnie rozmowna. Pytanie, czy dlatego, że jest w szoku, czy dlatego, że bardzo uważa na słowa. Prokuratorskie doświadczenie było bezlistosne: w wypadku tajemniczych zaginięć i zabójstw w czterech na pięć przypadków winni są współmałżonkowie.

Postanowił ją sprowokować.

Minęło kilka minut, zanim wróciła, wręczając Szackiemu odbitkę w pocztówkowym formacie.

– Musiałam wydrukować, żeby było aktualne – powiedziała. – Teraz wszystko w komputerach.

Przyjrzał się zdjęciu. Letni portret, jasny od słońca, uśmiechnięta twarz na tle ceglanej ściany. Przystojny gość, męski, wyrazisty, w stylu Telly'ego Savalasa. Łysa, jajowata czaszka, grube, czarne brwi, piwne oczy, nos prosty jak u rzymskiego generała, pełne usta.

Typ testosteronowego mężczyzny, który bardzo podoba się kobietom, nawet jeśli intuicja podszeptuje im, że nie muszą dobrze wyjść na tej znajomości.

Jedyną skazą na jego męskim wizerunku była zniekształcona w wyniku jakiegoś urazu małżowina prawego ucha.

– Nie powinnam go rozpoznać? – Kobieta przerwała jego kontemplację fotografii.

– Zwłoki nie nadają się do identyfikacji – odpowiedział, a widząc, jak krew odpływa jej z twarzy, szybko dodał: – Metoda DNA jest pewniejsza i pozwoli oszczędzić pani przykrości. Na ogół staramy się nie angażować bliskich, jeśli identyfikacja mogłaby być wyjątkowo traumatyczna.

– Ale co się stało?

Dobre pytanie.

– Ktoś go pobił? Zadźgał? Zastrzelił?

To było nie tylko dobre pytanie. To było też bardzo trudne pytanie.

– Niestety nie wiemy na tym etapie.

Patrzyła na niego bez zrozumienia.

– Piter jest łysy – powiedziała nieoczekiwanie, wskazując na zdjęcie.

– Słucham?

– Piter jest łysy. Nie mogę nikomu dać włosów z jego grzebienia.

Miał na końcu języka pytanie o dziecko, ale z dziećmi różnie bywa.

– Policjant się tym zajmie, proszę się nie martwić.

– Może z maszynki elektrycznej do golenia, tam zawsze jest taki kurz z zarostu. Myśli pan, że się nada?

Nie miał pojęcia, ale pokiwał głową z powagą doradcy duchowego.

– Kiedy widziała pani męża po raz ostatni?

– W poniedziałek – odpowiedziała szybko.

– W jakich okolicznościach?

– Poszedł do pracy.

– Dokąd?

– Ma biuro podróży na Jarotach. To znaczy nie biuro, tylko agencję. On ma. Nie „my mamy".

– A pani czym się zajmuje?

– Pracuję w bibliotece w Kortowie.

– Na uniwersytecie?

– Tak.

– Macie państwo dzieci?

– Synka, pięcioletniego. Piotrka.

Zdziwił się. Pięciolatek, który nie zamienia salonu w plac zabaw.

– Gdzie teraz jest?

– U mojej mamy w Sząbruku.

Nie za bardzo kojarzył, gdzie to jest.

– Od dawna?

Spojrzała na niego, jakby był przezroczysty, a ona oglądała bardzo interesujący program telewizyjny za jego plecami. I cała zastygła.

– Od dawna? – powtórzył.

– Od zeszłego tygodnia. Chciałam odpocząć, a mama go uwielbia.

– Od zeszłego tygodnia w piątek czy od zeszłego tygodnia w poniedziałek?

– Przepraszam, jestem zupełnie rozbita. Czy to jest przesłuchanie?

– Nie, tylko rozmawiamy.

Coś mi wygląda, że jeszcze się poprzesłuchujemy, pomyślał.

– Mąż mówił, że gdzieś wyjeżdża?

– Właśnie nie. – Kobieta ożywiła się nagle i zrobiła taką minę, jakby dało jej to dopiero teraz do myślenia.

– Zdarzało mu się wcześniej, że wychodził do pracy i znikał na tydzień?

– Wie pan, w ogóle dużo jeździł. To branża turystyczna. Biura często organizują wycieczki dla sprzedawców, żeby mogli obejrzeć, co polecają. Sama byłam na jednej. Klienci to lubią, jak ktoś potrafi opowiedzieć o wszystkim.

– Tak bez zapowiedzi jeździł? Zabierają ich z dnia na dzień?

– Nie, oczywiście, że nie. Dlaczego pan pyta?

– Nie zdziwiło pani, że mąż nie wrócił z pracy i zniknął?

Zagryzła wargi.

– Czasami był skryty.

Mało nie parsknął śmiechem. Kobieta ewidentnie kłamie, łże w taki sposób, że miał ochotę wyjść. Zaraz poprosi ją, żeby ustaliła jakąś wersję i się jej trzymała, bo on niestety inaczej eksploduje. Męczyło go patrzenie, jak wymyśla kłamstwa, brakowało tylko, żeby szeptała pod nosem. Na dodatek czuł, że cała ta sytuacja wymyka się logice. Zapowiedział się wcześniej telefonicznie, więc jeśli kobieta ma jakiś związek ze zniknięciem męża lub coś wie, miała wystarczająco dużo czasu, żeby ułożyć sobie w głowie najważniejsze fakty. Tymczasem to wygląda tak, jakby cała sytuacja była dla niej zaskoczeniem. A mimo to bezczelnie kłamie.

Dlaczego?

– Skąd ta blizna? – zmienił nagle temat.

Spojrzała pytająco, jakby zwrócił się do niej w obcym języku.

– Skąd ta blizna? – powtórzył.

Zniecierpliwiony postukał palcem w fotografię. Postanowił sprawdzić, czy da się ją wyprowadzić z równowagi.

– Blizna. Na uchu. Skąd się wzięła?

Rozłożyła ręce w zdziwionym geście, jakby jej mąż zawsze chodził w czapce i dopiero teraz, na tym zdjęciu, odkryła prawdę.

– Proszę pani. To nie jest towarzyska rozmowa. Pani mąż nie żyje. Rozumie pani? Nie żyje.

Czekał na szloch i histerię, która zwykle wybuchała w takich momentach.

Monika Najman zmrużyła oczy od skupienia, zagryzła wargi i w końcu powiedziała:

– Tak, rozumiem.

Bez histerii, raczej z ulgą, że udało jej się odpowiedzieć właściwie.

– Został zamordowany. Ja jestem prokuratorem prowadzącym śledztwo. Pani jako małżonka denata jest stroną postępowania. Ważnym świadkiem. Co najmniej ważnym świadkiem – zakończył groźnie.

Czekał na słuszne oburzenie i wymachiwanie rękami, które zawsze się pojawiały w takich momentach przesłuchania.

– Rozumiem? – powiedziała kobieta pytającym tonem nieprzygotowanego ucznia, który zgaduje na egzaminie ustnym.

– Więc proszę się skupić i odpowiedzieć na pytanie: skąd ta blizna?

– Z przeszłości. Jeszcze się nie znaliśmy. Nie wiem, skąd dokładnie.

– Nie zapytała pani nigdy?

– No jakoś nie.

– Dzwoniła pani do niego? Do pracy? Na komórkę? Pisała sms-y?

W wyimaginowanym filmie za jego plecami musiał nastąpić dramatyczny zwrot akcji, bo Monika Najman wyłączyła się zupełnie.

– Dzwoniła pani?

Chciała się jeszcze napić soku, ale w kartonie zostały ostatnie krople, długo i pieczołowicie je wytrząsała.

– To śmieszne, jak pan o to pyta, bo mi się wydaje, że faktycznie nie dzwoniłam. – Monika Najman spojrzała przepraszająco. – Nie wiem dlaczego.

## 5

Męczył się jeszcze chwilę z Moniką Najman, żałując, że to nie przesłuchanie do protokołu i że nie jest rejestrowane. Jeśli kobieta ma coś wspólnego z zaginięciem męża, byłby wspaniały dowód w sprawie. Wyciągnął jeszcze od niej informacje o operacji stopy, które potwierdziły to, co powiedział Frankenstein, z warmińskimi spacerami włącznie. Wziął dokumentację medyczną i zostawił po drodze w szpitalu na Warszawskiej. Musiał oddać portierowi, chociaż w Anatomicum paliło się światło. „Pan profesor zamknął drzwi i kategorycznie zażądał, żeby mu nie przeszkadzać".

Wychodząc z terenu szpitala, nie mógł od siebie odpędzić obrazu, jak naukowiec wkłada do czaszki zdobyczny mózg i przymocowuje do niego elektrody. Nazwisko zobowiązuje.

Był pewien, że prokuratora o tej porze będzie pusta, ale na korytarzu siedział Falk i wypełniał jakieś papiery. Siedział na krzesełku dla interesantów, przy małym stoliku, skręcony w nienaturalnej pozycji. Kiedy spostrzegł Szackiego, wstał błyskawicznie i założył marynarkę.

– Nie ma pan lepszego miejsca do pracy?

– Zwykle korzystam z biurka w sekretariacie, ale po godzinach jest zamknięty.

I to by było na tyle, jeśli chodzi o politykę wiecznie otwartych drzwi u szefowej.

– Proszę wejść do mojego gabinetu. Zostawię dyspozycję na portierni, może pan z niego korzystać, kiedy mnie nie ma i kiedy jestem, mam dodatkowe biurko. Chyba że poproszę, że chcę być sam. Jasne?

Edmund Falk zapiął górny guzik marynarki i wyciągnął rękę sztywnym gestem, jakby faktycznie składał się z drewnianych elementów powiązanych sznurkiem.

– Bardzo panu dziękuję.

Ukłonił się komicznie i Szacki nagle zrozumiał, kogo mu Falk przypomina. Zawsze czuł jakieś podobieństwo, ale nie skojarzył, bo całe wieki tych filmów nie oglądał. Jego asesor wyglądał dokładnie jak Louis de Funés. Nie dostrzegł tego, bo Falk był po pierwsze młody, a po drugie śmiertelnie poważny. Tymczasem aktora pamiętał starego, z uśmiechem wiecznie przylepionym do gęby. Ale poza tym ta sama drobna postura, podłużna gęba, wielki nochal, wysokie czoło i czarne, gęste brwi, sięgające daleko za oczy i skręcające ku dołowi.

– Tak? – zapytał uprzejmie Falk, ponieważ zachwycony swoim odkryciem Szacki gapił się na niego nieelegancko.

Nie odpowiedział, otworzył drzwi gabinetu i wpuścił asesora do środka. A potem kazał Falkowi słuchać i opowiedział historię szkieletu z ulicy Mariańskiej.

Ten zawód potrafi być niewdzięczny. Każdy prokurator mógł z marszu wymienić sto powodów, dla których nie należy być prokuratorem. Od biurokracji i idiotycznych statystyk przez niekompetentnych biegłych i krnąbrnych policjantów, aż po psychiczne obciążenie stałym kontaktem ze złem i społeczną pogardę, która spotykała ich na każdym kroku. Nie było prokuratora, który by w domu nie rozważał adwokatury, który na spotkaniach towarzyskich nie planował założenia radcowskiej togi i który po wódce nie rzucał wszystkiego w diabły. Co ciekawe, zaskakująco mało ludzi odchodziło z zawodu.

Przede wszystkim dlatego, że niezwykłą siłę i pewność daje bycie po właściwej stronie. W świecie, w którym większość zawodów polegała na naciąganiu ludzi na rzeczy i usługi zbędne, gdzie moralny relatywizm i gotowość do upokorzeń bywają często filarami kariery, prokuratorzy stali po dobrej stronie. Raz im się udało lepiej, raz gorzej, ale ich zawód polegał na wymierzaniu sprawiedliwości, na czynieniu dobra, na sprawianiu, żeby świat był bezpieczniejszy. Ile osób może czuć dumę ze swej profesji?

Ale też warto być prokuratorem dla momentów takich jak ten. Dwóch mężczyzn weszło do gabinetu jak aktorzy w pantomimie. Sztywni, wyprostowani, ubrani w garniturowe mundury, zdystansowani. Młodszy najpierw słuchał, potem zadawał krótkie pytania, ale im dalej w opowieść, tym bardziej się zapalał. Nie minął kwadrans, a obaj siedzieli bez marynarek, z podwiniętymi rękawami, przy dwóch kubkach parującej kawy, mnożąc wersje śledcze.

Fajnie być rycerzem sprawiedliwości. Ale fajnie też być czasami detektywem z powieści przygodowej. Starszy z prokuratorów kochał to bardziej, niż był gotów komukolwiek przyznać. Młodszy dopiero zakochiwał się bez pamięci.

– Ten teatr ich zgubi – powiedział Szacki, zapinając mankiety koszuli, po momencie ekscytacji każdy z nich wracał do wypracowanej persony.

– Dlaczego „ich"?

– Trzeba porwać dorosłego mężczyznę, zamordować, zamienić w szkielet i podrzucić w centrum miasta. Zdziwiłbym się, gdyby dokonała tego jedna osoba.

– A dlaczego teatr ich zgubi? – Falk dopił kawę i założył marynarkę.

– Ćwiczyłem to kilka razy. Naprawdę mądrzy przestępcy, jak chcą kogoś zabić, to upijają gościa, duszą go i zakopują w mocnym foliowym worku gdzieś w środku lasu. Zbrodnia doskonała, w tym kraju jedna trzecia powierzchni to lasy, trzeba naprawdę mieć pecha, żeby wpaść. Ale jak ktoś się zaczyna bawić w teatr, w gierki, dziwne zwłoki, zostawia przy tym tyle śladów, że musi wpaść.

6

Wyszedł na pokrytą topniejącym śniegiem Emilii Plater i uznał, że musi się porządnie przejść, zanim wróci do królestwa dwóch jędz. Był zbyt rozedrgany i zbyt podniecony śledztwem, łatwo mógł wszcząć jakąś awanturę. Postanowił zrobić sobie spacer wokół budynku rejencji, wystarczy, żeby trochę ochłonąć.

Skręcił w lewo, mokry śnieg miał dziwną konsystencję rozgotowanej kaszy. Szybki marsz rozgrzał Szackiego i odwrócił jego uwagę od sprawy, w końcu prokurator przestał widzieć przed sobą szkielet ułożony na chromowanym stole. Za światłami, między budynkiem sądu a szubienicami – jak nazywano stary pomnik wdzięczności Armii Czerwonej – myślał już bardziej o tym, co go czeka w domu.

„Musimy porozmawiać". Jasne, zawsze trzeba rozmawiać. Najlepiej przez wiele godzin, najlepiej bez końca prowadzić rozmowy, które nie wiodły do żadnego *katharsis*, w końcu przy nich zasypiali ze zmęczenia, a następnego dnia nie pamiętali nawet, o czym rozmawiali. Prowadził jednak te rozmowy grzecznie, niewielką częścią świadomości, całą resztę poświęcając na to, żeby nie wybuchnąć, nie wydrzeć się, nie walnąć pięścią o drzwi szafy, nie wybiec. Wiedział, że tak trzeba, że kobiety tego wymagają.

Więc rozmawiał, negocjował, starał się być nowoczesny. Wkładał dużo wysiłku, żeby budować partnerską relację. Ale do jasnej cholery, ludzie nie są identyczni. Można powtarzać, że płeć nie ma znaczenia, ale ona zawsze będzie miała znaczenie. To hormony, to pamięć genetyczna, stworzona przez wypełnianie przez wieki określonych ról społecznych. Budują związek partnerski, ale Szackiemu łatwiej – nawet jeśli Żenia się z tego śmieje – wyjść do pracy z teczką. Oczywiście to nie polowanie na mamuta, ale symboliczny gest: opuszczam ognisko domowe, żebyśmy mieli co jeść i czuli spokój. Na dodatek jego profesja oznaczała: opuszczam dom, żebyśmy mogli czuć się bezpiecznie. Ciekawe, ilu szeryfów z Dzikiego Zachodu po powrocie z polowania na bandytę dzieliło się z żonami obowiązkami domowymi.

Rozumiał, że to nie amerykańskie lata pięćdziesiąte. Nie oczekiwał, że po wejściu do domu ktoś mu ściągnie buty i założy kapcie, a po obiedzie w jego rękach same znajdą się szklaneczka bourbona i gazeta.

A swoje dzieci zauważy wtedy, kiedy wrócą ze studiów i będzie mógł zadecydować, czy chce się z nimi zaprzyjaźnić, czy nie.

Rozumiał nawet, że to nie pamiętane przez niego lata siedemdziesiąte, lata szczęśliwego peerelowskiego dzieciństwa. Że nie może oczekiwać, że po powrocie z biura będzie na niego czekał dwudaniowy obiad – ewentualnie do odgrzania – a w niedzielę ciasto będzie pachnieć z piekarnika.

Rozumiał nawet, że to nie lata dziewięćdziesiąte i że nie każdy seksistowski żart jest śmieszny, a długość spódnicy zależy od decyzji kobiety, a nie od wymagań jej szefa.

Ale do jasnej cholery, z tym talerzem i dwoma kubkami to przesada. On musi stać przy stole prosektoryjnym. Musi powiedzieć obcej kobiecie, że jej mąż został zamordowany. Wchodzi do dziury w ziemi, żeby tam oglądać ludzkie szczątki. I za to należy mu się odrobina szacunku. Odrobina pierdolonego szacunku.

# 7

Tymczasem w okolicach Olsztyna, nie bardzo blisko i nie bardzo daleko, pod koniec drogi między centrum miasta a ulicą Równą, zwyczajny mężczyzna, tak zwyczajny, że przykładnie wręcz statystyczny, wracał z pracy, słuchając *Adagio for strings* Samuela Barbera. Kiedyś myślał, że to kawałek Michała Lorenca, bo wykorzystano go w *Krollu* Pasikowskiego, na samym początku, jak Linda jedzie gazikiem przez poligon. Uwielbiał ten utwór, teraz też słuchał go w kółko, jadąc krętą drogą w kierunku Gdańska. Miał dobry dzień, a zawsze słuchał tego w trasie, kiedy miał dobry dzień.

Dokładnie na łuku w Giedajtach wypadło krótkie zawieszenie muzyki w siódmej minucie, jak na życzenie. Przyspieszył po zakręcie, podnosząc rękę gestem dyrygenta, i opuścił ją miękko na kierownicę, kiedy skrzypce uderzyły w swoje żałosne tony. Wspaniałe, wszystko dziś było wspaniałe. Do domu jeszcze długa prosta, akurat powinno starczyć Barbera do samej bramy.

Starczyło. Nie wyłączał jeszcze przez chwilę silnika, żeby nie zepsuć dieslowskiej turbiny. Podobno trzeba tak robić tylko po ostrej jeździe, ale lepiej dmuchać na zimne. Na gorące w tym wypadku. Patrzył na dom, który wybudował, na drzewo koło tarasu, które sam zasadził, teraz uroczo przykryte śniegiem. Na światła w oknach, za którymi bawił się jego syn, a jego żona krzątała się w kuchni. Wiele z niej zazwyczaj nie wykrzątywała, ale nie skarżył się. Różne są kobiety, a ta była jego, taką wybrał i o taką dbał najlepiej, jak potrafił. Był mężczyzną i miał swoje do zrobienia, i to robił. Nowoczesnym mężczyzną, który nie wymagał wzajemności ani wdzięczności za opiekę, którą otaczał swój dom i swoich bliskich. Robił to z miłości i – był gotów się do tego przyznać – dla dumy, jaka towarzyszyła spełnieniu.

## 8

Wszedł do domu, powiesił płaszcz i niestety w nozdrza nie uderzył go zapach ciepłego posiłku.

– Hela! – krzyknął.

Zdjął buty i poczuł się zmęczony. Dawno już nie miał tak długiego dnia.

– Co?! – odkrzyknęła z głębi wielkiego mieszkania, głos odbijał się tutaj echem.

Jasne, prędzej trupem padnie, niż przyjdzie. Wszedł do kuchni, dom miał taki układ, że naturalnym odruchem było zaraz za sienią skręcić do kuchni. Często ich goście nawet nie trafiali do reszty mieszkania, w ogromnej kuchni toczyło się całe życie domowe i towarzyskie. Zapalił światło. Talerz, kubek po kawie i szklanka po soku stały dokładnie w miejscu, w którym je zostawił. Okruszki też.

– Hela! – wrzasnął takim tonem, że tym razem przybiegła. Spojrzała na niego pytającym wzrokiem przedszkolanki, która nie może ścierpieć, że znowu jakiś bachor jej zawraca głowę.

– Jaki dziś mamy dzień? – zapytał spokojnie.

Podniosła brwi. Podniosła brwi jak Żenia, zdumiewające, jak wystarczy chwilę pomieszkać razem, żeby zacząć się do siebie upodabniać.

– Wszystko ci wyjaśnię...

– Hela – przerwał jej wypowiedź uniesieniem dłoni – jedna rzecz. Nie sto, nie dziesięć, jedna. Nie musisz opiekować się trojgiem młodszego rodzeństwa, pomagać mi w prowadzeniu rodzinnego biznesu, nie musisz nawet prać swoich gaci ani myć wanny, która się w cudowny sposób dla ciebie sama myje. Raz w tygodniu, we wtorek, kiedy kończysz po czterech lekcjach, masz zrobić obiad. Jedna rzecz na tydzień. Jedna, słownie jedna. Która po raz kolejny okazała się za trudna.

Oczywiście miała łzy w oczach.

– Ty w ogóle nie rozumiesz mojej sytuacji.

– Tak, jasne, biedne dziecko z rozbitej rodziny, wychowywane przez ojca psychopatę i złą macochę. Cudowny kwiatuszek, przemocą oderwany od swoich warszawskich korzeni. Weź mnie nie denerwuj. Chodzą wszyscy wokół ciebie na palcach, księżniczko Szacka, a w nagrodę plujesz nam do zupy. Przepraszam, nie plujesz. Wiesz dlaczego? Bo nigdzie nie ma cholernej zupy!

Patrzyła na niego zła, usta jej się poruszały, jakby nie wiedziały, na jaką obelgę się zdecydować.

– Jeszcze mnie uderz! – krzyknęła w końcu płaczliwie.

Z wrażenia zaniemówił.

– Zwariowałaś kompletnie? W życiu nawet klapsa nie dostałaś.

– Pewnie wyparłam. Pani pedagog mówiła, że to jest możliwe. Wyparcie traumy. Boże, co ja przeżyłam.

Ukryła twarz w dłoniach.

Próbował się uspokoić, ale czuł, że krew w nim kipi.

– Nie mogę w to uwierzyć. Po prostu zejdź mi z oczu, zanim dorobisz się prawdziwej traumy. I gwarantuję, że ci się jej nie uda wyprzeć przez następne siedemdziesiąt lat. Wynocha.

Odwróciła się na palcach i odeszła wyprostowana. Jakże dumna, mimo krzywdy, która ją spotkała. Nie mógł się powstrzymać i pokazał jej plecom palec.

– A za pizzę potrącę ci z kieszonkowego. Obiecuję, że będzie bardzo droga.

Wyczerpany usiadł na kuchennym blacie, prosto w kleks keczupu ze śniadania. Poczuł, jak na pośladku rośnie mokra plama.

Nie mógł nie parsknąć śmiechem. Podwinął mankiety, zmył po śniadaniu i zamówił pizzę. W sumie to nawet miał na nią ochotę. Wstawiał czajniczek na swoją świętą wieczorną kawę, kiedy do domu wróciła Żenia. A razem z nią nieoczekiwanie przybył zapach chińszczyzny.

Stuknęły zrzucane w sieni kozaki, zaraz potem weszła do kuchni, wysoka, zarumieniona od zimna, z długaśnym tęczowym szalikiem, okręconym wokół szyi. Wyglądała ślicznie, jak nastolatka.

– Też chcę kawę. A jeszcze jak mi mleka podgrzejesz, to... – Zrobiła dłonią przy ustach gest robienia laski.

Postukał się w czoło. Ale naprawdę lubił tę dziewczynę. Na tyle, że słowo „małżeństwo" przestawało w jego głowie brzmieć jak groźba. Czy fajnie by było resztę życia znosić jej czerstwe dowcipasy? Musi o tym pomyśleć.

Postawiła na stole dwie wielkie torby, z pudełkami z chińszczyzną. Spojrzał pytająco.

– A, nie mogłam się zdecydować, to wzięłam więcej, najwyżej na jutro zostanie. Helena – zawsze mówiła o jego córce Helena, co o dziwo małej się podobało – do mnie dzwoniła po szkole, przepraszała, że nie zrobi obiadu, ale mieli jakiś projekt charytatywny. Obiecała, że jutro usmaży placki z jabłkami. Co się tak patrzysz, Teo?

# 9

Tymczasem na ulicy Równej, perwersyjnie wręcz zwyczajnej w swojej podmiejskości, w niewyróżniającym się niczym domu, mężczyzna siedział przy obiedzie i wspominał w myślach, jak kilka miesięcy temu mieli szkolenie w hotelu pod Łodzią. Trener zapytał, do czego by porównali swoje rodziny. Najbardziej się śmiali z faceta, który powiedział: do wczasów nad Bałtykiem. Niby wakacje, niby sami tego chcieliśmy, niby kupa kasy poszła, tylko gdzie jest słońce? On z kolei powiedział prawdę, wiedział, że na szkoleniu z zarządzania zabrzmi ona nieźle: do dobrze naoliwionej maszyny.

Dobrze być częścią takiej maszyny. No, może nie tyle częścią, co inżynierem. Też o tym teraz pomyślał, kiedy siadał do obiadu. Posiłek wyglądał pysznie, stek wołowy z jakimś sosem. I purée, każdy miał na talerzu z ziemniaczanego purée ułożony inicjał swojego imienia. Mały w foteliku podskakiwał tak zachwycony, jakby rozumiał, co tam jest napisane, cały czas dźgał palcem swoją literkę i śmiał się w głos.

– Wspaniale to zrobiłaś – powiedział do żony.

Uśmiechnęła się. Nie była zbyt ładna ani zbyt kobieca, ale miała swoje lepsze dni. To był jeden z nich. I on też miał swój lepszy dzień. Naprawdę. Dobrze naoliwiona maszyna.

– Hm, pyszny ten sos. Z czego?

– Z gorgonzoli. Smakuje ci?

– Pytanie. On nie je?

– Gdzieś czytałam, że chyba dopiero od trzech lat ser pleśniowy. Pewnie przesada, ale na wszelki wypadek.

– Brałaś kasę z bankomatu?

– O Jezu, przepraszam.

Wzruszył ramionami. Wiedział, że czasami jego żona tak ma. Nawet jak sobie napisze na kartce albo wytatuuje na ręku, to i tak albo zapomni, albo zrobi inaczej.

– Nic się nie stało – odparł uspokajająco, bo widział, że się zmartwiła, i pogłaskał ją po ręce. – Po prostu jak płacisz kartą, łatwiej kontrolować wydatki. Dzięki naszemu zeszytowi wiemy, ile w jakim sklepie na co wydaliśmy, potem możemy się zastanowić, czy gdzieś nie trzeba się ograniczyć. I możemy zaoszczędzić na fajniejsze wakacje.

– Zapomniałam, że to nie Bieda.

– Przecież nie robimy tam zakupów.

– Tak, wiem, ale jak jechałam, to w radiu ktoś opowiadał głupi dowcip, że prędzej w Biedronce będzie można płacić kartą niż coś tam, nawet nie pamiętam co. I tak się zafiksowałam, że nie można płacić kartą, że od razu wzięłam z bankomatu.

– Okej, rozumiem, ale wiesz, jak to jest z gotówką.

– Wiem. – Powtórzyła jego słowa: – Rozmienisz stówę i już nie ma stówy.

Zrobił gest mówiący „lepiej bym tego nie ujął" i ostatnim kawałkiem mięsa zebrał resztki purée. Zjadł i zaczął się z małym bawić kulkami zielonego groszku. Niby nie można się bawić jedzeniem, ale ma jeszcze chwilę na tę naukę.

Dobrze naoliwiona maszyna. Lubił swoją karierę, lubił swój dom i swoje drzewo. Ale ta rodzina – ta dobrze naoliwiona maszyna – to było jego największe życiowe osiągnięcie. Nigdy nie przestanie być z tego dumny.


10


Próbował się pogodzić z Helą, lecz go nie wpuściła do swojego pokoju. Uznał, że porozmawia nazajutrz, jak jej przejdzie. Nie mogła od razu powiedzieć? Nie byłoby prościej? Wiedział, że dał ciała, ale ciągle był trochę zły. Na nią, na siebie, tak ogólnie. Jakiś męski PMS mu się przyplątał.

Tyle dobrego, że Żenia się zlitowała nad nim i odpuściła „musimy porozmawiać".

Leżał na łóżku i czytał Lemaitre'a. Tak jak zwykle stronił od kryminałów – nie dość, że wydumane i przewidywalne, to jeszcze skrzętnie omijały prokuratorów – to musiał przyznać, że Francuz był naprawdę dobry.

Żenia wyszła z łazienki w długiej koszuli nocnej, wcierając krem w dłonie. Przestała biegać po domu na golasa, odkąd Hela z nimi zamieszkała. Był jej wdzięczny, bo wcześniej obnosiła swoją nagość jak sztandar, i rozumiał, że to musiało być dla niej wyrzeczenie.

Należała do tych kobiet, którym po zmyciu makijażu przybywało lat, ale nie ubywało urody. Przeciwnie, podobała mu się taka, rysy jej się wyostrzały, niektórym mogły się wydawać wręcz męskie, ale jemu ta surowość była w smak. Dziwnie to działa. Zawsze kiedy widział takie dziewczyny – wysokie, dość kanciaste, androgeniczne, z ostrymi rysami, małym biustem i chrapliwym śmiechem – myślał: nie mój typ. A Żenia raz spojrzała i był ugotowany. Teraz patrzył, jak kręci się po sypialni, i czerpał z tego ogromną przyjemność.

– Przez trzy godziny opowiadali mi o wszystkich swoich przyjaciołach i krewnych, kto z kim ma jakie relacje i dlaczego. Normalnie olałabym sprawę, ale rozumiesz, boję się, że jak ich źle usadzę na tych tratwach i dojdzie do bójki, to ktoś utonie. Starałam się wszystko rozrysować, cały ten arkusz wygląda jak ruchy wojsk radzieckich w czasie ofensywy, jakaś diabelska łamigłówka. Niby młodych się sadza razem, ale młodzi z jego pracy nie mogą siedzieć obok młodych z jej rodziny, bo kiedyś firma jej ojca zabrała zamówienie jego firmie. Słuchasz mnie?

– Hm – odpowiedział z zaangażowaniem, udając aktywne słuchanie, bo w czasie jej wywodu wrócił do książki.

– To co powiedziałam?

– Firma jej ojca zabrała zamówienie jego firmie. Słuchasz mnie? Walnęła się obok niego do łóżka.

– Pomyślałam, że to jakiś bezsens. Zerwałam z medycyną, bo nie mogłam znieść odpowiedzialności za to, że od moich decyzji będzie zależeć czyjeś życie. Na tym tle wydawałoby się, że weddingplanerstwo...

Skrzywił się. Nie lubił kaleczenia polszczyzny.

– Och, przepraszam. – Teatralnie położyła dłoń na biuście, wyglądało to dość sexy. – Na tym tle wydawałoby się, że wesela to najbezpieczniejszy biznes świata. I co? Fatum mnie dopadło. Jak źle kogoś na weselu usadzę, mogę mieć krew na rękach. W każdym razie wracałam z tego piekielnego spotkania, zajechałam na Orlen po kawę i spotkałam Agatę. Kojarzysz? Ta, która chodziła z facetem, który był później mężem Agnieszki, której wuj pracował przez chwilę z moim ojcem w Stomilu, opowiadałam ci kiedyś o tym ośrodku, gdzie złapałam kleszcza, prawda? Ale nie tym stomilowskim, tylko z pracy od mojej mamy.

– Czuję, jakbym samemu spędzał tam dzieciństwo.

– Debil. Niezwykłą historię mi Agata opowiedziała, swojego brata, Roberta. Tacy moi znajomi. Ona mówiła, że „jak nie idzie, to wszystko nie idzie", ale mi to raczej ten film Finchera przypominało, co wszystko się wali.

– *Gra.*

– Dokładnie. Normalny gość. Żona, córka, domek w Purdzie. Nagle bank mu cofa kredyt, zwyczajny, konsumpcyjny. Nie podaje powodów, ma tak w umowie. Może. Robert myśli: walcie się, wezmę gdzie indziej. Na etacie pracuje. Idzie do kadr po kwitek, a tam już czeka na niego zwolnienie. Redukcja etatów. Wszystko zgodnie z prawem, wypowiedzenie i tak dalej. Zgadnij, co potem.

– Skarbówka.

– Skąd wiesz?

– W każdej historii „jak nie idzie, to wszystko nie idzie" jest skarbówka. Proste.

– Tak jest. Prowadził wcześniej firmę, mówią, że kontrola, że nieprawidłowe naliczanie VAT. Oczywiście szybko zrobił rozdzielność, przepisał wszystko na żonę, ale i tak niewesoło. Zwłaszcza, że żona szybko się z nim rozwiodła. Nie żebym żałowała, tam w tym związku coś było nie tak, jakieś takie polukrowane za bardzo, jak na pokaz, jakby coś było pod tym lukrem. Niby wszystko okej, a naprawdę, rozumiesz. Westchnęła i spojrzała na jego książkę. Zapomniał, że tytuł jest aż nadto w ich sytuacji znaczący. *Suknia ślubna*. Zabębniła palcami o skrzyżowane kolana.

– Może małe ruchanko? – zapytała.

– A muszę odkładać książkę?

– Jeśli będę miała przyzwoity orgazm, to nie.

Odłożył. Tytułem do dołu na wszelki wypadek.

## 11

Tymczasem dawno już zapadł zmierzch nad ulicą Równą, dzieci posnęły, światła pogaszono, a gospodarze udali się w większości na spoczynek. Wielu, ale nie wszyscy. Mężczyznę bez przerwy rozpierała energia zgromadzona w ciągu dnia. Miał czasami wrażenie takiej – głupie słowo – potęgi. Że on sam zajmuje więcej miejsca niż zwykle. Że słyszy wyraźniej, widzi ostrzej, doświadcza wszystkiego mocniej. Ten dzień, ten obiad, ta rodzina, ten idealny dom – czuł się jak za mocno naładowany akumulator. Wszystkie strzałki drgały na czerwonym polu.

Podszedł do ścielącej łóżko żony i przejechał jej ręką po kręgosłupie. Wiedział, że tam są sfery erogenne, że kobiety to lubią. Ona jednak nie wyprężyła się jak kotka, tylko zastygła i uciekła delikatnie plecami spod jego ręki. Delikatnie, ale zrozumiał, że to nie ten dzień. Nie pamiętał, ale chyba miała okres. To by tłumaczyło ten bankomat, hormony jednak nie woda.

Był nowoczesnym mężczyzną, nigdy nie przyszłoby mu do głowy, żeby zmuszać żonę do seksu, kiedy tego nie chce. Jasne, czasami żałował, że nie jest tak – znowu głupie słowo – jurna jak on, czasami marzył mu się obłąkańczy, dziki seks. Ale cóż, pewnie w praktyce jego dziki seks i tak by się skończył chrapaniem po godzinie. Mężczyźnie nigdy też nie przyszło do głowy, żeby szukać głupich przygód. A nie takie, oj nie takie na konferencjach patrzyły na niego mokrym wzrokiem. I nie tylko wzrokiem. Samo wspomnienie dodało mu jeszcze energii. Ech. Ale nigdy nic. Rodzina to prawa, ale rodzina to też obowiązki.

Na szczęście już dawno, na samym początku związku, nauczyli się radzić sobie z jego nadmiarem energii. On mógł zasnąć spokojnie, a ona jeśli nie chciała, nie musiała spełniać małżeńskiej powinności. Z czasem, choć się nie przyznawał, zaczęło mu to odpowiadać na tyle, że ho, ho, kto wie, czy nie byli warmińskimi rekordzistami w tej dyscyplinie.

Nie musiał nawet nic mówić, to już był ich mały rytuał, każdy związek ma taki. Sama położyła się na wznak na łóżku i zwiesiła głowę poza ramę. Łóżko było na tyle wysokie, że nie musiał klękać, tylko stanął na szeroko rozstawionych nogach.

Wszedł w nią i westchnął. Jego żona się zakrztusiła, ale tylko na chwilę.

To nie było jakieś tam robienie laski, tylko olimpijska dyscyplina. Długo ćwiczyli, żeby zwalczyła odruch wymiotny, długo szukali odpowiednich pastylek na ból gardła. Żeby mógł w nią wejść jak najgłębiej, żeby jej gardło otuliło jego członek. Czasami – tak jak teraz – czuł pulsowanie jej przełyku, jakby usiłowała go połknąć.

Patrzył na nią z góry. Leżała z rozłożonymi nogami i rękami, głowa zwieszona, usta szeroko otwarte, oczy zamknięte – jak zwłoki, jak pijaczka, która zasnęła w ubraniu, gdy padła na łóżko. Tylko gwałtownie drgająca przepona, kiedy specjalną techniką zwalczała wymioty, zdradzała, że nie śpi.

# ROZDZIAŁ 3

## środa, 27 listopada 2013

W 53. urodziny Julii Tymoszenko Wiktor Janukowycz twierdzi, że w grudniu będzie wiedział, czy Ukraina podpisze umowę stowarzyszeniową, ale nikt już tego quasi-dyktatora nie bierze poważnie. W Niemczech powstaje wielka koalicja CDU i SPD, we Włoszech Berlusconi traci mandat senatora i grzmi: „To śmierć demokracji!", w Wielkiej Brytanii premier zapowiada cięcia w zasiłkach dla imigrantów, a w Polsce zaprzysiężenie nowej *wunderwaffe* PO, wicepremier Elżbiety Bieńkowskiej. Pięć proc. 16-latków przyznaje się do rozbierania przed kamerą na żywo w internecie, a Wiadomości TVP pokazują ciemną stronę Warszawy, w tym roztrzęsioną dziewczynę, która padła ofiarą próby gwałtu. Po protestach TVP przeprasza za brak taktu. W Krakowie afera: odwołują premierę *Nie--Boskiej komedii*, bo z prób wyciekło, że hymn Polski jest tam śpiewany na melodię hymnu niemieckiego. W Olsztynie zatrzymano mężczyznę, który donosił o podłożeniu bomby. Był tak pijany, że sam powiedział funkcjonariuszom, skąd dzwoni. Oddano wyremontowaną wylotówkę na Klewki i Szczytno, niestety niekompletną, ponieważ zabrakło pieniędzy na dwieście metrów asfaltu. Szpital miejski zostaje w ogólnopolskim konkursie „Perły medycyny" uznany za najlepszy szpital w kategorii poniżej 400 łóżek. Temperatura koło zera, wieje potwornie, mgła. I marznąca mżawka.

Właściwie codziennie pokazują w telewizji ludzi krzyczących, że „z tym trzeba iść do prokuratora". Prokurator Teodor Szacki wiedział z doświadczenia, że na krzykach rzadko się kończy – ci ludzie naprawdę potem idą do prokuratora. I uważał, że największą zmorą tego zawodu jest dana szaremu obywatelowi możliwość, żeby ot tak sobie wszedł z ulicy do urzędu i składał zawiadomienie o przestępstwie, sprowadzając wykształconego stróża prawa do roli stójkowego.

Dlatego z trudem zachował profesjonalny wyraz twarzy, kiedy pod swoimi drzwiami zobaczył skubiącą uchwyt od torebki interesantkę. Nie miał dziś dyżuru, ale woźny poinformował go, że dyżurna się spóźni, utknęła w korku, wszystko przez remont na skrzyżowaniu Warszawskiej i Tobruku, poza tym wie pan, Olsztyn. Szackiemu musiały wszystkie emocje wyleźć na twarz, bo woźny wychylił się ze swojego okienka i dodał pocieszająco:

– Ale niedługo wybudują tramwaj i wszystko będzie inaczej, zobaczy pan.

Zaprosił kobietę do środka, uśmiechając się i mając szczerą nadzieję, że to jakaś bzdura, z którą będzie mógł ją odesłać na policję. Albo jeszcze lepiej: poradzić, żeby poszukała sobie prawnika. Nie mógł się doczekać, żeby pojechać na Warszawską i dowiedzieć się, co odkrył Frankenstein.

– Słucham? – Chciał zabrzmieć chłodno i zawodowo, a powiedział to jak oficer NKWD, któremu jakiś szeregowiec zawraca głowę.

– Chciałabym złożyć zawiadomienie o przestępstwie – wydukała mechanicznie, jakby całą drogę powtarzała w głowie to jedno zdanie.

– Oczywiście.

Wyjął odpowiedni kwit i długopis, patrząc na siedzącą po drugiej stronie biurka osobę i próbując zgadnąć, z czym przychodzi. Nie była z marginesu, dobrze ubrana, zadbana, prosto i elegancko uczesana. Typ kobiety, która woli przyjść do prokuratury niż na policję, bo w tym środowisku lepiej się czuje. Koło trzydziestki, o urodzie ekspedientki z perfumerii: na tyle ładna, żeby dobrze świadczyć o firmie, ale nie na tyle, żeby klientki wstydziły się robić zakupy.

– No więc właśnie chciałam donieść, że mąż się... że mąż mnie, no boję się go po prostu.

Świetnie, znęcaniówka na początek dnia. Złośliwie wyobraził sobie treść nieistniejącego przepisu: „Kto przez uporczywe przestraszanie innej osoby wzbudza u niej poczucie zagrożenia, podlega karze pozbawienia poczucia bezpieczeństwa do lat trzech".

– Może wolałaby pani porozmawiać z koleżanką? – zapytał łagodnie. Miał na końcu języka niewinne kłamstwo, że wedle nowych rozporządzeń zawiadomienia w sprawie przemocy domowej kobiety muszą składać przed urzędniczkami. Przełknął je, trochę ze wstydu, trochę z poczucia obowiązku, trochę ze strachu, że się wyda.

Kobieta przecząco pokręciła głową.

Wziął od niej dane osobowe. Imię, nazwisko, adres. Jakaś wieś pod Olsztynem, w drodze na Łuktę z tego, co pamiętał. Trzydzieści dwa lata, z wykształcenia logopeda, z zawodu instruktorka jeździectwa i żeglarstwa.

– To znaczy do niedawna – poprawiła się. – Teraz to przy dziecku.

– Zacytuję pani przepis, który może mieć zastosowanie – powiedział. – Artykuł dwieście siódmy kodeksu karnego mówi o znęcaniu się fizycznym lub psychicznym nad osobą najbliższą. Grozi za to od trzech miesięcy do pięciu lat. Do dziesięciu, jeżeli czyn zabroniony połączony jest ze stosowaniem szczególnego okrucieństwa. Rozumiem, że chce pani złożyć zawiadomienie o znęcaniu się.

– Boję się go po prostu – powtórzyła.

– Czy ma pani dowody przemocy fizycznej? – Szacki nie miał czasu na kozetkę.

– Słucham?

– Obdukcje po pobiciu lub przynajmniej dokumentację po leczeniu złamań lub urazów. Jeśli pani nie ma, możemy wydobyć odpowiednie dane ze szpitala lub przychodni.

– Ale on mnie nigdy nie uderzył – powiedziała to tak żarliwie, jakby przyszła tu tylko po to, żeby stanąć w obronie męża.

– Czyli nie mówimy o przemocy fizycznej?

Patrzyła na niego bezradnie, oblizała wargi.

– Mówimy o przemocy fizycznej czy nie? Uszkodzenia ciała? Rany? Siniaki? Cokolwiek?

– Przecież mówię, że nie.

Złożył ręce jak do modlitwy i policzył w myślach do pięciu, powtarzając sobie, że to jest cena wybrania profesji, która polega na służbie obywatelom. Wszystkim bez wyjątku. Nawet takim, którzy traktują urząd jak poradnię rozwodową.

– Czyli przemoc psychiczna. Wyzywa panią? Grozi, że zastosuje przemoc fizyczną?

– Tak wprost to nie.

– Czy macie dzieci?

– Trzyletniego prawie synka.

– Bije go? Krzyczy na niego? Zaniedbuje?

– Skądże znowu, to wspaniały ojciec, nowoczesny. Świetnie się nim zajmuje.

– Proszę pani – zaczął, chcąc powiedzieć po przecinku, że pomyliła adresy i że „Gazeta Olsztyńska" bez wątpienia organizuje plebiscyt na męża i ojca roku, ale w ostatniej chwili się powstrzymał. – Rozumiem, że mąż nie bije pani ani dziecka, nie wyżywa się na was, nie krzyczy. Może was więzi? Zamyka w domu?

– No nie.

– Ale czuje się pani zagrożona.

Uniosła drżące dłonie w geście bezradności. Skórki przy paznokciach miała obgryzione do żywego mięsa. Nerwica, pomyślał. Ale nerwica to jeszcze nie dowód przestępstwa. Powinien ostatnie zdanie zadać w formie pytania, dopytać, dać jej czas do wygadania się. Za drzwiami czekał świat z prawdziwymi przestępstwami, nie miał czasu zajmować się urojonymi problemami.

– Bo on tak wszystko kontroluje, nie zostawia żadnej przestrzeni – powiedziała w końcu. – Na przykład powinnam płacić kartą, bo wtedy jest na wyciągu, gdzie i ile zapłaciłam. I paragon muszę wpinać w zeszyt z wydatkami. To są niby wszystko małe rzeczy. I wszystko ma być tak, jak on chce, wszystko... – Zawiesiła głos, jakby czekając na zachętę, popchnięcie we właściwym kierunku.

Szacki patrzył wyczekująco.

– Ale wie pan, też faktem jest, że ja jestem trochę roztrzepana. Też z tymi pieniędzmi, wie pan, jak to jest. Jak się rozmieni stówę, to nie ma stówy. – Zaśmiała się nerwowo. – Teraz mi jest przykro, tyle się zbierałam i czas panu marnuję. Jestem beznadziejna.

– Po to jesteśmy – odpowiedział takim tonem, aby nie miała wątpliwości, że jest dokładnie odwrotnie.

Pokiwała głową. Poczuł, że musi coś powiedzieć.

– Proszę pani, ja wiem, że to są delikatne sprawy, ale nie ma takich urzędów, które wyręczyłyby panią w podejmowaniu trudnych decyzji. Rozumiem, że w swoim związku czuje się pani bardzo źle, inaczej nie przyszłaby pani do prokuratury. Ale pani – przez chwilę szukał odpowiedniego słowa – pani dyskomfort psychiczny nie świadczy jeszcze o tym, że mąż dopuszcza się przestępstwa. Świadczy jedynie o tym, że być może źle pani wybrała. A przecież żadne prawo nie nakazuje żyć z osobą, z którą nie jest komuś dobrze.

Położyła torebkę na kolanach i zacisnęła dłonie na uchwycie. Wyglądała, jakby wiedziała, że powinna wyjść, ale nie potrafiła się zmusić do tego kroku.

– Tylko że ja się bardzo boję.

Szacki spojrzał na zegarek. Za godzinę musi być na Warszawskiej, a ma jeszcze kupę papierów do wypełnienia.

– Wiem – powiedziała cicho i wstała. – Nie ma takich urzędów.

Krótką chwilę potem prokurator Teodor Szacki wyrzucił niewypeł-
niony protokół i zaraz zapomniał o sprawie.


## 2

Jego interesantka wyszła tymczasem z prokuratury i zamiast skręcić
w prawo, gdzie zaparkowała w głębi Emilii Plater, poszła w stronę centrum handlowego. Zwyczajna kobieta, ani elegancka, ani zaniedbana;
ani piękna, ani brzydka. Wtopiła się w tłum zwyczajnych ludzi. I dobrze, zawsze w takim tłumie czuła się bezpieczniej. Usiadła w jednej
z bezosobowych kafejek i zamówiła absurdalnie drogą kawę, a miała
tylko trochę swoich pieniędzy. Pożyczyła od matki na Wszystkich
Świętych, pod jakimś głupim pretekstem, przecież wiedzą, że im się
powodzi. Zawsze podkreślają, jacy są dumni, że takiego kawalera sobie
znalazła. Dom zbudował, drzewo zasadził, syna spłodził – prawdziwy
mężczyzna. Tradycyjny na ile trzeba, nowoczesny na ile trzeba.

Upiła gorącej kawy i skrzywiła się, jeszcze ją po wczorajszym gardło
bolało. Z takim mocnym postanowieniem zasnęła, że przyjedzie do
prokuratora i zrobi z tym porządek, że wyrwie się z tego syfu. Że nawet
jeśli jest beznadziejną, niewdzięczną, niezborną, nieogarniętą cipą,
przecież na to nie zasługuje. Miała praktykę logopedyczną, pracowała
z młodzieżą, kochała obozy pod żaglami, lubiła pokazywać małolatom
w kółko te same węzły, palić ogniska w tych samych miejscach, fałszo-
wać szanty, z radością dowiadywać się, że tym samym przesmykiem
nigdy nie płynie się tak samo.

Ledwie trzy lata temu tak było, dziś jej się zdawało, że to prehistoria.
Najlepsze jest to, że wszystko zdawało się naturalne i niegroźne. Dużo
czasu spędza z mężem, bo to w końcu jej młody mąż. Dużo siedzi na
budowie, bo trzeba pilnować budowy. Dużo czasu siedzi w domu, bo
wykończeniówki tym bardziej trzeba pilnować. Dużo czasu siedzi na
odludziu, bo ich wymarzony dom jest na cholernym odludziu. Pilnuje

wydatków, bo dom to pieniądze, wiadomo, a jeszcze dziecko w drodze. A ona nie zarabia, bo ktoś musi pilnować domu, a potem dzieciaka. Rynek pracy jest taki, że żeby zarobić na opiekunkę i dojazdy, musiałaby zostać logopedą w Warszawie albo przeprowadzić się na Wyspy Kanaryjskie, gdzie sezon żeglarski trwa cały rok. Swoją drogą kiedyś marzyła, żeby uczyć żeglarstwa gdzieś dalej, w Chorwacji, na morzu jest zupełnie inne pływanie.

Oprócz zeszytu z wydatkami powinna też mieć zeszyt z rzeczami, które spieprzyła. Dziś by dopisała wizytę w prokuraturze. Z jednej strony ten siwy fagas nie był zbyt zachęcający, patrzył na nią jak na wariatkę i nieomal wypychał myślami z gabinetu. Z drugiej, czego ona się spodziewała? Że prokurator czyta w cudzych myślach? Trzeba się było przemóc i powiedzieć: „Drogi panie prokuratorze, mąż mi codziennie wkłada chuja tak głęboko do gardła, że muszę łykać własne rzygi. Czy myśli pan, że jest na to jakiś przepis?".

Czy coś by to zmieniło? Może tak. Spytałby, czy ma obdukcję i uszkodzenia ciała, i dał dobrą radę, że niestety nie ma żadnych urzędów tępiących patologię przy robieniu laski. Albo co gorsza, uśmiechał się głupkowato, dowcipkował i opowiadał, że gorzej można trafić w małżeństwie. Zwierzyła się przyjaciółce, zaraz kiedy to się zaczęło, bo zaczął się brzydzić jej cipki po porodzie. To ją wyśmiała, że i tak ma lekko. Przynajmniej nie musi czuć smaku spermy, bo trafia prosto do żołądka.

Dopiła kawę, myśląc, że w jednym siwy fagas ma rację. Żaden urząd za nią tego nie załatwi. Pora się z tym rozprawić. Raz na zawsze.

3

Prokurator Teodor Szacki zaparkował pod „pijalnią piw regionalnych", żeby nie zapomnieć kupić sobie czegoś na wieczór, jak będzie wracał. Browar Kormoran był bardzo pozytywnym odkryciem jego olsztyńskiej emigracji. Niektóre ich wyroby były słodsze niż eklerka, ale niektóre pierwsza klasa. Zawsze się snobował na picie wina, ale uznał, że mieszkanie w Olsztynie to trochę jak wakacje, a piwo do wakacji bardziej pasuje. Trochę miał wyrzuty sumienia, że od tego się tyje, ale za każdym razie przy kasie obiecywał sobie, że wróci do biegania, i tak uspokajał swoje sumienie.

Oczywiście do biegania wrócę, jak tylko pogoda na to pozwoli, myślał, zapinając płaszcz. Dochodziła jedenasta, ale była lodowata mgła, a ciemne chmury wisiały tak nisko, że słonecznego światła przedostawał się tu promil. Wydawało mu się, że zmierzcha.

Wszedł do budynku Anatomicum i nagle poczuł się bardzo domowo i przyjemnie, uderzyła go – jak to czasem bywa – nostalgia za bezgrzesznymi latami, za domem rodzinnym i szczęśliwym dzieciństwem w bloku na Powiślu. Uczucie było tak silne, że zatrzymał się zdziwiony. Stał tak, rozglądając się, ale nie było niczego znajomego w bezosobowym szpitalnym korytarzu, jarzeniowym oświetleniu i przekrojach anatomicznych na ścianach. Chodziło o zapach! O jedyne w swoim rodzaju połączenie smrodu pasty do podłogi ze wspaniałym aromatem wołowego rosołu. Który kojarzył mu się z dzieciństwem, bo w sobotę zawsze było pastowanie, a w niedzielę rosół. Małe rytuały tradycyjnych rodzin, czasy PRL-u.

Ucieszył się, że rozpoznał źródło nostalgii. A potem zdziwił niepomiernie, bo w prosektorium – nawet w takim, gdzie jeszcze niedawno wisiały serpentyny na bezcieniowych lampach – nie powinno pachnieć rosołem.

Wszedł do auli sekcyjnej, szkielet leżał na chromowanym stole, z czaszką przekrzywioną na bok, jakby obserwował z zaciekawieniem, co się tutaj dzieje. Profesor Frankenstein stał tyłem do szkieletu przy długim stole, z którego usunięto cały sprzęt laboratoryjny, a umieszczono tam różne pojemniki. Przy jednym, znajdującym się na gazowym palniku, stała asystentka Frankensteina i mieszała parującą zawartość. Szacki wyobraził sobie, jak przy każdym ruchu z bulgoczącego płynu w kadzi wypływają gałki oczne. Odchrząknął.

Odwrócili się jednocześnie. Frankenstein i jego asystentka. On wyglądał tak samo jak wczoraj – niczym szalony naukowiec z niemego filmu. Zapinany z boku fartuch, długa gęba, siwa blond fryzura i okulary w złotych oprawkach. Jego asystentka za to prezentowała się, jakby zeszła z planu pornosa, gdzie wszyscy pieprzą się w laboratoryjnych dekoracjach. Kobieta była piękna naturalną pięknością dziewczyny z sąsiedztwa, brunetka o falujących czarnych włosach i kształtach, których nie ukryłaby, nawet strojąc się w worek na kartofle. Poniżej zapiętego fartucha ukazywały się jedynie czarne rajstopy i szpilki na obcasach tak cienkich, że można było nimi przekłuwać uszy. U góry spod fartucha nie wystawał żaden kawałek garderoby. Chciał myśleć o czymś innym niż o tym, że na pewno pod fartuchem ma tylko pończochy, ale nie mógł.

– Prokurator Teodor Szacki, pani Alicja Jagiełło – profesor Frankenstein dokonał prezentacji. – Kiedyś moja najzdolniejsza studentka, dziś asystentka, doktoryzująca się z oznaczania daty zgonu, właśnie wróciła ze stażu na legendarnych trupich farmach w Stanach. Odbywające się tutaj eksperymenty będą częścią jej pracy doktorskiej.

Szacki podał rękę kobiecie, zastanawiając się, czy ostentacyjny seksapil wiąże się z jej pracą z martwymi ciałami. Znał wielu patologów, każdy miał jakieś dziwactwo, które ratowało przed popadnięciem w obłęd. Legendarna szefowa Zakładu Medycyny Sądowej w Gdańsku poszła na przykład w macierzyństwo, przy sali sekcyjnej miała pokój do karmienia kolejnych niemowląt, a jej mąż, niegdyś świetny prokurator, tak bardzo zajmował się domem, że w końcu został autorem bestsellerowych książek o zdrowych daniach dla małych dzieci i porzucił wymiar sprawiedliwości.

Doktorantka Jagiełło patrzyła na niego ogromnymi oczami w bladobłękitnym kolorze nieba w upalny dzień. Spojrzenie wyrażało przenikliwość i żywą inteligencję. Kobieta robiła wielkie wrażenie pod każdym względem.

– Jakieś nowiny w sprawie mojego klienta? – Wskazał na szkielet.

– Mnóstwo – odparła, podchodząc do rozłożonych kości. Najwyraźniej przejęła inicjatywę.

Stary profesor wydawał się z tego zadowolony. Patrzył na Jagiełło rozczulonym wzrokiem ojca, który uczył dziecko jazdy na nartach, a teraz obserwuje z trybun, jak wygrywa zawody w biegu zjazdowym.

– Przede wszystkim obejrzałam wszystkie kości, szukając śladów, które mogłyby nas naprowadzić na przyczynę śmierci. Oczywiście to tylko kości, ale mogły zostać uszkodzone przez kulę, nóż lub tępe narzędzie. Złamania lub pęknięcia też dałyby nam pojęcie o tym, co przeżył jako żywy człowiek.

Założyła lateksowe rękawiczki, wzięła czaszkę do ręki i trzymała ją przez chwilę w dłoni gestem Hamleta.

– Nic nie znalazłam, to znaczy prawie nic. Na pewno nie przyczynę zgonu. Na kości potylicznej – obróciła czaszkę tyłem w jego stronę – jest gwiaździste pęknięcie. Znamy takie bardzo dobrze, bo często je widzimy na kości czołowej. To efekt uderzenia głową w płaską powierzchnię, w ścianę lub podłogę, u ofiar wypadków właściwie standard. Z tyłu zdarza się dużo rzadziej. Coś jednak nie dawało mi spokoju i obejrzałam w powiększeniu. I pęknięcia wskazują na to, że nie powstały w wyniku jednego, tylko wielu uderzeń.

– Jakby ktoś go walił czymś płaskim po głowie? – zapytał Szacki. – Łopatą do odśnieżania?

– Myślałam o tym, ale trudno wyobrazić sobie coś takiego. Ofiara musiałaby być unieruchomiona, z głową w takiej samej pozycji, i ktoś musiałby uderzać nie dość, że czymś płaskim, szeroką deską na przykład, to jeszcze z precyzyjnie odmierzoną, za każdym razem identyczną siłą.

– Mało prawdopodobne.

– Właśnie. Zamiesza pan, profesorze?

Frankenstein dostojnie skinął głową i podszedł do bulgocącej kadzi ze stali nierdzewnej.

– Myślałam raczej o drgawkach. Konwulsjach wywołanych urazem, zatruciem, być może schorzeniem neurologicznym. Jest też, niestety, inna teoria, ale o tym za chwilę.

Pochyliła się i odłożyła ostrożnie czaszkę. Szacki obserwował ją uważnie przy tym ruchu, chciał zobaczyć skrawek spódnicy, bluzki, przebijający przez fartuch guzik lub szlufkę paska, ramiączko od stanika.

Podeszła do miednicy denata i ujęła delikatnie środkowy palec prawej dłoni.

– Na niektórych palcach u dłoni i stóp są dziwne obrażenia.

– Dziwne?

– Niespotykane, przynajmniej ja się z takimi nie zetknęłam, ani osobiście, ani w literaturze. Kości wyglądają na, z braku lepszego słowa, spiłowane. Jakby ktoś wziął stary, tępy pilnik do drewna i spiłował brutalnie czubek palca. O chirurgicznej precyzji nie ma tutaj mowy, kość jest połamana i rozszarpana. Proszę spojrzeć.

Podsunęła mu pod nos paliczek. Cienka kość faktycznie kończyła się drzazgami. Szackiego przeszedł dreszcz na myśl, jak można się nabawić takiej kontuzji.

– Co ciekawe, w wypadku lewej ręki wyglądają tak także paliczki środkowe, nie tylko dalsze.

– Co to oznacza?

– To oznacza, że trzymając się porównania z pilnikiem, ktoś, kto piłował palec, nie skończył, kiedy jego część odpadła, tylko piłował dalej.

– Jak mogły powstać takie obrażenia?

Alicja Jagiełło spojrzała na niego wzrokiem kobiety, która mimo swojego wieku widziała zbyt wiele.

– Jest niestety na ten temat pewna teoria, ale o tym za chwilę. Zastanówmy się, jak to możliwe, że człowiek, który tydzień temu chodził na spacery do lasu, dziś wygląda tak, że doświadczony prokurator wziął go za stary, niemiecki szkielet.

Uśmiechnęła się do niego na znak, że co prawda była to złośliwość, ale przyjacielska. I podeszła do stołu. Oprócz stojącego na gazie gara z rosołem znajdowały się na nim jeszcze cztery pojemniki, dwa stalowe i dwa z szarego plastiku. Oraz otwarty laptop z wygaszonym ekranem, który stał w jednym rządku z pojemnikami, jakby bardzo chciał udawać jeden z nich.

– Naukowa prawda wykuwa się w ogniu eksperymentów – powiedział niskim głosem Frankenstein. – A stoją za nią nie papier i ołówek, tylko rozżarzone węgle, miech i siła kowala.

– I siła umysłu, rzecz jasna – uzupełniła Jagiełło, a że stała tyłem do Szackiego, niestety nie mógł zobaczyć jej miny.

Podniosła pokrywkę stalowego gara.

– Oto obiekt naszych eksperymentów – powiedziała.

Prokurator nachylił się, w środku było dużo czerwonego mięsa i białych kości. Spojrzał pytająco.

– Ja i moje mopsy jesteśmy stałymi klientami u rzeźnika – powiedział Frankenstein. – Od ręki załatwił to, co chciałem. Golenie cielęce ze stawami kolanowymi, mięsem i skórą, żebyśmy mieli wszystkie tkanki do obserwacji.

Frankenstein, mopsy i ich ulubiony rzeźnik. Szacki pomyślał, że to brzmi jak tytuł współczesnej powieści, w której dużo się gra formą, a autor wymyśla polszczyznę na nowo.

– Wie pan, co to są trupie farmy? – spytała Jagiełło.

– Na ogrodzonym obszarze zostawia się zwłoki i obserwuje, jak postępuje rozkład w zależności od szerokości geograficznej, temperatury, pogody, pory roku. Nieocenione przy późniejszym oznaczaniu czasu zgonu w miejscu zdarzenia.

Pokiwała głową z aprobatą.

– „Trupia farma" to nazwa potoczna, oficjalnie nazywa się to ośrodek badań antropologicznych. Pracowałam pół roku w Tennessee, gdzie działa najstarsza farma. Co ciekawe, nigdy nie narzekają na brak zwłok. Większość zostaje przekazana przez rodziny dla celów naukowych, u nas niestety nie do pomyślenia. Tam sporo osób składa oświadczenie, że chcą, aby ich zwłoki zostały zjedzone pod krzakiem przez robaki dla dobra nauki.

Postukała palcem w jeden z garów, był to jakiś laboratoryjny sprzęt, wystawało z niego kilka kabli i kilka wskaźników. Wieczko było szczelnie zamknięte motylkowymi śrubami. Z niewiadomych dla Szackiego przyczyn pojemnik lekko drgał.

– I właśnie od robaków zaczniemy.

– Larw – poprawił Frankenstein z belferską manierą.

– Larw pani *lucilii caesar*, po naszemu padlinówki cesarskiej, muchówki z rodziny plujkowatych. Kojarzy pan na pewno budzące wstręt głośno bzyczące bydlę z zielonym odwłokiem. Bardzo pożyteczna mała sprzątaczka, która w szybkim tempie zje wszystko, co szpeci krajobraz. Odchody, padlinę, jakieś śmierdzące resztki organiczne. Ludzie powinni jej pomnik wystawić, zamiast odwracać się z obrzydzeniem. Lucylka składa jaja w padlinie, z jaj wykluwają się larwy, jedzą obfity posiłek i zamieniają się w poczwarkę, z której potem wychodzi mucha. Najbardziej interesują nas larwy, ponieważ to one ucztują na martwej tkance. Są genialnymi smakoszami. – Jagiełło wypowiadała się ze szczerym zachwytem i przez chwilę Szacki myślał, że to ironia, ale nie, jej zachwyt był zupełnie serio. – Zjedzą wszystko, co martwe i gnijące, ale nie ruszą żywej, zdrowej tkanki. Dlatego wykorzystuje się je do oczyszczania chorych ran.

– Potrafią w tydzień zjeść człowieka do suchych kości? – zapytał, bojąc się, że resztę dnia spędzi, słuchając wykładu z entomologii.

– Teoretycznie tak, ale trzeba sobie zadać trochę trudu. *Lucilia* składa w padlinie około stu jaj, z których po kilku godzinach wychodzą żarłoczne larwy. Tyle tylko że zanim te larwy zamienią się w muchy, minie dziesięć dni. Więc jeśli mamy mało czasu, musimy mieć na początku dużo owadów.

Wyobraźnia Szackiego przełożyła to na praktyczny język kryminalistyki.

– Na przykład miesiąc wcześniej wrzucamy gdzieś kawał świni, czekamy, aż się zlecą muchy, a potem zamykamy towarzystwo i czekamy, aż się dwa razy wymieni pokolenie, dorzucając mięsa w razie potrzeby. Prosta matematyka. Nawet zakładając umieralność na poziomie pięćdziesięciu procent, na początku wystarczy dziesięć much, żeby w następnym pokoleniu mieć pięćset, a w kolejnym dwadzieścia pięć tysięcy.

– Tak jest. Jeśli potem dorzucimy tam ludzkie zwłoki, zżerać je będzie kilkadziesiąt tysięcy larw, wystarczy, żeby w kilka dni zrobić porządek. Do tego pojemnika – Jagiełło położyła dłoń na stalowej kadzi – trafiło wczoraj kilo cielęciny z kością i dziesięć much.

Przerwała, zauważając jego minę. Miał nadzieję, że pośród wielu talentów pani Jagiełło nie ma telepatii, bo właśnie wyobrażał sobie, jak razem z profesorem polują przy leśnym parkingu na muchy padlinówki, chodząc na czworakach wokół ogromnego gówna jakiegoś odżywiającego się karkówką tirowca.

– Założyliśmy – podjęła po chwili – że jeśli ktoś zadał sobie tyle trudu, to zadbał też o odpowiedni klimat. Im wyższa wilgotność i temperatura, tym większa szansa przetrwania dla jajeczek i tym bardziej żywotne larwy. Dlatego utrzymujemy w tym garczku sprzyjające warunki. Proszę spojrzeć na efekt po zaledwie kilku godzinach. – Odkręciła motylki na pokrywie i skinęła na niego.

Podszedł niechętnie, nie cierpiał robali.

Jagiełło otworzyła wieko, ze środka od razu wylazła tłusta, lśniąca na zielono mucha, wyglądała na zmęczoną. Próbowała odlecieć, ale opadła na blat obok garnka jak pijana i niemrawo poszła dalej. W tej samej chwili z impetem spadła na nią zwinięta gazeta. Szacki drgnął, nie spodziewał się tego.

– Królowa matka nie będzie nam już potrzebna – powiedział zimno Frankenstein, zabierając gazetę. Na blacie został mokry ślad.

Szacki nachylił się nad garem i wstrzymał oddech, ale i tak straszny smród zepsutego mięsa zaatakował wszystkie jego receptory węchowe. Żołądek podszedł mu do gardła. Wnętrze gara tętniło życiem. Setki szarawych larw wiło się szaleńczo, jakby walcząc o dostęp do padliny, efekt był taki, że wystająca z cielęciny biała kość drgała jak w konwulsjach. Było to naprawdę obrzydliwe.

Jagiełło sięgnęła głęboko do gara, fartuch podjechał w górę jej ramienia, ale nie odsłonił żadnego innego kawałka garderoby. Z błyskiem ciekawości w oku włożyła rękę w kłębowisko larw i wyciągnęła cielęcinę, drugą dłonią otrzepała mięso z tłustych robaków. Jeden wylądował na marynarce Szackiego. Prokurator zrzucił żyjątko paznokciem.

– I co pan sądzi? – zapytała.

– Jeśli faktycznie ktoś zadał sobie wcześniej trud i wyhodował w jakiejś jamie stada much, w co wątpię, to może być to. Jak na kilogram cielęciny, wiele tego nie zostało. – Faktycznie z kości zwisały tylko resztki mięsa. – A pani co sądzi?

– Sądzę, że ten eksperyment mi się przyda do pracy, ale panu nie pomoże.

– Dlaczego?

– Dlatego że larwy *lucilii* pięknie obgryzają kości, ale zostawiają tkankę łączną. Co oznacza, że gdyby to one rozprawiły się z naszym pacjentem, kości ciągle byłyby połączone stawami i ścięgnami. Zamiast kupy suchych kości mielibyśmy kościotrupa, eksponat na wystawę osobliwości.

– Swoją drogą trzeba będzie zrobić coś takiego, jak dostaniemy jakiegoś młodego trupa – wtrącił Frankenstein. – W starym stawy są już zwyrodniałe, na nic się nie przyda. Piękna pomoc naukowa będzie.

Pani doktor uśmiechnęła się promiennie do swojego mentora. Cóż za pyszny pomysł! mówił jej wzrok.

Szacki nie skomentował. Fakt, że państwo powierzyło edukację młodzieży wariatom, był oczywiście niepokojący, ale kodeks nie przewidywał za to sankcji.

– Niestety z tego samego powodu padł eksperyment australijski – powiedziała, wrzuciła mięso z powrotem do gara, rękawiczki do kosza i podeszła do komputera. – Poprosiłam znajomego, żeby kawałek cielęciny podrzucił do mrowiska mrówek ognistych, czyli *solenopsis invicta*. Dość paskudny, wszystkożerny insekt. I wcale nie taki trudny do zdobycia. Przyznaję, że rozprawiły się z obiadem znacznie szybciej i czyściej niż larwy. Rach-ciach, nawet zaśmierdzieć nie zdążyło. Zjadły też skórę, kostkę wylizały do czysta. – Kliknęła, na ekranie w małym oknie widać było lekko rozpikselowany obraz z kamery internetowej, małe czerwone mrówki krzątały się wokół kawałka kości. – Byłoby pięknie, gdyby nie to, że znowu chrząstki okazały się dla naszych maleństw ciężkostrawne.

Zamknęła komputer, podeszła do gara z rosołem, zamieszała.

– Hipoteza trzecia: *mos teutonicus*.

Szacki spojrzał pytająco.

– Myślałam, że prawnicy znają łacinę.

– Znają. – Szacki wyprostował się, też chciał być tym robiącym wrażenie. – *Mos teutonicus* to po polsku „niemiecki zwyczaj". Tylko nie rozumiem, jaki ma związek z rozkładem zwłok.

– Akurat w tym wypadku przetłumaczyłabym słowo „zwyczaj" jako „obrządek". Germańscy rycerze wymyślili to w czasie krucjat, żeby nie chować wysoko urodzonych na ziemi niewiernych. Kiedy pryncypał zmarł, dzielili go na części, gotowali dotąd, aż ciało oddzieliło się od kości, i zabierali kości na Północ, gdzie urządzano pochówek.

– Kroniki milczą na temat tego, co działo się z mięsem – wtrącił Frankenstein. – Ale być może w obozie był to dzień obfitej kolacji. Warto wspomnieć, że sam król Francji, Ludwik IX Święty, został po śmierci ugotowany w Tunisie, na dodatek w winie. Jakieś jego rosołowe kości ciągle można oglądać w relikwiarzach, nie pamiętam gdzie...

– Niestety to też ślepa uliczka. – Jagiełło wyciągnęła szczypcami z gara białą cielęcą goleń, trzymały się jej resztki rozgotowanego, szarego mięsa. – Z wielu przyczyn. Przede wszystkim zwłoki raczej nie zostały podzielone, musiałby to zrobić doświadczony chirurg, żeby na kościach nie zostały żadne ślady. A trudno wyobrazić sobie kocioł tak ogromny, żeby włożyć tam w całości dorosłego faceta, by gotować go przez wiele dni.

– Tak długo?

– Żeby rozpuścić chrząstkę. A i tak wątpię, by udało się ją rozpuścić do końca. Może gdyby kocioł był hermetycznie zamknięty, gdyby ciśnienie zwiększyło temperaturę.

– Za dużo „gdyby".

– Właśnie. Poza tym zawsze by coś zostało, co trzeba by albo opalić palnikiem, albo zeskrobać. Tak czy owak, zostałyby ślady. Resztki mózgu trzeba by wyskrobać z czaszki. Niestety musimy porzucić to eleganckie rozwiązanie.

Delikatnie włożyła kość z powrotem do bulgoczącego wywaru. Szacki pomyślał, że stary profesor powinien się teraz pojawić z włoszczyzną.

– Ale ma pani jeszcze jakieś hipotezy? – zapytał.

– Niestety jest pewna teoria.

– Dlaczego niestety?

– Za chwilę. Tymczasem możemy płynnie, dosłownie płynnie, skreślić hipotezę czwartą, czyli kwas. Oglądał pan *Rewers* Lankosza? Janda rozpuszcza tam Dorocińskiego w kwasie solnym, czyli po naszemu chlorowodorowym. A potem kosteczki grzebie na mieście. Postarali się jak zwykle scenarzyści w polskim filmie, ponieważ kwas rozpuszcza wszystko, z kośćmi włącznie.

– Szkoda – powiedział Szacki. – Obrót kwasem solnym jest kontrolowany z uwagi na możliwość wykorzystania w produkcji narkotyków, łatwo byłoby namierzyć nabywcę.

– Dlatego użyłbym raczej kwasu nadchlorowego – wtrącił Frankenstein. – Bardziej żrący, silniej działa, jedyny problem to toksyczne opary.

Prokurator Teodor Szacki nie skomentował, czekał na ciąg dalszy. Zaczynał się obawiać, że siedzi tutaj tylko po to, żeby na koniec się dowiedzieć, że niestety, nie mają drodzy naukowcy pojęcia, jak to możliwe, że w tydzień ktoś przekształcił spacerującego po lesie faceta w rozlatujący się szkielet.

– Proszę – powiedziała Jagiełło i wręczyła mu suchy kawałek starej kości.

– Co to? – zapytał.

– Dwie godziny temu to była śliczna cielęcina – wyjaśnił Franken-stein. – Różowa, pachnąca, może nie sznyclówka, ale gulasz by pan zrobił.


# 4

Wojciech Falk patrzył na syna po drugiej stronie stołu i nie mógł wyjść ze zdziwienia, że zarówno geny, jak i sposób wychowania mogą tak dalece nie mieć znaczenia. Nawet gdyby poświęcił całe życie, planując każdy element osobowości Mundka, aby stanowił jego własne przeciwieństwo, nie udałoby mu się osiągnąć efektu tak totalnego.

Jedli kurczaka z rożna, którego sam przyrządził. Smaczny kurczak, marynowany całą noc w chili, kolendrze i soku z limonki. Lubił gotować i wymógł na Mundku obietnicę, że co drugi dzień będzie robił przerwę w pracy i przychodził do niego na obiad. Żal mu było, że jego syn je jakieś fast foody na mieście, kanapki zawinięte w folię, a do ojca ma samochodem z prokuratury dziesięć minut.

No to jedli razem. On jak zwykle dość łapczywie i niechlujnie, wycierając ręce w i tak niemiłosiernie brudne ciuchy, bo nie chciało mu się przebierać po wyjściu z warsztatu. Wióry i pył drzewny spadały na stół i podłogę wokół krzesła.

Jego syn natomiast zachowywał się jak klient w paryskiej knajpie, obsypanej gwiazdkami Michelina. Marynarkę powiesił na wieszaku (nigdy niczego nie wieszał na oparciu krzesła), mankiety starannie podwinął, spodnie przykrył czystą serwetą. I oddzielał mięso sztućcami od kości tak precyzyjnie, jakby miał kiedyś zostać jubilerem lub neurochirurgiem, a nie prokuratorem.

Westchnął cicho. Zamierzał poruszyć dwa ważne dla siebie tematy, a przeczuwał, że jego synowi to się nie spodoba. Wiedział o tym, ale nie mógł się powstrzymać. Po prostu chciał dla niego jak najlepiej.

– Wyobraź sobie, był dziś u mnie Tadek. Trochę spytać, za ile bym zrobił jego znajomemu kredens stylizowany na niemiecki, tylko taki bardziej art déco. Jak temu lekarzowi robiłem, pamiętasz.

Edmund spojrzał na niego badawczo.

– Znając Tadka, to przyszedł spytać, czybyś dla jego kumpla nie pracował trzy tygodnie po kosztach. Pewnie to jakiś radny z miasta albo sejmiku.

– Tadek prawie jak rodzina, wiesz przecież.

– Ale jego znajomy już nie. Tato, tłumaczyłem tyle razy, że nie możesz każdego klienta traktować jak najbliższego przyjaciela. Ludzie to wykorzystują.

Poruszył się. Nagle stary fotel wydał mu się niewygodny. Wojciech Falk nie chciał się tłumaczyć, ale uważał, że warto poznawać ludzi, zbliżać się do nich. W końcu robi meble, na które oni będą patrzyli przez lata albo i dekady.

– Jakoś tak wyszło w rozmowie, że ostatnio ci wlepili ten mandat, i Tadek mówi, że jakbyś chciał, to on to oczywiście anuluje. Żebyś nie miał na samym początku kłopotów.

Na te słowa Mundek zastygł i odłożył sztućce.

– Tato, tłumaczyłem ci przecież. Oni w straży muszą zawiadomić urząd i dostanę naganę.

– Tak mówisz, jakby ci zależało na tej naganie. Tadek po prostu nie wyśle i tyle.

– W pewien sposób mi zależy. Złamałem przepis i jak każdy powinienem za to zostać ukarany. Jako prokurator, powinienem dawać przykład. Inaczej to, co robię, nie ma żadnego sensu. Zgodzisz się chyba ze mną.

Zgodził się, co innego mu zostało. Lecz na drugiej sprawie zależało mu bardziej.

– Tadek mówił też, że Wandzia wróciła do Olsztyna. Podobno na stałe.

Starał się, by wypadło to naturalnie, ale Mundek oczywiście uśmiechnął się lodowato.

– Swatasz mnie?

Fotel zrobił się jeszcze bardziej niewygodny.

– Coś ty! Po prostu pomyślałem, że chciałbyś wiedzieć. Tylko tyle.

Jedli w milczeniu. Długo nie wytrzymał.

– Przyznaję, chciałbym, żebyś był szczęśliwy. I spełniony. Nie tylko w pracy.

– Tato, tłumaczyłem. Dopóki nie zdam egzaminu i nie zostanę mianowanym prokuratorem, nie ma żadnego sensu, żebym nawet randkował, o związku nie wspominając. Może zostanę tutaj, a może rzuci mnie w inny koniec Polski, nie chcę dawać żadnych złudnych nadziei ani sobie, ani tym bardziej jakiejś dziewczynie.

Wojciech Falk spojrzał na swojego syna tak żałosnym wzrokiem, że ten musiał w nim wyczytać wszystkie nadzieje i lęki mężczyzny, który został ojcem w późnym wieku i marzy o tym, żeby jedynak obdarzył go fajną rodziną, której on sam nigdy nie miał. Dlatego postanowił się dodatkowo wytłumaczyć.

– To logiczny wybór – powiedział.

# 5

Prokurator Teodor Szacki wpatrywał się w pokazaną mu kość jak paleontolog w szczątki nieznanego dotąd nauce dinozaura. I słuchał wyjaśnień Alicji Jagiełło.

– Powtórzyłam ten eksperyment kilka razy, wynik jest za każdym razem ten sam. Trzeba było uważnie monitorować przebieg, bo jeśli proces trwa za krótko, zostają kawałki ścięgien i chrząstek, niewiele, ale zawsze. Jeśli trwa za długo, kości co prawda nie znikają, ale robią się kruche i łamliwe.

– Co to jest? Jakiś kwas?

– Zasada, konkretnie wodorotlenek sodu, potocznie ług. Żrąca jak kwas, tyle że po przeciwnej stronie skali pH. Prosty związek, znany od stuleci, bardzo dobrze rozpuszcza białka, ale przede wszystkim tłuszcze, dlatego używa się go przy produkcji mydła. Z kośćmi ma większy problem ze względu na zawarty w nich wapń. W końcu sobie poradzi, to naprawdę agresywny środek, ale łatwo zaobserwować moment, kiedy białek i tłuszczy już nie ma, a szkielet ciągle jest dobrze zachowany. Pokażę panu.

Obok stołu leżała foliowa torebka. Jagiełło wyjęła z niej butelkę udrażniacza do rur i styropianową tackę, na której pod folią ułożono równo kilka skrzydełek kurczaka. Wyciągnęła jedno skrzydełko i położyła na chirurgicznej nerce obok błyszczącego pojemnika ze stali nierdzewnej.

– Ług ma to do siebie, że wystarczy się przejść po kilkunastu sklepach, żeby zdobyć ilość wystarczającą do rozpuszczenia konia. Właściwie każdy preparat do przeczyszczania rur o szumnej nazwie i w bajeranckim opakowaniu to po prostu wodorotlenek sodu, najczęściej w formie granulatu. To dość bezpieczna forma przechowywania, trzeba rozpuścić go w wodzie, żeby stał się żrącą zasadą.

Wsypała całe opakowanie do kadzi i mieszała przez chwilę stalową szpatułką. Roztwór syczał i musował jak wrzucona do szklanki aspiryna, w końcu się uspokoił i zamienił w płyn o barwie mocno rozwodnionego mleka. Jagiełło podniosła szczypcami skrzydełko kurczaka i ostrożnie włożyła do roztworu. Szacki spodziewał się jakichś efektów specjalnych, ale nie, kurczak po prostu poszedł na dno.

– Nic się nie dzieje – powiedział.

– Proszę zaczekać kilka minut.

– Ostatnio nauczanie o wodorotlenku sodu też podlega pewnym ograniczeniom, może nie tyle prawnym, co etycznym – powiedział profesor, wygładzając idealnie gładki fartuch.

Powiedział to tonem, który niestety nie pozostawiał wątpliwości, że to początek jakiejś anegdoty. Szacki zajrzał tęsknie do kadzi, ale ciągle wszystko wyglądało dość zwyczajnie, jak tajska zupa z kawałkiem surowego kurczaka.

– Boimy się, żeby studentki nie zaczęły popijać swoich gotowanych na parze warzyw ługiem, dowiedziawszy się, że rozpuszcza on tłuszcze. Mogłoby to mieć, jak pan może sobie wyobrazić, opłakane skutki.

Szacki milczał. Frankenstein jednak nie potrzebował zachęty.

– W ogóle ciekawe zagadnienie, pigułka diety, najświętszy Graal przemysłu farmaceutycznego. Próby jego odnalezienia są bardzo interesujące. Dość szybko odkryto istnienie hormonu sytości, który uwalnia się, kiedy się najemy, żebyśmy przestali żreć. Cóż w takim razie prostszego, niż podać komuś taki hormon w pigułce. Idealna, naturalna metoda na głoda. Niestety, okazało się, że lista skutków ubocznych jest jak książka telefoniczna, z bezpłodnością na czele. Czy się poddano? Otóż nie. Ktoś zauważył, że nie ma grubych narkomanów. Ciekawe, prawda?

Cóż było robić, Szacki z zainteresowaniem pokiwał głową, w końcu był mu coś winien za te eksperymenty.

– Można by powiedzieć, cóż w tym dziwnego! Narkomani są biedni, śpią pod mostem, ukradzione pieniądze wydają na narkotyki, a nie na jedzenie bogate w składniki odżywcze. Ale przecież narkomania to nie margines społeczny. Wręcz przeciwnie, białe kołnierzyki nosem wciągają kreskę, a ustami półkilogramowego steka z frytkami.

Zerknął znów do kadzi. Skrzydełko kurczaka nie zmieniło się ani na jotę.

– Ten kret chyba przeterminowany – mruknął do Jagiełło.

– Nie sądzę – powiedziała i sięgnęła szczypcami po skrzydełko. Poruszyła kilka razy i otaczająca kawałek mięsa jasna skóra rozpłynęła się, zostało czerwone, poparzone jakby mięso na cienkich kościach.

– Skóra kurczaka to przede wszystkim tkanka tłuszczowa, rozpuszcza się najszybciej – wyjaśniła.

– Proszę sobie wyobrazić – kontynuował Frankenstein – że w badaniach, do których zapewne nie brakowało ochotników, wyodrębniono białko CART, *Cocaine Amphetamine Regulated Transcript*, które odpowiada za obniżenie stresu, podwyższenie euforii, a przede wszystkim obniżenie łaknienia. Rozumie pan, co by znaczyło podać komuś taką ambrozję bez efektu uzależnienia.

– I co, zrobili z tego pigułkę? – Szacki dał się wciągnąć.

– Próbowali. Za dużo skutków ubocznych dla układu krążenia, a ciężko komuś wyjaśnić, że najlepszym lekiem na otyłość jest choroba wieńcowa. To po drugie. A po pierwsze, cóż, człowiek jest słaby. Co by pan zrobił, gdyby panu dali pigułkę, po której będzie pan szczupły, wyluzowany i szczęśliwy? I która nie powoduje skutków ubocznych?

– Żarłbym ją garściami jak fistaszki – odparł Szacki.

– No właśnie. Teoretycznie substancje nie powodowały fizycznego uzależnienia. Praktycznie po dwóch dniach ludzie chodzili po ścianach, żeby otrzymać kolejną dawkę. Widać człowiek jeszcze nie dorósł do współczesnej medycyny – zakończył sentencjonalnie Frankenstein i zapatrzył się w leżący na stole szkielet, jakby tylko on mógł go zrozumieć.

Jagiełło chwyciła skrzydełko i zamieszała nim delikatnie, żeby kleista substancja, w którą zamieniały się miękkie tkanki, rozpuściła się w roztworze. Po czym wyciągnęła skrzydełko, nie minęło dziesięć minut, a zostały z niego szarawe kości, przy grubszych stawach znajdowało się trochę tkanki.

– Świetnie. Mamy zwycięzcę – powiedział Szacki.

W śledztwie pojawił się nowy element, mianowicie przemysłowa ilość udrażniacza do rur. Zawsze to jakiś punkt zaczepienia. Trzeba to gdzieś kupić, przewieźć, przygotować miejsce zbrodni, rozpuścić zwłoki. Zabrać je, sprzątnąć, wyrzucić kombinezon. Słowem: powstaje mnóstwo okazji do pozostawienia śladów.

Jagiełło nie podzielała jego entuzjazmu. Opuściła skrzydełko z powrotem do roztworu.

– Niestety – zaczęła cicho – nie jestem chemikiem, tylko medykiem sądowym. Co oznacza, że wszystkie te dane musiałam połączyć w jedno, żeby uzyskać obraz śmierci ofiary.

Atmosfera zgęstniała. Teodor Szacki założył na twarz maskę prokuratora i zapiął górny guzik marynarki. Był gotowy.

– Słucham – powiedział.

– Denat nie został rozpuszczony w ługu po śmierci, lecz za życia – powiedziała spokojnie Jagiełło. – Świadczą o tym obrażenia kości. Gdziekolwiek został zamknięty, próbował się stamtąd wydrapać w ataku bólu i histerii, nie bacząc na to, że ściera sobie kości palców do drugiego paliczka. Kiedy zrozumiał, że to daremne, próbował popełnić samobójstwo lub przynajmniej stracić przytomność. Stąd pęknięcia czaszki. Dlatego są takie równomierne. Nikt go nie bił po głowie, on sam walił nią o podłoże, na którym najprawdopodobniej leżał związany.

Szacki zepchnął emocje gdzieś w podświadomość. Skupił się na tym, żeby wyobrazić sobie scenę w najróżniejszych wariantach. Gdzieś tam były ślady, poszlaki, dowody. Od tego, jakie teraz zada pytania, wiele będzie zależeć.

– Czy wiemy, gdzie to było? Wanna? Fabryczna kadź? Wybetonowana piwnica?

Zgasiła światło. Nie trzeba było zasuwać żaluzji, wczesne popołudnie w listopadowym Olsztynie było ciemniejsze od czerwcowej nocy.

– Proszę spojrzeć na kości w świetle UV. – Jagiełło zapaliła lampę. Czaszka oraz palce u rąk i stóp oraz kolana rozjarzyły się na niebiesko, jakby zostały pomalowane fluorescencyjną farbą.

– To krew? – spytał Szacki, widział nieraz takie obrazki na miejscu zbrodni.

– Nie tym razem, wszystkie ślady organiczne zostały wytrawione przez ług. Krew świeci na miejscu zbrodni w promieniach UV, ponieważ zawiera hemoglobinę, a hemoglobina zawiera żelazo. Te ślady świadczą o tym, że denat był zamknięty w jakimś stalowym, być może żeliwnym pojemniku. Co wydaje się logicznym wyborem. Ług nie reaguje z żelazem, poza tym kawałek rury łatwo przenieść lub usunąć. Wybetonowana piwnica to byłoby niewysprzątywalne miejsce zbrodni.

Szacki zmusił się, żeby ze szczegółami zobaczyć ten obraz. Stara stodoła w poniemieckim siedlisku, może jakiś popegeerowski magazyn lub zrujnowany młyn w środku lasu. Kawał starej żeliwnej rury o średnicy kilkudziesięciu centymetrów, długi na dwa metry. Jeden koniec zaspawany.

– Jak to się odbyło pani zdaniem? Ktoś wlał roztwór do pojemnika z denatem?

Pokręciła głową. Widać było, że w przeciwieństwie do Szackiego robi wszystko, aby odepchnąć od siebie te obrazy.

– Wtedy śmierć byłaby natychmiastowa. Momentalne poparzenia całego ciała i dróg oddechowych, szok, bardziej ułamki sekund niż sekundy.

– Czyli jak to się odbyło?

Jagiełło nie spieszyła się z odpowiedzią. Wyręczył ją stary profesor.

– Jak pan widział, wodorotlenek sodu przechowywany jest w postaci suchej. W takiej też postaci najłatwiej go kupić. Podejrzewamy, że denat został zasypany granulkami. Na początku nie wiedział, o co chodzi. Co to jest? myślał. Naftalina? Styropian? Stearyna? Jeśli któraś kulka nie wpadła do ust lub oka, nic się nie działo.

– A potem dodano wody? – zapytał Szacki.

– Po co? Ciało ważącego osiemdziesiąt kilogramów mężczyzny zawiera około pięćdziesięciu litrów wody. Zanurzony w granulacie denat, uwięziony w metalowej rurze, przerażony, zaczął się zapewne momentalnie pocić. Im bardziej się pocił, tym bardziej białe kulki zamieniały się w żrącą zasadę. Pot szybko zastąpiła krew, limfa, płyny ustrojowe. Denat został pożarty żywcem przez ług. Oceniam, że od czasu pierwszego oparzenia do śmierci trwało to około kwadransa.

Prokurator Teodor Szacki próbował przywołać obrazy tego, co działo się przez długie piętnaście minut. Wiedział, że to jest bardzo ważne. Ale zabrakło mu wyobraźni.


6


Umówił się z Janem Pawłem Bierutem na Statoilu przy głównym olsztyńskim skrzyżowaniu, dokładnie w połowie krótkiego odcinka między szpitalem uniwersyteckim a miejscem odnalezienia zwłok. Miał zamiar jeszcze obejrzeć niemiecki loch, ale przedtem chciał porozmawiać z policjantem. Wypił dwie kawy, zjadł hot doga i doprawił jakimś chemicznym rogalikiem, zanim Bierut przedarł się przez korki i dotarł po półgodzinie. Na piechotę doszedłby w kwadrans.

Policjant na dobry początek podzielił się informacją o wynikach badań DNA. Laboratorium potwierdziło ostatecznie, że kości należą do Piotra Najmana, o ile oczywiście sąsiad albo kochanek żony nie używał jego maszynki do golenia. Szackiego ta informacja niezmiernie ucieszyła, nadawała konkretny kierunek śledztwu. Kazał Bierutowi, po pierwsze, ściągnąć Najmanową na przesłuchanie, po drugie, ustalić, czy denat pracował sam w swojej agencji turystycznej, po trzecie, poszukać świadków, którzy pomogliby ustalić, kiedy i gdzie widziano go po raz ostatni.

Potem streścił Bierutowi ustalenia patologów, nie szczędząc makabrycznych szczegółów. Bierut w pewnej chwili poprosił gestem o przerwę i wstał. Szacki był pewien, że przesadził z opisami i policjant musi odetchnąć. On jednak poszedł tylko po zapiekankę, rogalika z malinami i gorącą czekoladę. I jadł spokojnie, potakując na znak, że do niego dociera, kiedy Szacki snuł wizję odludnego miejsca i potwornego, nieopisywalnego, niewyobrażalnego zgonu człowieka, którego ciało jest rozpuszczane przez ług.

– Wygląda na to, że do końca zachował świadomość – zakończył Szacki.

Jan Paweł Bierut otrzepał z okruszków gliniarską kurtkę trzy czwarte ze sztucznej skóry, równie dobrze mógłby mieć odblaskową kamizelkę z napisem „POLICJA", i poszedł do automatu z kawą.

– Może pan się jednak skusi na czekoladę? – spytał, wciskając guzik. – Pyszna jest.

Prokurator pokręcił przecząco głową.

– Potrafi pan sobie wyobrazić coś takiego?

– Oczywiście, bardzo barwnie pan to opisał. – Bierut spróbował gotowej czekolady, wsypał dwie saszetki cukru i wrócił z mieszadełkiem do ich miejsca przy oknie. Upił łyk, na przedwojennych wąsach został pasek brązowej piany. – Jakie są priorytety?

Za oknem zapadł mrok, choć dopiero minęła trzecia. Mgła zgęstniała, zajeżdżające pod dystrybutory samochody zdawały się wyłaniać z innego wymiaru. Szacki patrzył na to nieobecnym wzrokiem, w głowie segregował różne punkty planu śledztwa, przestawiał je, układał w kolejności do załatwienia.

– Dwa – odpowiedział w końcu. – O ostatnim dniu już rozmawialiśmy. Przesłucham wdowę, jego pracowników, jeśli miał takich. A pewnie miał, skoro często wyjeżdżał. Samochód sprawdzić na monitoringu miejskim. Czy dojechał do pracy, kiedy wyjechał, dokąd możemy go wyśledzić. Poza tym Najman jako taki. Wszystko, co mamy na niego w bazach danych. Karalność, zeznania podatkowe, poprzednie miejsca zamieszkania, księgi rachunkowe, kontrahenci. Przeszukania w domu i biurze.

Bierut zapisywał wszystko pilnie w małym, własnoręcznie zrobionym notesiku, z kilkunastu kartek spiętych zszywkami. Szacki pomyślał, że to kolejne dziwactwo, ale nie skomentował.

– A ług? – zapytał policjant. – Sprawdzić sklepy?

– Szkoda czasu. Takiego zabójstwa nie można przygotować w weekend. A jeśli ktoś się szykował, to wystarczy, że przez miesiąc dwa razy w tygodniu był w kilku marketach i zebrał potrzebny zapas kreta. Skupmy się na ludziach. I zbierajmy informacje o wszystkich miejscach związanych z denatem. Lubił długie spacery, lubił las, lubił Warmię. I gdzieś na tym pieprzonym odludziu go rozpuścili.

Jan Paweł Bierut wyprostował się dumnie.

– Pan chyba nie jest z Olsztyna?

– Ósmy grzech główny, wiem – burknął. Zaczynał mieć alergię na lokalnych patriotów.

– Coraz więcej ludzi ściąga do nas, na Warmię – ciągnął niezrażony Bierut. – I wcale się nie dziwię. Wie pan, że w Olsztynie tylko w granicach miasta jest jedenaście jezior?

– Dlatego reumatyzm zabija tu częściej niż choroba wieńcowa. Idziemy.


Mgła musiała być obdarzona świadomością, bo nie otoczyła go bezmyślnie, tylko sprytnie wpłynęła pod płaszcz, przecisnęła się między guzikami marynarki i koszuli, żeby objąć Szackiego zimną, wilgotną obręczą. Przeszedł go dreszcz, jakby znienacka został wrzucony do zbyt zimnej wody. Prędzej mnie tutaj szok termiczny wykończy niż reumatyzm, pomyślał.

Przeszli kawałek ze stacji do głównego olsztyńskiego skrzyżowania. Choć zdawało się to niemożliwe, sygnalizacja stanowiła dla pieszych jeszcze większą opresję niż dla samochodów. Kolejno wpuszczane na krzyżówkę samochody musiały dostać możliwość zjechania we wszystkie strony, co oznaczało, że piesi czekali godzinami, a potem rzucali się sprintem, bo zielone zaczynało migać właściwie zaraz potem, kiedy się zapaliło. Udało im się dostać na pas oddzielający dwie nitki jezdni, kiedy zamieniło się na czerwone. Szacki tylko przyspieszył, ale Bierut złapał go żelaznym chwytem za ramię i zawrócił.

– Czerwone – wyjaśnił, nawet nie patrząc na prokuratora.

Uznał, że nie ma się co kłócić.

Kiedy w końcu opuścili skrzyżowanie i szli lekko pod górę ulicą Niepodległości, mijali mały skansen niemieckich gmachów użyteczności publicznej. Najpierw malowniczy budynek straży pożarnej, z pomalowanymi na czerwono starymi drzwiami do garaży, a potem podstawówkę ulepioną z tej samej czerwonej cegły, co wszystko inne. Kiedy skręcili w Mariańską i doszli do zatrzymanych chwilowo robót drogowych, po lewej mieli malownicze zabudowania starego szpitala, a na wzgórzu po prawej kolejną poniemiecką szkołę, tak przynajmniej zidentyfikował architekturę Szacki.

Wejście do podziemi było pieczołowicie zabezpieczone folią.

– Wejdziemy przez szpital – powiedział Bierut.

Poprowadził ich przez ogród i dalej do laboratorium analiz, musiało to być jedno z bocznych wejść. Szacki spodziewał się nastrojowych neogotyckich wnętrz, ale był to po prostu szpital z linoleum, podwieszanymi sufitami i zielonymi ścianami, z drewnianą listwą na wysokości pasa, żeby odbojniki łóżek i nosze nie robiły dziur w tynku. Przeszli kawałek korytarzem i zeszli schodami do piwnicy. Wyglądała mniej schludnie, podwieszany sufit zastąpiło sklepienie, ale ciągle nie był to poniemiecki loch, jakiego się spodziewał, z ceglanymi ścianami i nazwami pomieszczeń wymalowanymi szwabachą.

Bierut zerwał policyjne plomby na zwyczajnych drzwiach i weszli do lochu.

– Co to w końcu było?

– Schron przeciwlotniczy, wybudowany w czasie wojny dla pacjentów szpitala i domu opieki.

– Domu opieki?

– Ten budynek po drugiej stronie ulicy to teraz internat szkoły pielęgniarskiej, ale sto lat temu wybudowali go jako *Armenhaus*, dom opieki dla tych, którzy potrzebowali stałej pomocy i nie mieli rodziny. Piękny przykład troski państwa o wykluczonych.

– Rzesza dbała o swoich obywateli.

Weszli do środka i Bierut pstryknął przełącznikiem, mrok rozproszyło ostre światło policyjnych lamp. Zwykle Szacki widział je podpięte do warkoczących generatorów, tutaj podłączono je do szpitalnej sieci elektrycznej.

– Wtedy to jeszcze było Cesarstwo Niemieckie – poprawił go policjant.

– No właśnie, czyli tak zwana Druga Rzesza. – Szacki nie zamierzał odpuścić lokalnemu patriocie. – Myślałem, że zna pan historię swojej małej ojczyzny. Małej Rzeszy, moglibyśmy powiedzieć.

Czekał na starą śpiewkę, że to Warmia, a nie Mazury, Prusy Królewskie, do rozbiorów święta polska ziemia i tak dalej, ale Bierut wszedł do środka.

Schron nie był ogromny, zaraz za wejściem znajdowały się sanitariaty, potem sala identyczna z tą, w której znaleźli szkielet.

– Dużo jest takich sal? – zapytał Bieruta.

– Ta i druga, w której byliśmy wcześniej. Cztery wejścia. Jedno w szpitalu, jedno w internacie i dwa awaryjne, na wypadek zawalenia się budynków. Zasypane dawno temu.

– Czyli ktoś musiał wejść przez budynki.

– Wiem, o czym pan myśli. Niestety w internacie jest tylko jedna kamera przy portierni i teoretycznie trzeba obok niej przejść, ale nikt przy zdrowych zmysłach nie wszedłby przez internat. Całą dobę ktoś się kręci, niby jest cisza nocna, ale wiadomo, młodzież. – Bierut powiedział to takim tonem, jakby sam nigdy nie był młody. – Z kolei w szpitalu monitoring jest lepszy, ale to kilka budynków z różnych okresów, kilkanaście wejść, przejścia, łączniki, labirynt. I cały czas ruch, codziennie nowe twarze. Łatwiej chyba tylko na dworcu zniknąć w tłumie.

Szacki pomyślał, że może koniec końców nie będzie tak źle wyglądała współpraca z żółtodziobem, który jeszcze niedawno łapał pijanych kierowców i tropił, zapewne z wielką zaciętością, urzędników państwowych przechodzących na czerwonym świetle.

Przeszli znajomym korytarzem, pod nakrytą folią dziurą, z której dochodziły hałasy miasta, i dotarli do sali, w której znaleziono kości. Ostatnio w świetle latarek miała w sobie jakąś tajemniczość, dreszczyk przygody rodem z powieści młodzieżowej. Teraz jaskrawo oświetlone pomieszczenie wyglądało zwyczajnie staro i brzydko; policyjne lampy wygoniły z kątów tajemniczość, zastąpiły ją kurzem, pleśnią i szczurzymi odchodami.

– Ślady? – zapytał.

– Zebrane, ale raczej nic nie ma poza zwyczajnym syfem, jaki jest w takich rupieciarniach. Odcisków koło miejsca znalezienia zwłok nie ma, na żadnych drzwiach też nie. Ale jest koniec listopada, wszyscy chodzą w rękawiczkach. Trochę naniesionego błota, ale żadnych śladów butów, które by pozwoliły cokolwiek wywnioskować.

– Worek? Torba?

– W czymkolwiek ktoś przytargał te kości, zabrał to ze sobą.

Szacki myślał.

– A błoto od strony szpitala czy internatu?

Bierut wygładził wąsy. Charakterystycznym gestem, kciukiem i palcem wskazującym przejechał od nosa do kącików ust, na koniec gwałtownie rozprostowując palce, jakby chciał coś strząsnąć z zarostu. Szacki rozpoznał w tym gest zakłopotania.

– Panie prokuratorze, nikt z nas nie traktował tego na początku jak miejsca zbrodni. Stary Niemiec i tyle. Weszliśmy, sprawdziliśmy rutynowo wszystkie pomieszczenia, pogoda jest taka, jaka jest.

Pokiwał głową. Nie zamierzał mieć do nikogo pretensji, sam zachował się identycznie. Patrzył na zardzewiałe łóżko i myślał o wczorajszej rozmowie z Falkiem. Jakiś wariat zadaje sobie tyle trudu, żeby Najman zginął w męczarniach, gdzieś na odludziu rozpuszcza go żywcem w preparacie do przepychania rur.

I teraz wariant pierwszy: gość źle odrobił lekcję z chemii i jest zdziwiony, że została mu kupa kości. Co zrobić? Zakopać, jasna sprawa. Wykopać półtorametrowy dół, wrzucić tam kości w foliowym worku i z głowy. Dlaczego tego nie zrobił? Może nie mógł. Bo zamordował na jakichś terenach przemysłowych, a tam wszystko wyasfaltowane i zabetonowane. A może dlatego, że nie chciał. Przestraszył się, że ktoś to odkopie. Tak czy owak, zabiera kości z miejsca zbrodni. Dlaczego zostawia je tu? Jeśli wie, że takie miejsce istnieje, to wie też, że nikt tutaj nie zagląda. Działa pod presją, w napięciu, ma przy sobie worek kości, dowód popełnionej zbrodni. Uznaje, że stary schron to dobre miejsce, dopóki nie wymyśli czegoś lepszego. Najpierw po prostu wrzuca torbę, ale w ostatniej chwili uznaje, że wysypie kości. Jeśli jakimś cudem szczeniak z internatu je znajdzie w czasie zabawy w macanie panien, wszyscy uznają, że to stary Niemiec. Prawie tak się stało.

I wariant drugi: gość dobrze odrobił lekcję z chemii, zależało mu na tym, żeby z Najmana zostały tylko kości. Może wyjdą mafijne sprawy, gangsterka, to by tłumaczyło dziwaczne zachowanie żony. Może to miała być wiadomość dla konkurencji: spójrzcie, potrafimy w kilka dni z faceta zrobić pomoc naukową dla studentów medycyny. Nie wchodźcie nam w drogę. Ale wtedy by to wysłali do wspólników Najmana w pudełku z kokardą lub podrzucili w śmiesznym miejscu, w lochu na zamku na przykład, żeby media miały używanie. Pozostawianie komunikatu w miejscu, gdzie nikt nie ma szansy go odczytać, pozbawione jest sensu.

Czyli wariant drugi odpada. Podzielił się wnioskami z Bierutem.

– Szukamy kogoś ze szpitala – powiedział na koniec. – Kogoś, kto tu pracuje, współpracuje, może robił remont albo kładł instalację elektryczną. Kto miał interes, żeby być w szpitalu, wiedział o starym schronie i mógł do niego się dostać.

– Zbiór A.

– Zgadza się. – Szackiemu podobała się logiczna głowa policjanta. – A zbiór B to osoby z otoczenia Najmana. Rodzina, znajomi, współpracownicy, klienci.

Bierut potarł koniec wąsa. To z kolei był gest zamyślenia.

– Oba zbiory ciężkie do precyzyjnego wyznaczenia, z definicji niekompletne, może w ogóle nie być części wspólnej. Przydałoby się jakoś zawęzić.

– Po pierwsze: zrobimy profil. Zbrodnia jest na tyle wydumana, że psycholog może mieć coś do powiedzenia. Znam jednego wariata z Krakowa, już raz mi pomógł.

– Mamy profilera na miejscu. – W głosie Bieruta leciutko zabrzmiała urażona duma lokalnego patrioty. Jak to? Ktoś może nie chcieć skorzystać z usług warmińskiego specjalisty?

– Poza tym chciałbym, żebyście zredagowali informację prasową. Znaleziono zwłoki w czasie robót drogowych, należały do niedawno zaginionego mieszkańca Olsztyna. Śledztwo jest na dobrej drodze, na szczęście sprawca zostawił wiele śladów kryminalistycznych na miejscu zbrodni, zatrzymanie jest kwestią dni, czekamy na wyniki badań z laboratorium.

Bierut znowu strząsnął resztki z wąsa. Czyli że chce się nie zgodzić, ale ma problem, bo jest początkującym śledczym, a o sławie prokuratora na pewno wie. Dlatego czuje się zakłopotany.

– Nie powinniśmy najpierw zawęzić grona podejrzanych?

– Nie wiadomo, ile to potrwa, a sprawca jest teraz w największym stresie. Założę się, że gdzieś siedzi przylepiony do radia i słucha lokalnych serwisów informacyjnych. Dowie się z nich, że sprawa została właściwie rozwiązana, że śledczy są na tropie. Co by pan zrobił?

– Zabezpieczył się w jakiś sposób.

– Jak?

– Zniknięcie zawsze jest podejrzane. Każdy to zauważy, każdy sobie przypomni w czasie przesłuchania, że Heniek nagle nie przyszedł do pracy. Wymyśliłbym pretekst, choroba w rodzinie, raczej nie pogrzeb, bo za łatwo sprawdzić. Poszedłbym do szefa po pilny urlop na kilka dni, przyczaił się. I normalnie wrócił, jeśli nic by się nie działo. Uznałbym, że blefowaliśmy.

– Tak właśnie. Nic nie ryzykujemy, po takiej informacji sprawca nie ucieknie za granicę. A jutro sprawdzimy w kadrach szpitala, czy ktoś poprosił o wolne. Czy ktoś nie wziął delegacji na sympozjum, na które miał nie jechać. Intuicja mi mówi, że to ktoś, kto tutaj pracuje. Trzeba znać dobrze budynek i jego historię, trzeba znać anatomię, chemię, mieć wiedzę o ciele i o śmierci.

– Lekarz?

– Zdziwiłbym się, gdyby salowa. Możemy wyjść z drugiej strony?

Bierut skinął głową i razem poszli w przeciwną stronę niż szpital. Korytarz kończył się tutaj klatką schodową, pokonali kilkadziesiąt betonowych stopni, zanim policjant wpuścił Szackiego przez masywne drzwi do internatu. Musiał zapalić latarkę, włącznik światła znajdował się po drugiej stronie niewielkiego pomieszczenia, które od lat musiało służyć za graciarnię. Obu mężczyzn od wyjścia na korytarz oddzielała sterta krzeseł, bel wykładziny, pudełek, starych materacy i co zaskakujące, kilkunastu starych sedesów i umywalek.

– Myśli pan, że to seryjny? – zapytał Bierut. – Jak ten pastor Pándy?

Szacki pomyślał przez chwilę. András Pándy był belgijskim szaleńcem, który żył ze swoimi córkami, mordując pozostałych członków rodziny i potem rozpuszczając ich w jakimś kwasie albo w ługu. Wpadł, bo wsypała go córka, po trzydziestu latach w związku z ojcem.

– Nie mam pojęcia – odpowiedział zgodnie z prawdą. – Mam nadzieję, że nie.

Żadnej ścieżki przez hałdę nie było i przejście kilku metrów wymagało balansowania na stertach rupieci. Szacki na początku martwił się o płaszcz, ale po dwóch krokach miał gdzieś garderobę, myślał już tylko o tym, żeby nie wpaść do jednego ze starych kibli i nie złamać nogi. Kiedy w końcu, dysząc i złorzecząc, doszedł do końca pomieszczenia, zorientował się, że Bierut cały czas stoi w drzwiach od schronu.

– Wszystko w porządku? – zapytał policjant tonem, który wykluczał troskę.

Szacki uspokoił oddech i powiedział, że mocno wątpliwe, aby to tędy ktoś wszedł do podziemi.

– Chyba że ktoś wysportowany – skomentował Bierut. – Tutejszy. Wie pan, Rzesza zawsze przywiązywała wagę do tężyzny fizycznej. Nie to, co w Kongresówce.

Spojrzał poważnie na prokuratora i zniknął w ciemności. Wściekły Szacki otrzepał płaszcz, wyszedł na piwniczny korytarz i stamtąd na parter starego domu opieki. Hol internatu wyglądał niemal identycznie jak hol liceum na Mickiewicza, albo to projektował ten sam architekt, albo Niemcy budowali wedle tych samych schematów. Zatrzymał się na moment przy gablocie z historią budynku. Wynikało z niej, że faktycznie Rzesza wybudowała dla steranych życiem obywateli piękny przytułek z ogrodem i parkiem, ale głównie po to, żeby uspokoić opinię publiczną, rozwścieczoną wzniesieniem ogromnego ratusza, ze swoją wieżą bardziej przypominającego pałac.

Troska państwa, prychnął Szacki. Bujać to my, ale nie nas.

7

W ramach działalności edukacyjnej po powrocie do prokuratury porozmawiał z Falkiem i kazał mu zaproponować wersje śledcze. Zdolny asesor bez zająknienia wyrecytował narzucające się na tym etapie rozwiązania: mafijne porachunki, mazurski Hannibal Lecter (oczywiście Falk nie dopuszczał myśli, żeby morderczy świr pochodził ze Świętej Warmii) i osobista zemsta.

Słuchał i zastanawiał się, jak bardzo trzeba kogoś nienawidzić, żeby rozpuścić go żywcem. Raczej nie chodzi o złamane serce albo przeterminowane zadłużenie. Jak długo trzeba w sobie hodować nienawiść, aby zgotować komuś taką śmierć? Za taką nienawiścią musi stać wielka krzywda. Ktoś stracił wszystko, co miał? Wszystko, co kochał? Wszystko, co z jego punktu widzenia składało się na życie? Stracił tak ostatecznie, że dokonał tej kuriozalnej, krwawej zemsty?

– Wszystkie odpowiedzi są w przeszłości Najmana – powiedział w końcu.

– Może nie tym razem – odparł Falk.

Szacki spojrzał pytająco.

– Wiem, że to daleki strzał, ale denat prowadził biuro podróży. Albo agencję, tak czy owak, wysyłał ludzi na wycieczki.

– Poważnie? Uważa pan, że ktoś go rozpuścił, bo pojechał do Tajlandii, a tam w hotelu okna wychodziły na śmietnik, a nie na basen pełen nastolatek w bikini?

Falk wyprostował się, wyraźnie urażony kpiącym tonem swojego patrona.

– Uważam, że w egzotycznych rajach dzieją się dziwne rzeczy. Ludzie zapadają na groźne choroby, dzieci giną w dżungli, wypadki chodzą po ludziach. Wyobrażam sobie taką sytuację, że dziecko dostaje jakiegoś zatrucia, bo hotel okazał się miejscem na zapleczu fabryki nawozów. Po powrocie klient żąda odszkodowania, potrzebne mu są pieniądze na leczenie dziecka w Szwajcarii. Biuro odmawia, klient przegrywa proces przez zeznania Najmana, dziecko umiera po długiej chorobie. Na przykład.

Szacki skrzywił się.

– Wydumane.

Edmund Falk poprawił mankiety koszuli, żeby wystawały z rękawów marynarki przepisowy jeden centymetr. Z tym gestem było jak z ziewaniem, więc Szacki poprawił swoje, jego wystawały centymetr dłużej, ponieważ były spięte spinkami. Doprawdy, król sztywniaków i książę sztywniaków, dobrali się w korcu maku.

– Wydumane – przyznał asesor. – Ale jego profesja była na tyle niecodzienna, że warto sprawdzić wydumane. Egzotyka, wyjazdy, mnóstwo kontaktów, dużo przypadkowych osób.

Szacki wzruszył ramionami i wrócili do swoich zajęć. Falk stukał nieprzerwanie w klawisze laptopa niczym protokolantka. Szacki wypełnił kilka kwitów i czekał na przyjazd Najmanowej, gapiąc się w czarną zieloną dziurę za oknem i zabijając czas myśleniem. Ze zdumieniem odnotował, że czuje niepokój. Nie tylko podniecenie wywołane ciekawym śledztwem, ale niepokój. Albo cholerna warmińska pogoda wsiadła mu na psychikę, albo popełnia jakiś błąd.

Niby wszystko się zgadzało, niby wszystkie ich wersje były logiczne i sprawca musiał pasować do jednej z nich. Niby. Zbrodnia ma swój wewnętrzny porządek, swoją harmonię, którą można porównać do dobrze napisanej symfonii. Śledztwo przypominało odnajdywanie kolejnych muzyków i stawianie ich na scenie. Na początku jest tylko jeden flet odzywający się raz na pięć minut i nic z tego nie wynika. Potem dochodzi, dajmy na to, altówka, fagot i waltornia. Grają swoje partie, ale bardzo długo słychać tylko nieznośny hałas. W końcu pojawia się jakaś melodia, ale dopiero odkrycie wszystkich elementów, odnalezienie wszystkich stu muzyków i postawienie się w roli dyrygenta – dopiero to sprawia, że prawda wybrzmiewa tak, że słuchaczy przechodzą ciarki. Tutaj było dopiero kilka elementów, jakaś garstka muzyków gapiących się spode łba, a już coś nie grało. Już coś brzmiało źle, jakby fagocistę zastąpił jego brat bliźniak, z zawodu drwal, i teraz albo tylko udaje, że dmucha, albo fałszuje. Niby na tym etapie to i tak nie ma znaczenia, hałas i tyle, ale i tak coś w uszach boli.

Poczuł się naraz strasznie senny. Zdarzało mu się to o tej porze dnia coraz częściej, z każdymi kolejnymi urodzinami coraz bardziej żałował, że w Polsce nie ma tradycji sjesty. Widok za oknem szczególnie nie pobudzał, maszyny budowlane poruszały się we mgle na dnie czarnej zielonej dziury jak jakieś stwory na dnie oceanu, leniwie, dostojnie i z bardzo usypiającym efektem dla widza.

– Czym pan w ogóle chciałby się zajmować w prokuraturze? – zapytał niespodziewanie Falka, żeby wyrwać się z senności. Niespodziewanie nawet dla samego siebie, ale było już za późno, żeby wycofać wiszące w powietrzu pytanie.

Asesor zastygł z dłońmi na klawiaturze. Wyglądał nie tyle na zaskoczonego, co na rozczarowanego, że Szacki chce się bawić w pogawędki jak jakaś biurwa, znudzona mieszaniem kawy w szklance.

Obaj wydawali się równie zażenowani sytuacją. Szacki czekał, aż Falk powie „pezety", ponieważ każdy asesor chciał ścigać wielką, groźną mafię, której członkowie w bagażnikach nigdy nie wozili walizek z gaciami i drewna do kominka, a jedynie zwłoki, karabiny maszynowe lub narkotyki w hurtowych ilościach.

– Pezety – odpowiedział Falk zgodnie z przewidywaniami.

Szacki poczuł rozczarowanie. Miał nadzieję, że Falk jest inny. Wyjątkowy. Że w jakiś sposób się wyróżnia z tłumu młodych prokuratorów. Rozczarowanie było irracjonalne, jego asesor, tak właśnie myślał o Falku, jako o „swoim asesorze", dobrze przecież podsumował możliwe wersje śledcze, wszystkie wynikały ze zdroworozsądkowej oceny sytuacji i logicznego myślenia. Może jeszcze należało dodać jedną koncepcję.

– Możliwe też, że ten teatr to zasłona dymna – powiedział. – A chodzi jak zwykle o kasę albo o to, że ktoś komuś posunął żonę. Mało prawdopodobne, ale możliwe. Ludzie potrafią być przewrażliwieni na punkcie swojej własności.

Chryste Panie, pomyślał, właśnie wypowiedziałem się o żonach jako o „własności".

Falk przestał stukać w klawiaturę i odchrząknął.

– Może jestem przewrażliwiony po szkoleniach w feministycznych NGO-sach w kwestii przemocy wobec kobiet – odparł spokojnie. – Ale uważam, że powinniśmy unikać seksistowskich komentarzy nawet w rozmowach między sobą. Język ma znaczenie.

– Oczywiście ma pan rację – pokajał się Szacki, choć uwaga Falka podniosła u niego poziom irytacji. – Szkoda że pana nie było rano. Miałem tutaj pseudopandę w sam raz dla pana.

– Pseudopandę?

Zaklął w myślach. Najpierw własność, a teraz odruchowo użył durnego gliniarskiego slangu, którym gardził, ale który słyszał tyle razy, że w końcu wrył mu się w pamięć. Czekał, aż Falk zrozumie, ale on tylko patrzył na niego zdziwionymi czarnymi oczami Louisa de Funèsa.

– Czasami policjanci mówią „panda" na pobitą kobietę – wyjaśnił w końcu. – Rozumie pan? – Palcem zrobił kółko wokół oka.

– Czyli pseudopanda – powiedział wolno Falk. – To zapewne ofiara przemocy psychicznej?

Potwierdził.

– To bardzo ciekawe, ile seksistowskiej pogardy można zawrzeć w jednym słowie. To dość rozczarowujące, że akurat z pana ust usłyszałem coś takiego.

Zatkało go. Dawno już nie spotkał się z tak otwartą krytyką i nie miał pojęcia, jak zareagować. Edmund Falk nie był podejrzanym, nie był świadkiem, nie był też jego dzieckiem lub uczniem. Raczej kolegą z pracy o niższym statusie, ale nie na tyle niższym, żeby go przywoływać do porządku. Szacki spiął się, w głowie słowa układały się w cięte riposty i agresywne reakcje.

Przełknął wszystkie.

– Przepraszam, nie powinienem był tak mówić.

Falk pokiwał głową z miną mówiącą wyraźnie, że jego zdaniem należy raczej zachowywać się tak, żeby nie musieć potem przepraszać. To logiczny wybór.

– O co konkretnie chodziło? Jeśli mogę spytać.

Szacki wzruszył ramionami.

– Tak naprawdę o nic. Popracuje pan trochę i zobaczy pan, że niektórzy przychodzą tu jak na terapię. Jej nic nie robi, dziecku nic nie robi, ale ona się boi. No ale tak naprawdę ona jest nieogarnięta. A on jest fantastyczny. I ją terroryzuje, bo każe zapisywać wydatki. Ale ona przecież jest roztrzepana, więc może to i lepiej.

– Typowe. – Falk pokiwał głową.

– Niestety.

– Typowe zachowanie ofiary przemocy. Albo kobieta wcześnie zareagowała, albo nie mówi wszystkiego. Raczej to drugie. Wysłał ją pan do Promyka?

– Gdzie?

– Ośrodek pomocy rodzinie na Niepodległości, pięćset metrów stąd. Taka piękna willa, jak się przejeżdża.

– Nie.

– To co pan zrobił?

– Nic. Do domu poszła.

– Żart?

Szacki wzruszył ramionami. Nie rozumiał, o co chodzi. Też prawda, że chyba w życiu nie robił żadnej znęty, zawsze udawało się na kogoś zepchnąć.

– Wie pan, że jeśli wierzyć wszystkim moim szkoleniom, to jest typowe zachowanie ofiary przemocy w rodzinie? Nie nieszczęśliwej żony, nie roztrzepanej kobiety, tylko właśnie ofiary przemocy. Na tyle zdesperowana, żeby przyjść do prokuratora. Ale na tyle zawstydzona, żeby nie powiedzieć wszystkiego. Z jednej strony mówi, że coś nie tak, z drugiej w kółko powtarza, że to jej wina. Gdyby ta kobieta przyszła z obdukcją w garści, nagranymi na dyktafon krzykami i kalendarzykiem z wpisanymi przypadkami przemocy, wtedy od razu powinna się nam zapalić czerwona lampka. Ale w tym wypadku to jest jasna sprawa.

– Czyli co miałem zrobić pana zdaniem?

– Zachować się jak prokurator, a nie jak spiżowy mizogin z poprzedniej epoki.

– Dobrze pan wie, że bez zeznania ofiary mamy związane ręce – powiedział Szacki, z trudem zachowując zimną krew.

– Dlaczego? To nie jest przestępstwo wnioskowe. Naszym zadaniem jest wyeliminowanie sprawcy ze społeczeństwa, nawet jeśli prześladowana żona będzie łkać uczepiona naszych marynarek, żeby nie robić mu krzywdy.

– Bez zeznania materiał dowodowy nie ma sensu.

– Oczywiście, że ma. Dobry biegły uzna jej postawę za typową dla psychologii ofiary.

– Pańska postawa to wyprane z realizmu pięknoduchostwo.

– A pańska to cynizm.

Zadzwonił telefon na biurku Szackiego. Policja przywiozła Monikę Najman. Edmund Falk wstał, zamknął laptopa i włożył go do skórzanej teczki.

– Będę zmuszony powiadomić przełożonych o pańskim postępowaniu.

Nawet nie dodał kurtuazyjnie, że zrobi to z przykrością.

– Doniesie pan na mnie?

– Oczywiście. Akurat w tym wypadku zasada prewencji ogólnej ma znaczenie. Jesteśmy wykształconymi prawnikami, jeśli inni dowiedzą się, że taka gwiazda jak pan została ukarana za lekceważenie przemocy domowej, innym powinno to dać do myślenia. Zapewniam pana, że to nic osobistego.


8


PROTOKÓŁ PRZESŁUCHANIA ŚWIADKA. Monika Najman z d. Brode, ur. 25 marca 1975 roku w Olsztynie, zamieszkała w Stawigudzie przy ul. Irysowej 34, wykształcenie wyższe (filologia polska), zastępca dyrektora ds. dydaktycznych Biblioteki Uniwersyteckiej Uniwersytetu Warmińsko-Mazurskiego w Olsztynie. Stosunek do stron: żona ofiary. Niekarana za składanie fałszywych zeznań.

Uprzedzona o odpowiedzialności karnej z art. 233 kk, zeznaję, co następuje:

Swojego męża Piotra Najmana poznałam w lutym 2005 roku, akurat dostałam trzynastkę z uniwersytetu i postanowiłam kupić za to wycieczkę do ciepłych krajów. Nie miałam innych wydatków, a zima była wyjątkowo wstrętna. Piotr był bardzo miły i serdeczny, zrobił na mnie doskonałe wrażenie, dał mi takie promocje, że choć miałam lecieć do Turcji, to w końcu kupiłam wycieczkę na Wyspy Kanaryjskie, zawsze o nich marzyłam. Miesiąc później przyszedł do biblioteki z bukietem kwiatów, akurat były moje urodziny. Bardzo przepraszał, że zapamiętał datę moich urodzin z PESEL-u, i błagał, żebym nie donosiła do inspektora danych osobowych. To było bardzo zabawne, oczywiście się z nim umówiłam, spotykaliśmy się raczej po przyjacielsku. W kwietniu poleciałam na swoją wycieczkę, on czekał na mnie na lotnisku na Fuerteventurze. Wtedy zaczęliśmy się spotykać na poważnie. W październiku 2006 wzięliśmy ślub, w grudniu 2007 roku urodził się nasz syn Piotr junior, dokładnie w mikołajki. Mieszkaliśmy na Jarotach, jednocześnie stawialiśmy dom na mojej działce w Stawigudzie, przeprowadziliśmy się tam na początku 2009 roku. Nasze pożycie układało się dobrze.

Ostatni raz swojego męża Piotra widziałam rankiem w poniedziałek 18 listopada bieżącego roku, kiedy wychodził do pracy. Prosto stamtąd miał jechać do Warszawy i z Warszawy lecieć do Albanii. I Macedonii chyba też, o ile dobrze pamiętam. Albanię się teraz mocno promuje jako nowy kierunek, kraj staje na nogi, ceny niskie, Adriatyk piękny. Takie wyjazdy są zawsze poza sezonem, biura pokazują swoim najlepszym agentom hotele i nowe miejsca. Wyjazd miał potrwać dziesięć dni, ale nie jestem pewna, często to się wiąże jeszcze ze szkoleniami w Warszawie z nowości na innych kierunkach.

Przyznaję, że wyjazd Piotra nie mógł nastąpić w lepszym momencie z wielu różnych względów. W bibliotece od jakiegoś czasu trwa selekcja zbiorów, reorganizacja katalogów wedle nowych zasad europejskich, powinniśmy tam mieszkać, a i tak byśmy się nie wyrabiali. Poza tym ostatnie tygodnie przed jego wyjazdem były męczące. Piotr to hipochondryk, przez tę operację palca zachowywał się jak osoba śmiertelnie chora. On poszedł do pracy, ja zawiozłam syna do rodziców do Sząbruka. Zamierzałam przez tydzień pracować, a wieczorem oglądać telewizję i nie dbać o nic, gotując jedynie wodę na kawę.

Kilka razy wymieniliśmy z Piotrem lakoniczne sms-y, że wszystko w porządku. Poza tym nie miałam z mężem innego kontaktu. Dziesięć dni minęło jak mgnienie oka.

Różne były metody protokołowania, właściwie każdy prokurator miał swoje. Niektórzy na przykład notowali słowo w słowo, każde zająknięcie i każde przekleństwo, zamieniając się w dyktafony z długopisami w ręku. Szacki stosował tę metodę bardzo rzadko, tylko w wypadku najbardziej agresywnych podejrzanych i świadków. Wiedział z doświadczenia, że potem w sądzie robi to doskonałe wrażenie, kiedy spokojnie odczytuje wszystkie „gównomizrobicia" i „jawaskurwazniszcza", a oskarżony robi się po drugiej stronie coraz bardziej malutki. Zwykle jednak słuchał i syntetyzował, ograniczając zeznanie do najważniejszych informacji oraz do detali, które mogą mieć znaczenie.

W przypadku Moniki Najman nie zastosował swojej metody syntetyzowania, ponieważ nie musiał. Kobieta przyszła, usiadła i pewnym głosem podyktowała mu wszystko, nie musiał zmienić nawet przecinka. Była tak dobrze przygotowana, jakby przez tydzień ćwiczyła to wystąpienie. Teraz patrzyła na niego i czekała, co zrobi.

Prokurator Teodor Szacki nic nie robił. Klikał długopisem i myślał. Wbrew modnym teoriom, za które Falk pewnie dałby się pokroić, uważał nowoczesne metody przesłuchań za durne szamaństwo, którego jedynym celem jest wyprowadzenie państwowej kasy na zbędne szkolenia. Zaciągnęli go kiedyś na takie, mało nie umarł ze śmiechu. Teoretycznie polegało to na tym, żeby najpierw prowadzić rozmowę o dupie Maryni, żeby sprawdzić, jak zachowuje się świadek – nazywano to „dostrajaniem wewnętrznego wykrywacza kłamstw" – a potem znienacka zaatakować pytaniem związanym ze sprawą i obserwować reakcję.

Na przerwie dosiadł się do prowadzącego, pili kawę, gawędzili o pogodzie i polityce, przekomarzali się, czy lepsze są samochody z manualną, czy automatyczną przekładnią. Nagle Szacki spytał prowadzącego, jak to było, kiedy wsadził swojej żonie nóż do ucha i przekręcił kilka razy. Czy krzyczała? Broniła się? Czy krew, która płynęła mu po dłoni, była ciepła?

Facet zakrztusił się kanapką tak skutecznie, że trzeba było zastosować manewr Heimlicha.

Co prawda wyrzucił Szackiego z zajęć, ale prokurator dowiódł swojej racji. Każdy reaguje, kiedy z rozmowy o pogodzie przechodzi się na mordowanie żony. Strojenie wewnętrznego wykrywacza kłamstw nic do tego nie ma.

Tak samo nie wierzył w dobrego i złego policjanta. Te wszystkie podlizywania i zastraszania wydawały mu się tandetne, czuł zażenowanie, kiedy widział zachowujących się w ten sposób policjantów. Ludzie są tępi, ale nie aż tak, żeby powiedzieć coś, na co nie mają ochoty, do kłamania doktorat nie jest potrzebny. Żeby z nimi pogrywać, trzeba mieć coś w ręku. Coś, czego chcą, albo coś, czego się boją.

Monika Najman łgała tak, że wykrywacz kłamstw (normalny, nie ten wewnętrzny) strzelałby iskrami na wszystkie strony, a w końcu by wybuchł. Ale Szacki nie miał na nią absolutnie nic.

Nie martwiło go to. Ludzie są laikami, wydają się sobie tacy cwani, a tymczasem machina śledztwa się kręci. Będzie miał treść jej SMS-ów, nagrania z kamer przemysłowych koło pracy, logowania komórki do przekaźników, zeznania koleżanek z biblioteki, współpracujących z Najmanem ludzi z biur podróży. Zdąży sobie jeszcze z panią Moniką porozmawiać, kiedy akta trochę spuchną, a do sprawnego śledztwa nie były potrzebne sztuczki, tylko dowody.

Patrzył na nią. Kobieta siedziała w napięciu, ubrana i umalowana jak na rozmowę w sprawie pracy. Schludnie, skromnie, z biurową elegancją. Biała bluzka zapięta pod szyję, ciemny żakiet, pantofle na delikatnym obcasie. Włosy związane w kok, okularami zastąpiła soczewki. Dobrzy adwokaci radzą oskarżonym kobietom, żeby właśnie tak wyglądały na sali sądowej.

Przekręcił protokół i wskazał miejsce, w którym powinna podpisać. Zdziwiła się.

– Nie będzie przesłuchania?

– Przecież wszystko pani powiedziała.

– Nie ma pan żadnych dodatkowych pytań?

– A chce pani coś dodać? – odpowiedział pytaniem.

Myślała tak intensywnie, że słyszał chrzęst obracających się w jej głowie trybików.

– Nie wierzy mi pan.

– Jak powiem, że nie, to zezna pani prawdę?

Zagryzła wargi i spojrzała na listopadowy wieczór za oknem. Na chwilę zamieniła się w kobietę, którą była wczoraj.

– Będą potrzebne jakieś dodatkowe przesłuchania?

– Myślę, że zdążymy się sobą znudzić.

– Ale czy pan mnie o coś podejrzewa?

– Skąd ten pomysł?

– Wczoraj zupełnie nie byłam sobą.

Pomyślał, że naprawdę nie ma szczęścia, jeśli chodzi o odwiedzające jego gabinet kobiety. Gdyby nie to, że prokuratorowi nie wolno dorabiać, kazałby sobie płacić po osiemdziesiąt złotych za każdą godzinę tych zwierzeń.

– Przykro mi – odparł w końcu obojętnie. – Ale czy chciałaby pani dodać coś, co może mieć związek z zaginięciem i śmiercią pani męża?

– Tylko że nie miałam z tym nic wspólnego.

– Z czym?

– No z tym.

127

– Czyli? – Chciał, żeby to powiedziała.

– Nie zabiłam go.

– A cieszy się pani, że nie żyje?

Zmarszczyła brwi i spojrzała tak, jakby za jego plecami samolot pasażerski wylądował na dachu katedry. A potem podpisała się na protokole i wstała, gotowa do wyjścia.

Pomyślał, że następnym razem ją nagra.


# 9

Prokurator Teodor Szacki nie miał szczęścia do szefowych. Ale kiedy trafił do Olsztyna, na początku odetchnął z ulgą. Ewa Szarejna wydawała się dość typowym produktem urzędu. Dobra prawniczka, niespecjalnie zainteresowana pierwszą linią frontu, szybko trafiła do prokuratury okręgowej, a stamtąd po kilku latach w nadzorze odesłali ją na szefa rejonu. Znając dynamikę prokuratorskich karier, albo wróci na wyższe stanowisko w okręgu, albo wyląduje w apelacji. W to ostatnie wątpił, Szarejna jak wszyscy tutaj była psychopatyczną lokalną patriotką, prędzej się ze smutku utopi w jednym z jedenastu olsztyńskich jezior, niż wyjedzie do Białegostoku albo Gdańska.

Solidna, pracowita, przyzwoita, poukładana, bardziej specjalistka od teorii niż praktyki, ale miało to swoje plusy – wszyscy z Szackim włącznie traktowali ją jak chodzącą bazę orzecznictwa.

Około czterdziestki, trochę młodsza od Szackiego, szczupła, wysportowana, uprawiała biegi przełajowe. Co było źródłem wielu korytarzowych żartów, ponieważ miała na ścianach gabinetu swoje zdjęcia z zawodów, na których spocona i umazana błotem ledwo przypominała istotę ludzką.

Ale wszyscy zapytani o Ewę Szarejnę, nigdy na pierwszym miejscu nie wymieniali ani jej funkcji, ani prawniczej wiedzy, ani dziwacznego hobby. Zawsze mówili: Ewa? To jest bardzo dobra osoba.

Jak to pierwszy raz usłyszał, zmartwiał. O jego matce też tak zawsze mówili. A on wiedział najlepiej ze wszystkich ludzi, że jego matka nie była dobra. Za swoją ciepłą, promieniującą empatią i zrozumieniem fasadą była agresywną, wiecznie wkurwioną zołzą, budującą kolejne mury dobroci, żeby ukryć za nimi wściekłość i pretensje do całego świata. Była jak aligator uwięziony w pluszowym kombinezonie. Każdy chciał się do niej przytulić, ale jeśli ktoś znał ją równie dobrze, jak własny syn, wiedział, że składała się głównie z kłów i pazurów.

Ewa Szarejna była identyczna. Szacki szybko o tym się przekonał, a ona wiedziała, że on wie. Dlatego szczególnie za sobą nie przepadali, chowając niechęć za uprzejmością. Jego była minimalistyczna i chłodna, jej – przesadnie serdeczna.

Wezwany do szefowej, nawet nie zabrał papierów, po rozmowach z Bierutem i Falkiem miał wszystko elegancko poukładane w głowie, jak puzzle posegregowane kolorami, gotowe do ułożenia.

Szarejna nigdy nie przyjmowała gości, będąc za swoim biurkiem, tylko przy niewielkim stole konferencyjnym, gdzie mogła usiąść obok, uśmiechać się ze zrozumieniem i stwarzać atmosferę przyjaźni i zaufania. Teraz też siedziała na swoim miejscu przy oknie, obok nieznanego Szackiemu mężczyzny, na oko trzydziestolatka, trochę ostentacyjnego w swojej sportowej, warszawskiej elegancji. Ewa Szarejna zerwała się na równe nogi, jakby zobaczyła bliskiego członka rodziny, który po latach wrócił z emigracji.

– Panie Teo! – zawołała. – Wspaniale, że pan już jest.

Najwspanialuniej, pomyślał. Na samym początku ich znajomości zapytała, czy zwracać się do niego Teodorze, czy może woli Teo lub Teddy. Szacki, który z zasady nie przechodził z nikim na ty, odparł, że wolałby pozostać przy formach grzecznościowych. Szarejna wybuchła taką wewnętrzną wściekłością, że mało jej nie spadł pluszowy kombinezon. I zapewniła, że oczywiście, rozumie, po czym zaczęła się do niego zwracać „panie Teo", wymawiając to zawsze bez pauzy – jak

„panieteo" – dzięki czemu jego imię brzmiało w jej ustach jak włoski deser albo marka odświeżacza do kibla.

Przywitał się z mężczyzną, który przedstawił się energicznie jako Igor i mimo pytającego spojrzenia prokuratora nie podał nazwiska. W związku z czym Szacki przeniósł wzrok na szefową, w nadziei, że czegoś się dowie.

Szarejna westchnęła i uśmiechnęła się do nich promiennie.

– Ma pan wspaniałą szefową – wyznał Igor.

Szacki czekał.

– Pan Igor... – zaczęła Szarejna, ale nie dał jej dokończyć zdania.

– Igor, żaden pan Igor, droga Ewo, umawialiśmy się.

Roześmiała się i pogłaskała go po ręku. Naprawdę to zrobiła.

– Igorze... – powiedziała z naciskiem, patrząc mężczyźnie w oczy, a on pokiwał głową z teatralną aprobatą.

Szackiemu zrobiło się niedobrze.

– Igorze, gdybyś mógł wytłumaczyć panu Teo.

Igor wygładził błękitną marynarkę. Potem wygładził hipsterski krawat, wyglądający na wyciągnięty z szafy dziadka bikiniarza. W gazecie pewnie napisali: „Warto, żebyś zaznaczył swoją osobowość, wprowadzając do klasycznego stroju element szaleństwa". W końcu wygładził jasne włosy i poprawił okulary.

Jebnę mu, pomyślał Szacki. Jeszcze jeden neurotyczny gest i po prostu mu jebnę, nawet jeśli ma się okazać za chwilę, że to nowy prokurator generalny.

– Jak pan uważa, jak społeczeństwo postrzega prokuratorów? – zapytał Igor.

Westchnął w myślach, zastanawiając się, jaka strategia sprawi, że będzie tu siedział krócej. Postanowił odpowiedzieć.

– Nie ma pojęcia, czym się zajmujemy. Ludzie uważają, że jesteśmy urzędasami, którzy kręcą się bez sensu między policjantami i sędziami, przeszkadzając im w pracy. Kiedy akurat nie przeszkadzamy, tuszujemy różne afery na prywatne zlecenie polityków wszystkich szczebli, ewentualnie wypowiadamy się do kamer, wyglądając jak kołki i próbując zakamuflować swoje błędy niezrozumiałym prawniczym żargonem. To tak w skrócie.

– I co można z tym zrobić?

Co to za jakaś denna teoretyczna rozmowa? Szacki starał się nie okazywać irytacji.

– Uważam, że błędem jest informowanie opinii publicznej o śledztwach w dotychczasowy sposób.

– Nie mógłbym zgodzić się bardziej – skaleczył polszczyznę Igor. – Jakieś konkretne pomysły?

– Oczywiście. Należy przestać komunikować się z mediami w ogóle.

Igor i Szarejna wymienili zakłopotane spojrzenia.

– Dlaczego?

– To logiczny wybór – bezwiednie zacytował swojego asesora. – Społeczeństwo źle nas postrzega, ponieważ taki widzi obraz urzędu w mediach. Nie da się z tego równania wykreślić społeczeństwa, bo ono po prostu jest. Nie da się wykreślić prokuratury, bo nasze działania są społeczeństwu niezbędne. Trzeba z tego zdrowego organizmu wyciąć nowotwór, czyli media, które szkodzą podwójnie. Po pierwsze, wprowadzają społeczeństwo w błąd, po drugie, przeszkadzają nam w śledztwach, czyli działają na szkodę społeczeństwa.

– Panie Teo, jak pan chce informować obywateli o naszych poczynaniach bez mediów? – zapytała go szefowa.

– Bezpośrednio. Mamy dwudziesty pierwszy wiek. Wieszajmy na stronach internetowych okręgu informacje o najważniejszych śledztwach i tyle. To nie muszą być lakoniczne komunikaty. Niech to pisze ktoś, kto zna język polski. Niech ktoś, kto potrafi dobrać krawat do marynarki, nagrywa swoje wypowiedzi i wrzuca na Youtube. – Spojrzał na Igora wymownie. – To żadna filozofia. Zróbmy z siebie szeryfów, nikt za nas tego nie zrobi.

Igor uśmiechnął się tajemniczo.

– Ciekawe, że wspomniał pan akurat o szeryfie.

– Ciekawe, że jak na razie niczego mi pan nie wytłumaczył, jedynie zadał kilka pytań bez znaczenia. Na dodatek się pan nie przedstawił.

– Nazywam się Igor.

Szacki w odpowiedzi obdarzył go jednym ze swoich najbardziej lodowatych i pogardliwych spojrzeń.

– Poniewasz.

Szacki czekał na ciąg dalszy.

– Ponieważ co? – zapytał w końcu.

– Poniewasz. Po prostu Poniewasz.

Prokurator ukrył twarz w dłoniach. Poczuł się bardzo zmęczony.

– Proszę spojrzeć.

Spojrzał. Przed nim leżała wizytówka. Igor Poniewasz. CEO. Biuro Usług Komunikacyjnych „Kartoteka".

Skinął głową, z trudem tłumiąc śmiech.

– Nasza firma została zatrudniona przez Prokuraturę Generalną, żeby poprawić wizerunek waszego urzędu w społeczeństwie. Przyznaję, dość szybko zrozumieliśmy, jak katastrofalna jest sytuacja. Czasami myślę, że łatwiej byłoby przekonać ludzi, że Hitler prowadził po prostu lekko kontrowersyjną politykę zagraniczną. W województwie warmińsko-mazurskim macie wyjątkowo czarny PR po Włodowie i po Olewniku. Powiem szybko, na czym polegają działania naprawcze. Po pierwsze: ewaluacja dotychczasowych rzeczników prasowych na poziomie prokuratur okręgowych i rejonowych. Po drugie: albo przeszkolenie ludzi dotychczas zajmujących się komunikacją, albo wyznaczenie nowych i ich przeszkolenie.

Mam złe przeczucia, pomyślał Szacki. Mam, kurwa, bardzo złe przeczucia.

– Nie ma mowy – powiedział na wszelki wypadek.

– Panie Teo, właśnie dlatego ludzie nas nie lubią. Od razu negacja, od razu na nie, od razu usztywnienie. Porozmawiajmy.

Igor Poniewasz postukał paznokciem w swoją wizytówkę.

– To moja firma. Ja ją wymyśliłem, stworzyłem i rozkręciłem. Wyprułem sobie żyły, aby dojść do etapu, kiedy mogę powiedzieć, że to najskuteczniejsza firma wizerunkowa w Polsce. Trzydziestu moich ludzi jeździ teraz po prokuraturach w całym kraju. Ja powinienem siedzieć za biurkiem w swojej siedzibie na Saskiej Kępie i liczyć banknoty. Wie pan, dlaczego pofatygowałem się na tę wioskę?

– O, wypraszam sobie. – Szarejna żachnęła się niby żartobliwie, ale szczęki zacisnęły jej się gwałtownie. – Rozumiem, Igorze, że jesteś tu przez chwilę, ale to wyjątkowe miejsce. Wiesz, że tylko w granicach miasta jest tutaj jedenaście jezior? Jedenaście!

Poniewasz spojrzał na nią uprzejmie.

– Naprawdę uważasz, droga Ewo, że to świadczy o wielkomiejskości tego miejsca? Ilość jezior, bagien i nieprzebytych lasów?

Szarejna zmartwiała, jakby ją uderzył, natomiast zdaniem Szackiego żart był pierwsza klasa. Prokurator nawet poczuł cień sympatii do tego źle ubranego człowieka o dziwnym nazwisku i niepotrzebnym zawodzie.

– Dlatego się pofatygowałem. – Poniewasz wyjął z aktówki iPada w bordowym futerale. – Bo jak tylko zrozumiałem, że musimy zrobić z was szeryfów... – Postawił tablet przed Szackim. – Zacząłem szukać, czy ktoś już was tak przedstawił. Szukałem filmu, serialu, może powieści kryminalnej, punktu zaczepienia. Wpisałem w Google'a „szeryf prokurator" i dowiedziałem się, że niepotrzebna mi powieść kryminalna, że taka osoba naprawdę istnieje.

Włączył tablet. Szacki zobaczył przed sobą wyniki wyszukiwania.

Znał te nagłówki. „Szeryf w garniturze łapie złoczyńcę". „Kolombo z Kielecczyzny". „Ulica Koseły 221b". „Szeryf na państwowej posadzie". „Szeryf i ziarno prawdy".

Znał te zdjęcia. On na konferencji prasowej. On na tle sandomierskiej katedry. On w todze na sali sądowej w Kielcach. Niestety też on w babskich pismach. Raz jako najseksowniejszy, raz jako najlepiej ubrany urzędnik państwowy. Tak, jego lista powodów niechęci do mediów była niemal nieskończona.

– Nie ma mowy – powtórzył.

– Panie Teo! – z serdeczną egzaltacją powiedziała Szarejna i zabrzmiało to jak modlitwa, inwokacja do Pana Boga. – Nie możemy być masą anonimowych urzędników, odwróconych plecami do ludzi. Są powody, dla których szeryfowie zawsze nosili złotą gwiazdę. Przypiętą na piersi, widoczną z daleka, obwieszczającą wszem i wobec, że w tym miejscu przestrzega się prawa. Pan będzie złotą gwiazdą Olsztyna.

Do końca miał nadzieję, że może chodzi o jednorazowy występ, przemówienie na dniach bezpieczeństwa miasta czy dożynkach, czy co tam się w województwie organizuje. Musiał porzucić tę myśl prędzej, niż na dobre wybrzmiała ona w jego głowie.

– A mówiąc urzędowo, od dziś jest pan rzecznikiem prasowym Prokuratury Rejonowej Olsztyn-Północ, odpowiedzialnym za komunikację i kontakty z mediami.

– Gratuluję. – Poniewasz się uśmiechnął.

Tonął, postanowił więc chwycić się brzytwy.

– Na pewno powiedzieli pani, że nienawidzę mediów. I że nigdy ich dobrze nie traktowałem, i nie mówię tutaj o braku szacunku, lecz o wyrażanej wprost pogardzie.

– I tak pana kochali. Myślę, że pańska wyrazistość i bezkompromisowość tylko doda panu uroku, panie Teo.

Brzytwa prawie odcięła mu palce, mimo to zacisnął dłonie jeszcze mocniej w desperackiej próbie utrzymania się na powierzchni.

– Ustawa gwarantuje mi niezależność – skłamał.

Szarejna uśmiechnęła się cudownym uśmiechem, który przez wszystkich zostałby wzięty za wyraz ciepła i empatii, lecz Szacki widział w nim tylko lodowaty tryumf. Sam wiedział, jaka to miła satysfakcja przyłapać prawnika na ewidentnej nieznajomości prawa.

– Panie Teo, ustawa gwarantuje panu oczywiście niezależność w prowadzeniu postępowania, rozumianą jako samodzielność podejmowania czynności procesowych. Niemniej ustawa ta wprost mówi, że prokurator jest zobowiązany wykonywać zarządzenia, wytyczne i polecenia przełożonego prokuratora.

Nic nie powiedział, nie było nic do powiedzenia. Ewa Szarejna tak kłapała kłami ze szczęścia pod pluszowym kombinezonem, że nie mogła sobie odmówić kopnięcia leżącego:

– Artykuł ósmy, ustęp drugi.

Igor Poniewasz wyjął z aktówki plik kartek, nawleczonych na czerwoną bindę. Na okładce wydrukowana została pięcioramienna żółta gwiazda z ramionami zakończonymi kropkami. Pośrodku widniał napis westernową czcionką: „OPERACJA SZERYF".

Prokurator Teodor Szacki nawet nie westchnął.


10


Wściekłość, frustracja i irytacja tak go rozsadzały, że po kwadransie nerwowego krążenia po swoim gabinecie postanowił zmienić otoczenie. Bał się, że przepali mu się jakiś bezpiecznik, strzeli gdzieś czterdziestoletnia ponad żyłka.

Najpierw myślał o tym, czy nie pójść po prostu na spacer, ale pogoda była tak podła, że postanowił się przejechać.

Pięćset metrów dalej i piętnaście minut później słuchał kuriozalnie słonecznego w olsztyńskich warunkach *Agadou* i trząsł się z wściekłości. Na Kościuszki nie było korka, Kościuszki wpadło w komę, czasoprzestrzeń została uwięziona w kwantowej galarecie, kompletny bezruch zapanował w tym kawałku wszechświata. Szacki widział przez mżawkę jak dwieście metrów przed nim światła zmieniają się w stałym rytmie: najpierw nieskończenie długo czerwone, potem zielone przez moment, żółty błysk i znowu czerwone. Jeśli trzem samochodom udało się wjechać w zakorkowaną Niepodległości, to był sukces. Patrzył na skulonych przechodniów przemykających chodnikiem i wyobrażał sobie, że jeden z nich jest olsztyńskim inżynierem ruchu. Wymyślił, że zaprasza go do auta. Inżynier jest mile zaskoczony, pogoda podła, nie spodziewał się takiego odruchu serca u kierowcy auta na warszawskich blachach, bardzo dziękuje i tak dalej. Nie ma sprawy, musimy sobie pomagać, pełen Wersal. Pozwala mu nawet wybrać stację radiową, rozpiąć płaszcz, rozluźnić się, pochwalić stylowy samochód.

Jednocześnie wyjmuje niepostrzeżenie z bocznej kieszeni krzyżakowy śrubokręt. I kiedy inżynier jest już rozluźniony, blokuje drzwi i z całej siły wbija mu śrubokręt w udo, najgłębiej jak się da, kręcąc nim zawzięcie. Patrzył, jak przed nim tym razem żadnemu autu nie udało się skręcić na zielonym i uśmiechał się, słysząc w głowie krzyk bólu, zaskoczenia i przerażenia. Nie zdawał sobie sprawy, że jego prawa dłoń wierci dziurę w skórzanej tapicerce.

Dwadzieścia minut później poczuł się trochę lepiej. Ponieważ postanowił, że zamiast stać w korku na Jaroty, zjedzie na Statoil koło KFC, tam kawy się napije, przejrzy gazetę, odparuje. Przejechał sto metrów chodnikiem, żeby dostać się do zjazdu, i zaparkował pod stacją z westchnieniem ulgi.

Usiadł przy małym stoliku w kącie, między szczotkami do zgarniania śniegu a tylko trochę zasłoniętymi pornosami. Z „Gazetą Olsztyńską" i dużym kubkiem czarnej kawy. Od jakiegoś czasu pił czarną kawę, bo wydawało mu się to bardziej męskie.

Czuł się dobrze przy kasie. Czuł się rewelacyjnie przy ekspresie. Czuł się wspaniale, maszerując z kubkiem do stolika, nigdy nie nakrywał kawy wieczkiem, niech wszyscy wiedzą, że prawdziwi twardziele nie wstydzą się swojego wyboru. Przy stoliku czuł się podle, ponieważ nienawidził smaku czarnej kawy, po dwóch łykach kręciło go w żołądku, a w ustach pojawiał się kwaśny smak. Ale co miał zrobić? Wrócić po śmietankę, posłodzić potajemnie?

Chciał odpocząć i się odprężyć, zamiast tego przeglądał poirytowany „Gazetę Olsztyńską". Tematem numeru były obraźliwie niskie stawki za godzinę pracy, w regionie najwyższego bezrobocia pracodawcy bezlitośnie wykorzystywali ludzką biedę i desperację. Przeleciał tekst wzrokiem, słuszna sprawa go nie obeszła, skoro dali na pierwszą stronę takie ogólne rozważania, to znaczy że kompletnie nic się nie wydarzyło. Oczywiście miał rację, dalej było już tylko gorzej. W Szymanach urzędnicy stawiali pomnik swojej megalomanii w formie bezsensownego i zbędnego lotniska, w Gołdapi bali się wilków, pod starówką znaleźli jakieś archeologiczne resztki, plebiscyt na nauczyciela, plebiscyt na listonosza, plebiscyt na sportowca, nudy, nudy, nudy.

Miał już odłożyć gazetę i korzystając z tego, że stacja kompletnie opustoszała, nalać sobie ukradkiem mleka do kawy, kiedy z dodatku edukacyjnego spojrzała na niego znajoma twarz. W pierwszej chwili nie mógł dopasować człowieka do sytuacji, patrzył w bladobłękitne oczy jakiejś młodej dziewczyny, a w głowie zębatki kręciły mu się na jałowym biegu.

Klik. Wiktoria Sendrowska, klasa IIE, *Przystosowanie do przeżycia w rodzinie*, zapamiętał tytuł jej pracy, bo wydał mu się ciekawy.

Wyciągnął dodatek edukacyjny i przeczytał wywiad z dziewczyną. Całkiem bystrze odpowiadała na bezsensowne pytania, dziennikarka zwracała się do niej jak do dziecka, ona tymczasem zachowywała się jak dojrzała kobieta.

Dziennikarka pytała, co ją skłoniło do tego, żeby zająć się tak poważnym tematem.

Dziewczyna odpowiadała, że sama nigdy nie doświadczyła przemocy domowej, ma szczęśliwy dom, rodzice uprawiają prestiżowe zawody. Ale zna ludzi, którzy wracali jak do piekła. Którzy kulili się, słysząc kroki na korytarzu. Którzy bardziej bali się powrotów do domu niż wyjazdów. Znała takich, którzy marzyli o tym, żeby ktoś przyszedł i zabrał ich do domu dziecka. Uznała, że trzeba o tym mówić.

Na szczęście takie ekstremalne przypadki zdarzają się bardzo rzadko, skontrowała dziennikarka.

Szacki skrzywił się, czytając pytanie. Kolejny obywatel przekonany, że wszystko przytrafia się innym, a i to nieczęsto, więc tak naprawdę nie ma się czym przejmować. Przeleciał wzrokiem cały wywiad, licealistka opowiadała o przemocy w rodzinie, widać, że zadała sobie wiele trudu, zbierając materiały do swojej pracy. Różne są rodziny, skomentowała dziennikarka podawane przez Wiktorię przykłady patologii wśród jej szkolnych znajomych.

Na to Wiktoria: Odmawiam miana rodziny grupie, gdzie stosowana jest jakakolwiek przemoc, zamach na wolność osobistą lub seksualną. Obrażamy prawdziwe rodziny, nazywając tak patologiczne układy, które powinny zostać jak najszybciej rozmontowane.

Dziennikarka: To brzmi groźnie. Zaczęłam wyobrażać sobie, jak dzieci donoszą na swoich rodziców...

I Wiktoria: A co w tym groźnego! Jeśli rodzic jest złym, krzywdzącym, agresywnym psychopatą, to powinno się na niego donieść jak najszybciej. Powinniśmy wiedzieć, że nie jesteśmy bezbronni. W szkole mamy pogadanki, ostrzegające nas przed wydumanymi problemami. Wiemy, że grozi nam narkomania, handel żywym towarem, wycinanie narządów, gwałt w ciemnym lesie, a o tym, co zrobić, kiedy pijany wuj się dobiera, ojciec przepija kieszonkowe albo matka wrzeszczy codziennie i wyzywa – o tym nie słyszałam jeszcze w szkole ani słowa. A przydałoby się. Dyktatorzy powinni wiedzieć, że nie są bezkarni.

Co prawda, to prawda, pomyślał Szacki, sam miał o rodzicach, jako o grupie społecznej, jak najgorsze zdanie. Ziewnął i upił zimnej już kawy, obrzydliwej jak płyn do przetykania rur. Dziewczyna sprawiała wrażenie tyleż agresywnej, co poukładanej. Miał szczerą nadzieję, że nikt jej nie zepsuje po drodze, że pasja społecznikowska w niej nie osłabnie, a za parę lat będzie mógł na nią głosować.

– Powodzenia – mruknął i wrzucił gazetę do kosza.

Ruch był już minimalny i Szacki uznał, że może pojechać na Jaroty, nie ryzykując apopleksji. Kwadrans później skręcił w Wilczyńskiego, jedną z głównych ulic olsztyńskiej sypialni, minął kościół tak szkaradny, jakby wybudowało go Stowarzyszenie Przyjaciół Lucyfera, aby odstraszać ludzi od wiary, i zaczął się rozglądać, szukając adresu.

Zaparkował pod pięciopiętrowym blokiem z lat dziewięćdziesiątych, smutnej dekady, kiedy budowano szybko i bez pomyślunku, o projektach nie wspominając. Budynek był wstrętny, przykre świadectwo tego, że wystarczy oddalić się od niemieckiego centrum, żeby zacząć zamykać oczy, by nie widzieć wszechobecnej brzydoty. Olsztyn nie różnił się zresztą pod tym względem od innych miast i Szacki pomyślał, że to okrutne – nawet jeśli w Polsce wszystko się zmieni, ludzie staną się dla siebie mili, politycy wrażliwi na ludzką krzywdę, autostrady wybudowane, a pociągi czyste, to i tak tym miłym ludziom przyjdzie żyć na trzystu tysiącach kilometrów kwadratowych urbanistycznego piekła, zaśmieconego najbrzydszą architekturą w Europie.

Na parterze budynku znajdował się ciąg sklepów i lokali usługowych, biuro turystyczne Tauris było klitką, wciśniętą między weterynarza i sklep z lustrami. Wbrew jego obawom w firmie Najmana paliło się światło, wewnątrz niewielkiego pomieszczenia pracownica krzątała się przy tylnej ścianie, porządkując katalogi: na górze palmy, na dole ośnieżone szczyty. Na ścianie zdjęcia lazurowych mórz i białych piasków. Tylko raz pojechał na takie wakacje, z jednej strony miał elektrociepłownię, z drugiej autostradę, przez plażę z brązowego żwiru przelewały się fale bladego cellulitu, obiecał sobie, że nigdy więcej.

Przejrzał ogłoszenia w witrynie. Alpy samolotem, Słowacja samochodem, egzotyka, Włochy, objazd plus grób papieża, już prowadzimy zapisy na kanonizację. Żadnej wywieszki o przerwie, urlopie czy zawieszeniu działalności.

Wszedł do środka, w zapach kawy, kredowego papieru i piżmowych kadzidełek. Nawet przyjemna mieszanina. Kobieta z uśmiechem odwróciła się od półek z katalogami. Przedstawił się szybko, żeby nie zaczęła go uwodzić palmami i szczytami. Przytaknęła, jakby spodziewała się tej wizyty, przedstawiła jako Joanna Parulska.

– Kawy się pan napije?

Już chciał się złamać, ale uznał, że jest tutaj służbowo.

– Czemu nie. Czarna, bez mleka, bez cukru.

Nawet jeśli zrobiło to na niej wrażenie, nie dała po sobie poznać.

– Policja dziś ze mną rozmawiała! – krzyknęła z zaplecza.

– Wiem – odparł. – Chciałem zobaczyć miejsce pracy denata.

Nie odpowiedziała. Wróciła z dwoma kubkami rozpuszczalnej kawy, biała dla siebie, czarna dla niego. Gorąca ciecz pachniała gumą, niewiele jest rzeczy bardziej odstręczających niż mocna rozpuszczalna kawa bez żadnych dodatków.

– Mam tylko kilka pytań.

Skinęła głową, założyła nogę na nogę i upiła kawy. Miała energię właścicielki małej firmy. Kobiety z udanym życiem małżeńskim, która lubi pracować, lubi gotować i napić się wina z przyjaciółmi, tymi samymi od dwudziestu lat. Ładnie i żywiołowo tańczy, a jak się wybiera z mężem na weekend do hotelu, to zabiera koronkowe pończochy. Pod pięćdziesiątkę, pewnie o niej zawsze mówili, że ma w sobie to „coś". Mimo jej widocznych starań „coś" się starzało i znikało, ale pewnie kiedy w listopadowe popołudnie zamykała biuro, mężczyźni ciągle się za nią oglądali. Kozaki, zgrabne nogi między kozakami a spódnicą, kobiece kształty, długie czarne włosy, makijaż, odjazdowe okulary w turkusowym kolorze Karaibów. Można by pomyśleć, że to kobieta zdrowo pogodzona z losem i wiekiem, dobrze czująca się w swojej skórze. Ale Szacki był gotów się założyć, że jeśli w piątek napije się wina, a w sobotę jest słoneczny dzień, to stoi rano przed lustrem, patrzy na swoją skórę i wcale nie czuje się w niej komfortowo. Sam doświadczał tego uczucia nazbyt często.

Zbyt wielu ludzi przesłuchał, żeby nie wiedzieć, że dzielą się na ledwie kilkanaście typów, a pomijając drobne różnice, w ramach kategorii ich charaktery i losy są zazwyczaj bardzo podobne. Nie musiał pytać, żeby wiedzieć, że nigdy ją z Najmanem nic nie łączyło, poza sprawami zawodowymi. Że nawet jeśli próbował romansować, to szybko dostał po łapach. Że kiedy on popijał martini w Tunezji, ona porządkowała faktury, a mimo to potem klienci woleli z nią załatwiać wszystko, a nie z szefem, który na własne oczy widział kolorowe rybki baraszkujące przy rafie koralowej.

Jedno mu nie pasowało. Widział wiele razy ten typ kobiety i nie był to typ pracownicy.

– Jak to się stało, że pracowała pani dla Najmana?

– Nie pracowałam nigdy dla Najmana. Jesteśmy, byliśmy wspólnikami. Niemal równocześnie otworzyliśmy biura po dwóch stronach tej samej ulicy, on nowe, ja się przeniosłam z centrum. Po dwóch latach uznaliśmy, że to bez sensu gapić się na siebie i udawać, że jesteśmy konkurencją. Połączyliśmy siły. Jeden lokal, jedna księgowość, a każdy przyniósł swoich klientów. Ja szkoły i obozy, on rodziny szukające słońca.

– Żona Najmana mówiła o pani jak o pracownicy.

Wzruszyła ramionami.

– Wiem, że przedstawiał mnie jako pracownicę, próbował nawet tak traktować przez chwilę. Krótką chwilę. Trochę taki patriarcha z patriarchowa, ale w sumie dobrze się dogadywaliśmy.

Zerknęła na ścianę, Szacki podążył za jej wzrokiem. Między rajskimi plażami wisiało zabawne zdjęcie Najmana i Parulskiej. Zrobione w zimie, na jakimś jarmarku bożonarodzeniowym na olsztyńskim rynku, wokół stały lodowe rzeźby zwierząt. Między rzeźbami, na śniegu, ustawili parasol z trzciny i dwa letnie leżaki, położyli się na nich w zimowych kurtkach i słonecznych okularach, pijąc bajecznie kolorowe drinki. Między sobą mieli tabliczkę z logo biura i adresem strony internetowej. Uśmiechali się promiennie do obiektywu, wyglądali na zadowolonych.

– Pomyśleliśmy, że to fajny pomysł na reklamę. Pokazać, że możemy ludzi zabrać ze środka polskiej zimy gdzieś pod palmę.

– Interes się kręci? – zapytał.

– Przyzwoicie. Oczywiście rynek jest nieprzewidywalny, raz idą pielgrzymki, raz obozy, mieliśmy rok, kiedy chyba pół osiedla wyjechało na pierwszoligowe egzotyczne kierunki, Karaiby albo Mauritius.

Ale ogólnie żarło coraz lepiej, myśleliśmy nawet o otworzeniu filii w Ostródzie.

– A kryzys?

– Kryzys to bujda. Wymyślili tę plotkę w wielkich korporacjach, żeby przez dziesięć lat nie dać nikomu podwyżki. Prosperujący biznes, widoki na przyszłość, pieniądze. Zastanawiał się, czy to wystarczający motyw do zabójstwa. Raczej nie. Chyba że jakieś prywatne długi, hazard, szantaż. Wspólnik pożycza wspólnikowi, zaczynają się niesnaski. Jeden ginie, nie dość, że długi idą w zapomnienie, to jeszcze biznes zostaje. Zanotował sobie wersję śledczą w głowie.

– Jak dzieliliście się pracą?

– Różnie. Sporo jeździliśmy, służbowo i prywatnie, więc czasami w biurze była tylko jedna osoba. Ale w szczytach siedzieliśmy we dwójkę. Po latach praktyki wystarczyło, że ktoś wszedł, od razu wiedzieliśmy, kto ma go obsłużyć. Jeśli energiczny mężczyzna w płaszczu, to Piotr. Konkretna rozmowa w stylu „ściemniać panu nie będę, różne rzeczy w Arabowie widziałem, ale to jest naprawdę dobre miejsce", dwa żarty o tym, że podróż z żoną to tak naprawdę podróż służbowa. Do młodego małżeństwa szłam ja, pełna wyrozumiałości dla tego, że chcą jak najwięcej słonecznego szczęścia za jak najniższą cenę. Do dwóch przyjaciółek po pięćdziesiątce oczywiście Piotr, miał coś z dansingowego wodzireja, to się sprawdzało.

– A mnie kto by obsłużył?

– Jak najbardziej ja.

– Dlaczego jak najbardziej?

Joanna Parulska uśmiechnęła się uśmiechem doświadczonej sprzedawczyni.

– Bo nie lubi pan kontaktu z mężczyznami, tego poklepywania się po ramieniu. Myślę, że wizyta w Castoramie albo w warsztacie samochodowym jest dla pan gorsza niż wizyta u dentysty.

– Co pani zyskuje na śmierci Najmana? – Nie chciał przyznać, jak celna była jej diagnoza.

– Nic. Na razie muszę prowadzić firmę sama, mieć nadzieję, że nie stracę klientów Piotra. Jego udziały dziedziczy żona. Teraz Monika twierdzi, że pójdzie mi na rękę, ale zobaczymy później, kiedy zakończy się sprawa spadkowa.

– Na rękę, czyli?

– Odsprzeda mi udziały za rozsądną cenę.

– Rozmawiałyście panie?

– Godzinę temu. Była bardzo miła. Nawet rozważałyśmy przez chwilę, czy nie prowadzić interesu razem.

– Chciałaby pani?

– Chciałabym. Nie będzie mi miał kto czarować emerytek na wyjazd do Maroka, ale w ogóle z kobietami dobrze się pracuje.

Szacki pomyślał, czy ta uwaga oznacza, że z mężczyzną źle jej się pracowało. Zanotował w głowie.

– W zeszły poniedziałek wyszedł z domu do pracy i już nie wrócił. Widziała go pani?

– Jak najbardziej. Zobaczyliśmy się rano. Przyjechał z walizką, sprawdził maile, zostawił mi kilka bieżących spraw, przede wszystkim dużą kolonię narciarską na Słowacji, i wziął taksówkę koło południa, żeby pojechać do Kortowa i tam wsiąść w Radeksa do Warszawy. Miał lecieć z Balkan Tourist do Albanii i Macedonii. Albanię się teraz mocno promuje jako nowy kierunek, kraj staje na nogi, ceny niskie, Adriatyk piękny. Wyjazd miał potrwać dziesięć dni, po powrocie Piotr miał zadzwonić, czy zostaje w Warszawie na szkoleniu z nowości na innych kierunkach.

Szacki odniósł wrażenie, że od Najmanowej usłyszał dokładnie identyczne słowa. Obie kobiety były tak samo chłodne, tak samo wyzute z emocji, tak samo mówiły tylko to co trzeba. I ani słowa więcej.

– Kontaktowaliście się?

Zaprzeczyła ruchem głowy.

– To szczyt martwego sezonu, wszyscy już kupili sylwestry w Egipcie i wyjazdy narciarskie, cała Polska przestawia się na Boże Narodzenie.

Mogłabym zamknąć interes na dwa tygodnie i nikt by nie zauważył. Nawet było mi na rękę, że wyjechał, mogłam w spokoju popracować nad ofertami na lato. Chcemy dobrze sprzedać Ukrainę, w końcu nazwa biura zobowiązuje. Mam nadzieję, że się tam skończą te ruchawki lada dzień.

Szacki wstał bez słowa, kubek wziął ze sobą. Piotr Najman stale związany był z dwiema osobami: żoną i wspólniczką. Jego zaginięcie żadnej nie zdziwiło, jego śmierć żadnej nie obeszła. Jedyne, co mają do powiedzenia na ten temat, to te same trzy wyprane z emocji zdania, jakby się ich nauczyły na pamięć.

Rozejrzał się po wnętrzu, dopiero teraz zobaczył wiszącą na ścianie koło drzwi reprodukcję, w mniejszej skali, antycznej scenki rodzajowej z auli liceum Mickiewicza. Podszedł do akademickiego landszaftu, smutna kobieta w białej sukni patrzyła na morze, rozbijające się o skały. Obraz zaskakująco pasował do folderowych zdjęć plaż, mórz i błękitnych nieb.

– Można tam pojechać? – spytał półżartem, wskazując kubkiem obraz.

– Jak najbardziej. To Tauryda, po łacinie Tauris. Stąd nazwa biura.

– I gdzie to jest?

– Na Ukrainie. Tauryda to starożytna nazwa Krymu.

Nie miał pojęcia.

– A te postacie coś znaczą?

– To Ifigenia, córka Agamemnona. A z tyłu jej brat Orestes i jego kumpel Pylades.

Nic mu to nie mówiło. Ale nie chciał się kompromitować, więc tylko pokiwał głową.

– Tyle lat gapiłam się na ten obraz, a sama dopiero niedawno doczytałam, o co chodzi. Agamemnon poświęcił Ifigenię, żeby wyprosić u Artemidy pomyślne wiatry dla statków płynących do Troi. Bogini się zlitowała i oszczędziła dziewczynę, ale o tym, że córka została ocalona, nie wiedziała żona Agamemnona.

– Elektra? – strzelił Szacki, coś mu zaświtało z dawnych lat.

– Klitajmestra. W związku z tym go zamordowała, kiedy wrócił. Za co z kolei ona została zamordowana przez swoje dzieci, czyli rodzeństwo Ifigenii. Co w ogóle było częścią większej klątwy, zgodnie z którą każde kolejne pokolenie mordowało członków swojej rodziny.

– Dziedzictwo przemocy – mruknął bardziej do siebie niż do niej.

– Jak najbardziej. Co ciekawe, skończyło się na Żeni.

Drgnął.

– Dlaczego Żeni?

– No wie pan, Ifigenia to jak Eugenia, w skrócie Żenia. Tak ją nazywamy pieszczotliwie, często klienci pytają i opowiadamy tę historię.

– Mało zachęcająca historia – powiedział sucho. – To grecka tragedia, na końcu wszyscy leżą na scenie w kałuży krwi.

– Otóż nie. To znaczy na to się zanosi, ale Żenia przekonuje wszystkich o konieczności zdjęcia klątwy, zaniechania zła. I udaje jej się. Nikt nie umiera.

– Żadna tragedia.

– Może i tak, ale wie pan, zawsze wierzyłam w szczęśliwe zakończenia.

On sam nie wierzył w szczęśliwe zakończenia, w szczęśliwe środki i początki też niespecjalnie, ale zachował to dla siebie. Zapadła krępująca cisza, spytał gestem, czy może wejść na zaplecze, skinęła głową i poszła za nim.

Za pokojem do przyjmowania gości znajdował się niewielki korytarz, z którego wchodziło się do toalety i małej klitki z okienkiem na podwórko. Stała tam szafka z czajnikiem i dużym słoikiem rozpuszczalnej kawy, niewielka lodówka, zawalone papierami biurko z komputerem. Na tablicy korkowej przypięte były faktury, telefony awaryjne do ubezpieczycieli, adresy polskich konsulatów. Na drugiej dużo zdjęć z wyjazdów Najmana i Parulskiej, odbitki w rozmiarze pocztówkowym nachodziły na siebie. Turystyczne evergreeny, jak portrety na tle wieży Eiffla czy egipskich piramid mieszały się ze zdjęciami z branżowych rautów, pełnych policzków rumianych od alkoholu i oczu czerwonych od lampy błyskowej. Parulska miała więcej zdjęć zimą, Najman na jakichś afrykańskich czy australijskich bezdrożach. Jego gęba Kojaka nieźle prezentowała się w tropikach. Żaden turysta, tylko zaprawiony podróżnik, weteran odludnych szlaków.

– Lubił egzotykę – ni to stwierdził, ni zapytał Szacki.

– Jak najbardziej. I naprawdę się znał, do tego stopnia, że często co uczciwsi ludzie z innych biur przysyłali klientów do nas. Potrafił doradzić, czy raczej Afryka, czy Ameryka Południowa, wiedział, który operator naciąga, a z którym jest bezpiecznie jechać. Miał taki popisowy numer, że pokazywał swoją dłoń i mówił: „Nie chce pan popełnić tego błędu, co ja, i wybrać złego przewodnika". Klient bladł i pytał, co się stało, a Piter w zależności od nastroju opowiadał, że to lew, puma albo zakażenie po ukąszeniu skorpiona. Kurczę, będzie mi go brakowało – powiedziała, ale jakby się zawstydziła swoimi słowami, bo od razu dodała: – Na swój sposób.

– Naprawdę coś go ugryzło? – spytał Szacki obojętnie, czuł, że marnuje tutaj czas.

– Gdzie tam, stracił palce w jakimś pożarze, tylko robił z tego szopkę dla klientów.

Szacki zastygł.

– Słucham?

– Nie znam szczegółów, tylko raz spytałam, coś wspomniał, że pożar, że porażenie prądem. Uznałam, że to pewnie jakaś wstydliwa historia, zasnął po pijaku przy kominku czy...

– Nie o to mi chodzi – przerwał jej Szacki. – Pytam, czy to było jakieś zniekształcenie, czy naprawdę nie miał palców.

Spojrzała na niego zdziwiona, jakby wszyscy w Olsztynie o tym wiedzieli. Plus jedenaście jezior i minus dwa palce, witamy na Warmii.

– Nie miał. – Podniosła prawą dłoń do góry i drugą zagięła mocno dwa palce tak, że nie było ich widać. – Nie miał w ogóle małego i serdecznego palca prawej ręki, o tak. Obrączkę nosił na środkowym.

Patrzyła na niego, nie rozumiejąc, dlaczego ta informacja zrobiła na prokuratorze tak duże wrażenie. Nie mogła wiedzieć, że efektem ubocznym rozpuszczenia Piotra Najmana w ługu było odzyskanie przez niego utraconych palców. Bo jeśli wierzyć Frankensteinowi, w szkielecie nie brakowało ani jednej kosteczki.

# ROZDZIAŁ 4

## czwartek, 28 listopada 2013

Albania, Mauretania i Panama świętują Dzień Niepodległości. Agnieszka Holland i Ed Harris – urodziny. 95 rocznica nadania kobietom praw wyborczych przez Józefa Piłsudskiego w 1918 roku, w pierwszym Sejmie zasiadło osiem posłanek. W Wilnie zaczyna się szczyt Partnerstwa Wschodniego, smętny i bezsensowny, odkąd ukraiński dyktator ogłosił, że nie podpisze umowy stowarzyszeniowej z Unią. Na Ukrainie trwają protesty. W Egipcie wojskowa junta doprowadza do skazania dwudziestu młodych dziewcząt na jedenaście lat więzienia za udział w pokojowej demonstracji. A we Francji odchodzący szef Peugeota rezygnuje po wielkiej burzy ze swojej koncernowej emerytury, wynoszącej 310 tysięcy euro rocznie. Nad Wisłą w dzień premiery rosyjskiej superprodukcji wojennej *Stalingrad* wiceminister MON podaje się do dymisji, podejrzany o faworyzowanie jednej z firm, chcącej sprzedać Polsce samoloty bezzałogowe. W całym zamieszaniu nikt nie pyta, po cholerę Polsce samoloty bezzałogowe. W Warszawie Kościół i Cerkiew ramię w ramię zapowiadają walkę z ideologią gender. W Olsztynie zarząd województwa ogłasza przetarg na dzwon „Kopernik” dla katedry, zdaniem władz będzie to doskonała kopernikańska promocja miasta oraz cenna pamiątka dla przyszłych pokoleń. Na dzwonie zostaną wygrawerowane imiona papieża, metropolity i marszałka województwa. Prezydenta Olsztyna nie będzie, bo miasto się nie dołożyło do cennej pamiątki. Poza tym koncert daje Mela Koteluk, otwiera się nowa knajpa stylizowana na czasy PRL-u, a na policję zgłasza się pirat drogowy, przez którego funkcjonariusze dwa tygodnie wcześniej staranowali auto radnego w czasie nocnego pościgu. Temperatura w dzień około siedmiu stopni, zachmurzenie totalne, mgła, rano i wieczorem – marznąca mżawka.

# 1

Słoneczko dawno już wstało, świeciło z góry na pokrytą przez chmury Warmię, ale choć świeciło z całej siły, nie potrafiło dotrzeć na ulicę Równą. Brakowało tu światła i brakowało powietrza, przestrzeń wypełniała brudna, ciemna szarość. Zwyczajna kobieta patrzyła przez okno i myślała, że wygląda to, jakby ktoś nasączył wodą z przydrożnej kałuży worek waty, a potem nakleił ją na szyby z zewnątrz.

Pejzaż za kuchennym oknem wysysał z niej resztkę sił życiowych. Im dłużej patrzyła na czarną mgłę, na ich podwórko, które miało się zamienić w ogródek, ale na razie było jeziorem zbrylonego błocka, tym bardziej miała wszystkiego dość.

Mały jeszcze spał, duży wychodził do pracy. Zaparzyła kawę, zrobiła tosty z camembertem na śniadanie, wycisnęła trochę soku z pomarańczy. Podziękował grzecznie. Powiedziała, że absolutnie nie ma sprawy, myśląc o tym, że dekadę życia by oddała, żeby sobie przez miesiąc pobyć na takich wczasach jak on.

Pojedzie sobie samochodem, muzyczki posłucha, kupi na później batonika na stacji benzynowej. Potem w biurze posiedzi z ludźmi, postuka w klawiaturę, odpisze na dwadzieścia ważnych maili, wyjdzie na lunch. Wróci, poflirtuje trochę, powymienia się żartami na zebraniu. Zadzwoni do domu, że będzie godzinę później, bo jeszcze musi „się ogarnąć z projektem" – głos zbolały, zmęczony, żeby jasna była skala wyrzeczeń i poświęcenia.

Ona w tym czasie pójdzie na zakupy, zrobi obiad, wstawi dwa prania, wytrze dwie kupy, piętnaście razy utuli, raz przyklei plasterek, pięć razy wyciągnie z miejsc, gdzie nie wolno chodzić, trzy razy umyje podłogę i stół po posiłku, cały czas na nogach, lekko zziajana, z lepkim czołem, przy akompaniamencie jęku dziecka, które zawsze chce czegoś innego niż to, co akurat robi. Jak będzie miała szczęście, to uśnie w domu i będzie mogła zjeść kanapkę, drugą ręką mieszając zupkę. Zazwyczaj jednak usypiał dopiero na spacerze. On otulony kocykiem, zabezpieczony przed wiatrem i deszczem, różowy i pochrapujący. Ona pchająca wózek, zziębnięta, zdyszana, mokra od deszczu, bo na gruntowej drodze nie sposób prowadzić wózka i trzymać parasola jednocześnie.

Patrzyła, jak je tosty, ze smutnym wzrokiem człowieka, który poświęca się dla rodziny, i myślała, że gdyby musiał wykonywać prawdziwą pracę jak ona, to po kilku tygodniach szukaliby sanatorium, gdzie mógłby dojść do siebie.

Zjadł, przeciągnął się, wstał, zostawiając na stole okruszki, plamę kawy i naczynia. Sprzątnęła bez słowa, stanęła ze swoją kawą przy oknie i myślami wypychała go z domu. Jest szansa, że jeśli zaraz wyjdzie, a mały pośpi jeszcze chwilę, będzie miała kwadrans dla siebie. Cały kwadrans! Potrzebuje tego kwadransa, żeby zebrać myśli, zastanowić się, jak to rozegrać, jak wybrać najlepszy moment, żeby nie mógł nic zrobić.

W przedpokoju zaszumiał naciągany na garnitur wełniany płaszcz, potem bzyknęły suwaki od skórzanych sztybletów, stuknął zdjęty z półki i postawiony na podłodze parasol.

Zamknęła oczy, mocno zaciskając powieki, czekając na metaliczny dźwięk zamka. Zamiast tego usłyszała zbliżające się kroki. Zaklęła w myślach wielopiętrowym, ordynarnym bluzgiem. Nawet jej ojciec byłby pod wrażeniem.

Stała oparta o kuchenny blat, twarzą do okna, w szybie widział odbicie jej twarzy i zamknięte oczy. Uśmiechnął się. Rozumiał, głupio jej było iść spać, wrócić do rozgrzanego łóżka, kiedy on ciągle kręcił się po domu, szykował do wyjścia w ten listopadowy syf, naciągając na siebie płaszcz jak niewygodną zbroję, specjalny kombinezon, który miał go ochronić przed warmińską aurą.

Nie chciał wychodzić. Wolałby zostać, rozkoszować się leniwym ciepłem, pić kawę w kuchni, czuć zapach przygotowywanego obiadu, patrzeć na syna bawiącego się na dywanie, przerywającego układanie klocków tylko po to, żeby uśmiechnąć się do rodziców. Poczuł rozlewające się wewnątrz ciepło, ta scena była aż nierzeczywista. Za oknem szare piekło, a tutaj raj. Delikatne światło, zapach lekko przypalonych tostów, miły kolor bukowych kuchennych mebli, jego żona w sportowej bluzie z kapturem, z przymkniętymi oczami, dobra i spokojna niczym bogini ogniska domowego w swoim uśpionym jeszcze królestwie, czerpiąca siłę z harmonii świata.

Objął ją delikatnie, wtulił głowę w potargane włosy.

Westchnęła.

Zrozumiał, że ta harmonia to coś, co nigdy mu się nie znudzi. Że może mieć tego więcej, jak najwięcej, ile tylko się da. Że rodzina to narkotyk, którego nie da się przedawkować. Był tak pewien tej decyzji, że znowu wypełniły go radość i siła.

Ujął jej dłoń.

– Wiesz, jaka jest dobra wiadomość? – spytał miękko.

Potrząsnęła głową, nie otwierając oczu. Chłonął jej ciepło i zapach, pomyślał o wilgotnej wiosennej ziemi, o nabrzmiałym pąku, gotowym do rozkwitnięcia.

– Będziemy mieli wielką rodzinę. Będą się z nas śmiali, że prowadzimy przedszkole, a my będziemy śmiali się z nich i będziemy bardzo szczęśliwi. Chcesz?

Odwróciła się do niego. Oczy miała szeroko otwarte, jednak nie widział w nich domowej bogini, gotowości żyznej gleby. Zobaczył kpinę i determinację.

– Bardzo chcę – szepnęła. – Bardzo chcę ci coś powiedzieć. Teraz, tutaj, natychmiast.

Ścisnęła go mocniej nogami, objęła i pchnęła w bok. Udało im się przeturlać, nie rozłączając, i teraz to ona była górą. Wyprostowała się, przycisnęła do niego jak najmocniej i zaczęła szybkimi ruchami poruszać się w przód i w tył, jęcząc – jego zdaniem – znacznie głośniej, niż wymagała tego sytuacja. Zastanowił się, czy samemu trochę nie powzdychać, żeby się znowu z niego potem nie śmiała, że uprawiają seks głuchoniemych, ale uznał, że na tym etapie i tak jest jej wszystko jedno, więc zamiast tego złapał ją za twardy, szczupły tyłek i mocno ścisnął, krzyknęła głośno, co z kolei podnieciło go do tego stopnia, że skończyli po chwili prawie jednocześnie. Cudownie.

Żenia poruszała się na nim jeszcze trochę, mrucząc i śmiejąc się na przemian, a prokurator Teodor Szacki uznał, że zazdrości kobietom ich orgazmów. Skorzystał z okazji, żeby sprawdzić godzinę i przeczytać sms-a od doktora Frankensteina.

– Widzę – mruknęła, nie otwierając oczu.

Nie bardzo wiedział, co powiedzieć, więc odłożył telefon i zamruczał w sposób, który jego zdaniem wyrażał seksualne spełnienie. Żeby było jasne: czuł ogromne spełnienie, ale nie rozumiał, dlaczego to ma być powód, żeby spóźnić się do pracy.

Żenia westchnęła po raz ostatni i zsunęła się z niego.

– Muszę cię kiedyś zerżnąć w todze – powiedziała.

Jej głos, zawsze trochę gardłowy, po seksie robił się jeszcze bardziej zachrypnięty.

– Najlepiej w sądzie. Nie wiem dlaczego, ale strasznie mnie to podnieca. Myślisz, że wpuszczą nas po godzinach?

Spojrzał tylko znacząco i wstał.

– No co? Nie patrz tak. To nie sutanna. Zresztą jedno i drugie to kawał szmaty z pewnego punktu widzenia. Poza tym sutanna mnie w ogóle nie podnieca, bue, kojarzy mi się z mężczyznami, którzy nie używają wody kolońskiej. – Sama wstała. – To znaczy nie myśl, że mam jakieś doświadczenie, nie ma mowy, ale nigdy nie czułam, żeby ksiądz czymś pachniał, jak przechodziłam w sklepie czy coś. Nie żebym wąchała specjalnie, słuchasz mnie?

– Nie żebym wąchała specjalnie, słuchasz mnie? – powiedział, zakładając koszulę. Zawsze miał w szafie trzy przygotowane komplety. Odprasowany garnitur i koszula, wypastowane buty, krawat, spinki w foliowym woreczku przyczepionym do wieszaka. Śmiała się z tego woreczka, ale gdyby trzymał spinki w kieszonce marynarki, materiał mógłby się odkształcić.

– A wcześniej?

– Czymś pachniał, jak przechodziłam w sklepie.

– Nie wiem, jak ty to robisz, ale to jakaś sztuczka, nie słuchasz mnie przecież w ogóle.

– Przecież w ogóle.

– Cha, cha, dziękuję. – Pocałowała go w usta. – Od dawna chciałam sobie pokrzyczeć. Ostatnio tylko seks głuchoniemych, jeśli w ogóle.

– Nie chcę, żeby wiesz... – Wykonał nieokreślony ruch ręką.

– Masz rację, to byłoby straszne, gdyby twoja córka się dowiedziała, że jej ojciec uprawia seks.

– Nie no, weź nie mów o Heli i seksie, jak tak stoimy. – Wskazał na goluteńką Żenię i na swojego członka, dyndającego pod koszulą w tym samym rytmie, co krawat.

Pokiwała głową z niedowierzaniem i poszła w stronę łazienki.

– Boisz się jej nawet, kiedy jej nie ma. To już jest patologia.

Poczuł, jak rośnie w nim irytacja. Znowu coś źle.

– Zaczyna się. Nie możesz być zazdrosna o moją córkę.

– Możesz nie mówić o zazdrości i twojej córce, jak tak stoimy – zakpiła.

Policzył w myślach od pięciu do zera. Od jakiegoś czasu obiecywał sobie proponować konstruktywne rozwiązania, zanim wybuchnie.

– Jeśli uważasz, że coś nie gra w naszej relacji – powiedział powoli – to może powinniśmy wszyscy usiąść i o tym porozmawiać.

– Jak sobie to wyobrażasz? Przyznasz jej rację, zanim otworzy usta. A ona będzie zażenowana tym, jak łatwo tobą manipulować. Poza tym do Heleny nic nie mam, to fajna, mądra dziewczyna.

– Czyli do kogo coś masz? – zapytał bez sensu.

Podniosła brew w firmowym geście. Naprawdę wysoko; pomyślał, że to musi być kwestia wytrenowania odpowiednich mięśni głowy.

– No nie wiem, kurwa, a jak myślisz?

Bardzo łatwo zaczynała kląć, uważał, że to słodkie.

Żenia zawróciła do sypialni, wzięła się pod boki, małe spiczaste piersi wycelowała w Szackiego jak dodatkowe argumenty.

– Robisz jej krzywdę, Teo. Traktujesz ją jak dziecko, bo nie masz żadnego pomysłu na relację dorosłego ojca z dorosłą córką. Ona też go nie ma, ale nie musi. Jest zdezorientowana i nie mając pojęcia, jak się zachować, po prostu wykorzystuje twoją słabość. Nie winię jej wcale, żeby było jasne. Przykro mi to mówić, Teo, ale ten czas, kiedy była dzieckiem, które potrzebuje ojca, minął. Rozumiem, przykro ci, miałeś wtedy inne rzeczy na głowie, ale było, minęło.

Nic nie powiedział. Po pierwsze, nie chciał wybuchnąć, po drugie, wiedział, że Żenia ma rację. Co miał zrobić? Kochał Helę, chciał, żeby było jej jak najlepiej. Dopuszczał do siebie myśl, że rozpieszcza córkę, bo zagłusza wyrzuty sumienia po rozstaniu z Weroniką.

– I żeby było jasne – dodała Żenia. – Żebyś sobie nie myślał, że to ma związek z twoim rozstaniem, bla, bla, bla, psychologiczne brednie z szufladki dla użalających się nad sobą. Gówno prawda. Twoja córka jest odważna, nowoczesna, silna i pewna siebie. Krzywdzisz ją, nie wymagając niczego i traktując jak kochaną córeczkę. Robisz to samo, co twój seksistowski ojciec i seksistowski dziad. Boisz się fajnych kobiet i próbujesz wepchnąć córkę do formy, która dla niej jest już zupełnie obca.

– Skąd wiesz, że mój ojciec i dziad byli seksistowscy?

Spojrzała na niego i wybuchnęła chrapliwym śmiechem, głośniejszym niż jej niedawne jęki.

Obudził się tak samo jak zwykle. Bez przewracania się z boku na bok, bez dosypiania, bez zastanawiania się, czy jeszcze chwilę poleżeć, czy już ruszyć do akcji. Po prostu otworzył oczy, stwierdził, że już jest jasno, i wstał od razu, jakby nie chciał uronić ani chwili z nowego dnia. Sypialnia była pusta, rzadko się to zdarzało o tej porze, ale zdarzało. Wyszedł na korytarz, rozejrzał się. W domu było cicho, nie słyszał krzątaniny, nie słyszał radia ani telewizora. Miał ochotę pójść do łazienki, zamiast tego stanął przy schodach prowadzących na dół i zawahał się. Patrzył w dół, zastanawiając się, czy zawołać, czy raczej zejść niepostrzeżenie i sprawdzić, co się dzieje na dole. Kilkanaście drewnianych stopni kusiło. Postanowił zejść po cichu.

Usiadł na najwyższym i kilka sekund czekał, co się stanie. Nic się nie stało, więc zsunął się na niższy schodek i znowu zastygł. I znowu nic się nie stało. Rozejrzał się, ale nic nie zakłócało pustki i ciszy. Postanowił skorzystać z okazji i tą samą techniką, zsuwając się na pupie z kolejnych stopni, znalazł się na dole.

Wcześniej miał plan, żeby zajrzeć do kotłowni, najbardziej tajemniczego miejsca w domu, ale za bardzo podniecił go zjazd po stopniach i zapomniał. Nie dość, że furtki przy schodach były otwarte i mógł w końcu zejść sam, po raz pierwszy w życiu, to jeszcze pamiętał, jak trzeba schodzić. Był z siebie dumny.

– Mamo, ja sam idem! – krzyknął. – Mamo, dzień! Sam idem po schodach, na pupie. Nie krzycz – dodał na wszelki wypadek, gdyby się okazało, że jednak zrobił coś, czego nie wolno.

W domu na Równej było pusto i cicho.

# 4

Nawet jak na Warmię to i tak była przesada. Pomyślał, że w ten sposób będzie wyglądać nuklearna zima, złowroga i ciemna. Kilka minut po dziewiątej ciągle paliły się latarnie, a światła przez chmury przedzierało się tyle, że pożałował, że nie wziął latarki. Wyobraził sobie, że Olsztyn z lotu ptaka musi wyglądać jak przykryty grubą warstwą ciemnoszarego filcu, takiego mocno zużytego, oderwanego od sfatygowanego wszechświatowego gumiaka.

Prokurator Teodor Szacki nie przypuszczał, że taka pogoda jest możliwa.

Przebiegł szybko kilka kroków, żeby jak najszybciej znaleźć się w oświetlonym wnętrzu, skinął portierowi i nie zwalniając, dotarł na piętro, gdzie zderzył się ze stojącą na korytarzu szefową. Skinął na powitanie, przekonany, że to przypadek, że właśnie wyszła z toalety. Ale nie, wyraźnie na niego czekała. W beżowej garsonce na tle beżowej ściany wyglądała, jakby założyła maskujący mundur polowy.

– Do mnie – powiedziała, wskazując na sekretariat.

Zdjął płaszcz i wszedł do gabinetu. Nie bawiła się w żadne otwarte i serdeczne szefostwo, ledwo przekroczył próg, zamknęła drzwi.

– Panie Teo! – zaczęła tonem, który nie wskazywał, że zamierza być wobec niego „och, taką dobrą osobą, prawdziwą dobrotą". – Jedno pytanie: dlaczego pański asesor, bezczelny, zdziwaczały gnój, który jeszcze niedawno wymusił na mnie, żeby móc pracować z panem, teraz składa oficjalny wniosek o udzielenie panu nagany?

Szacki poprawił mankiety.

– Zresztą zmieniam zdanie. Nie mam żadnego pytania, nie interesuje mnie żadna odpowiedź. Daję panu godzinę, żeby to załatwić. Do południa ma być u mnie Falk, wycofać wniosek, przeprosić za nieporozumienie i dygnąć grzecznie.

Wstał i poprawił przewieszony przez ramię płaszcz, żeby nie zrobiły się zagniecenia.

– Nie wiem, czy to będzie możliwe – powiedział.

– Godzina. Potem napiszę prośbę do okręgowej o przejęcie przez nich pańskiego śledztwa w sprawie Najmana ze względu na zawiłość sprawy. Przeczyta pan sobie o postępach w „Gazecie Olsztyńskiej", ścigając z całą mocą urzędu palących trawkę studentów z Kortowa. Do widzenia.

Odwrócił się bez słowa i wyszedł. Chciał zamknąć drzwi, kiedy dobiegł go radosny i pełen życzliwego optymizmu szczebiot:

– Panie Teo, proszę zostawić drzwi otwarte, nie chcę, żeby ktoś pomyślał, że mnie nie ma.


# 5

W przeciwieństwie do mamy i taty, będących w pewien sposób apostołami zwyczajności, chłopiec z ulicy Równej wybijał się ponad przeciętną. Kilkanaście minut wystarczyło mu, żeby zamienić rodzinny dom w lunapark. Na początek wszedł do kociej kuwety, o czym zawsze marzył, wykonywał w niej kocie ruchy i rozrzucał na wszystkie strony różowy żwirek. Potem skorzystał z uchylonych drzwi do pralni, żeby przewrócić odkurzacz, zrzucić trochę tajemniczych płynów z półki i nawciskać tyle guzików w pralce, że zaczęła wyświetlać komunikat „error".

Z pralni, ciągle nie niepokojony, przeszedł do kuchni, gdzie zobaczył stojącą na blacie obok kuchenki niebieską butelkę wody mineralnej. Udało mu się – trzymał się pokręteł do sterowania gazem i piekarnikiem – zrzucić butelkę i w końcu usiadł na podłodze w kuchni. Butelkę wody miał między nogami. Chciało mu się pić, a nigdzie nie było jego kubka. Stękał i pojękiwał, próbując odkręcić plastikową zakrętkę, ale nie miał siły. Poza tym nie był pewien, czy kręci w dobrą stronę. Próbował w obie, ale mimo tego, że z całej siły naprężał mięśnie nie tylko w rękach, ale w ogóle w całym ciele, zakrętka nawet nie drgnęła.

– Nie dam lady! – krzyknął, ale pusty dom nie odpowiedział. – Ponóż! Ponóż, bo nie dam lady, wiesz?

Zdenerwowany rzucił butelkę w nadziei, że to pomoże jej się
otworzyć, ale butelka tylko podskoczyła i poturlała się. Wstał
i ruszył za nią, ale przechodząc przez przedpokój, zobaczył kątem oka swój trójkołowy rowerek i w ułamku sekundy stracił zainteresowanie butelką. Każda kolejna czynność angażowała go
w stu procentach, wszystko przed nią i wszystko po niej nie było
istotne.

Wyciągnął rowerek spod schodów, przestawił, co nie było takie
łatwe, przodem w stronę kuchni. Zdjął przewieszony przez kierownicę kask, założył go tył na przód i ruszył w stronę kuchni i jadalni.
To wyglądało jak zabawa, ale w rzeczywistości realizował swój plan.
Chciał dojechać rowerem do lodówki, stanąć na siodełku, otworzyć
drzwi i wyjąć mleko. Zawsze rano dostawał ciepłe mleko w kubku
z dziobakiem i ze słomką w niebieskie prążki.

Rozpędził się i za kuchenną wyspą skręcił w prawo, gdzie w kącie
pomieszczenia stała lodówka.

Niespodziewanie rowerek uderzył o coś, zatrzymał się, a dzieciak
poleciał do przodu i uderzył brzuchem w kierownicę, źle zapięty kask
zsunął mu się na twarz.

– No nie – powiedział, mocując się z kaskiem.

Kiedy w końcu go ściągnął, zobaczył, że rowerek zatrzymał się na
mamie, która leżała w poprzek jadalni.

– Mamo, nie możesz! – krzyknął z wyrzutem. – Ja tu jedziem.

Założył z powrotem kask, wycofał, objechał wyspę z drugiej strony i zaparkował koło lodówki. Zdjął kask i powiesił na kierownicy,
po czym wspiął się na siodełko i otworzył lodówkę tylko po to, aby
przekonać się, że nie sięgnie do mleka.

Stawał na palcach, prostując nogi i wyciągając tułów, jak tylko się
da, ale do dolnej półki z mlekiem ciągle brakowało mu kilku centymetrów. Stuprocentowe zaangażowanie nie pozwalało mu wezwać

pomocy, zamiast tego próbował najróżniejszych ustawień ciała, żeby sięgnąć wyżej, w końcu udało mu się stopą stanąć na oparciu siodełka, podciągnąć i złapać za półkę, na której stały dwie butelki mleka – normalne dla niego i chudsze do kawy.

Półka nie wytrzymała obciążenia. Plastikowa osłonka wyskoczyła, mleka spadły z hukiem na podłogę, a on zsunął się na dół i nadzwyczajnym zbiegiem okoliczności wylądował pupą na siodełku. Nie było to bolesne, ale na tyle zaskakujące, że może by się i rozpłakał, gdyby nie widok białej kałuży. Szklana butelka rozbiła się i mleko zalało kuchnię.

Biała plama powiększała się i kiedy dopłynęła do czerwonej plamy wokół matki, zaczęła tworzyć niesłychane wzory, zamieniając szarą kuchenną podłogę w bajkowy dywan o wschodnim ornamencie, utkany z nitek o najróżniejszych odcieniach różu i czerwieni.

Patrzył na to jak zaczarowany, ale dopiero teraz poczuł niepokój. Nigdy w życiu coś takiego nie uszłoby mu na sucho.

– Chciałem napić mleczka – powiedział cicho, przewidując nadchodzącą awanturę. Wielkie brązowe oczy błysnęły łzami, jedna, okrągła jak w kreskówce, spłynęła po policzku. – Mleczka chciałem, wiesz?

Nic się nie działo, więc zsiadł z rowerka, wszedł w kałużę mleka i krwi i stanął przy matce.

– Mamo, już dzień! – krzyknął. – Pobuka! Pobuka! Wstań!

Matka nawet nie drgnęła, a on poczuł się bardzo sam. Chciał do mamy. Chciał, żeby go przytuliła i pocałowała i żeby poczuł się dobrze i ciepło.

– Kupe chce – powiedział przez łzy.

Nic się nie wydarzyło, więc pobiegł do łazienki, zostawiając za sobą mokre, różowe ślady. Otworzył drzwi, zdjął piżamkę i zasikaną po nocy pieluszkę i usiadł na nocniku.

– Nie będzie twalda kupa, wiesz?! – krzyknął w głąb mieszkania, dzieląc się przemyśleniami, które zawsze mu towarzyszyły na nocniku. – Bo nie jadłem czekolady. Tylko jabłuszko. A od owoców jest miękka kupa.

...

– Już! – krzyknął.

Ten poranny manewr zawsze działał. Nawet jeśli mama nie wstawała razem z nim, nawet jeśli jakimś cudem nie zareagowała na komunikat o chęci zrobienia kupy, to na „już" przybiegała z mokrymi chusteczkami w garści.

– Mamo, juuuuż!

Nic się nie wydarzyło. Posiedział jeszcze chwilę i wstał, zupełnie zdezorientowany. Pobiegł z powrotem do kuchni, małe stópki szybko uderzały o podłogę.

– Mamo, zlobiłem kupe, wiesz? Wstań!

Poślizgnął się w kałuży mleka i krwi, stracił równowagę i upadł, uderzając się boleśnie. Jak zwykle nie poczuł bólu tylko w jednym miejscu, zabolało go całe ciało, wysyłając do mózgu ogłuszający sygnał o krzywdzie, zagrożeniu i potrzebie pomocy. W tej samej nanosekundzie zaniósł się głośnym płaczem, alarmowym sygnałem, który na całym świecie od dziesiątków tysięcy lat niezmiennie informował dorosłych, że trzeba pomóc małemu człowiekowi.

Tym razem małemu człowiekowi nikt nie pomógł.


6


Telefoniczna rozmowa z doktorem Ludwikiem Frankensteinem była krótka i prawie bezowocna. Naukowiec poinformował go chłodno, że w ciele człowieka znajduje się dwieście sześć kości i jeśli pan prokurator sądzi, że pobiorą próbki ze wszystkich i zrobią badania porównawcze DNA w ciągu jednego dnia, to znaczy, że potrzebuje neurologicznej konsultacji. Co poza wszystkim nie jest problemem, mają na Warszawskiej doskonały oddział neurologii i neurochirurgii, chętnie pomogą. Jedyne, co im się udało na szybko, to potwierdzić, że faktycznie kości dwóch palców prawej ręki nie pasują do DNA Najmana.

Skontaktował się następnie z Bierutem, kazał sporządzić listę zaginionych z okolicy z ostatniego roku i pobrać od ich krewnych próbki DNA do badań porównawczych. Nigdy w karierze nie zetknął się z seryjnym zabójcą w stylu amerykańskich filmów, wariatem, który gra ze śledczymi w dziwaczne gierki. Na przykład takie, że chce mu się uzupełnić układ kostny denata, aby nie zepsuć efektu.

Postanowił, że później zajmie się przeszłością Najmana, na razie trzeba było jakoś poradzić sobie z Falkiem. Sam się sobie dziwił, ale tak naprawdę nie miał pretensji do asesora. Przede wszystkim dlatego, że przekonała go argumentacja młodego prawnika.

Myślał przez chwilę, patrząc na krajobraz za oknem, na przesuwające się w ciemnej mgle światła maszyn budowlanych. I uznał, że nie ma innego sposobu niż pojechanie do wczorajszej „pseudopandy", swoją drogą co go podkusiło, żeby wyskoczyć z tym określeniem. Pojedzie, dokona wizji lokalnej, przeprosi, opowie o tym, co może dla niej zrobić Rzeczpospolita.

W poszukiwaniu adresu przejrzał leżące na biurku papiery, ale nigdzie nie mógł znaleźć wczorajszego protokołu. Pisał go? Na pewno pisał. A co z nim zrobił potem? Spieszył się do szpitala na Warszawską, może zabrał ze sobą? Bez sensu, nie zrobiłby tego, w aktówce miał idealny porządek, a w kieszeniach nigdy nic nie trzymał. Kieszenie mogłyby dla niego nie istnieć. Czyli wyrzucił.

Ukucnął i wyciągnął spod biurka druciany kosz. Włożony do środka foliowy worek był pusty jak barek alkoholika.

Westchnął.

Każda smycz ma dwa końce. Kapitan żeglugi wielkiej Tomasz Szulc nie miał ochoty wyciągać drugiej ręki z ciepłej kieszeni, więc użył tej, w której trzymał smycz, aby zapiąć do końca suwak sztormiaka i lepiej chronić się przed pogodą. Tym ruchem pociągnął za szyję swojego głupiego labradora, który wierzgnął radośnie, przez co kapitan Szulc poślizgnął się i mało co nie runął w rozjeżdżoną rzekę błocka, nazwanego przez jakiegoś gminnego humorystę ulicą Równą.

Żona w ostatniej chwili złapała go za łokieć.

– Wiesz, o czym myślę? – zapytał.

– Niestety, moje życie jest uboższe o tę wiedzę.

– Myślę, w ilu miejscach na świecie wspólnie byliśmy.

– Jeśli wierzyć naszej mapie, to w dwudziestu ośmiu krajach.

Pokiwał głową. Liczył wczoraj i wyszło mu tyle samo. Ich mapa stanowiła rodzaj świeckiego ołtarzyka, na ogromnej elipsie z polityczną mapą świata zaznaczali kolorowymi pinezkami wszystkie odwiedzone miejsca. Czerwona tam, gdzie byli całą rodziną z dziećmi; pomarańczowa, jeśli pojechali we dwójkę; niebieska dla niej i zielona dla niego. Kiedy dzieci podrosły i zaczęły jeździć same, dodali białą dla córki i żółtą dla syna. Sześć kolorów z kostki Rubika.

– Czy widzieliśmy jakieś miejsce, gdzie by stawiali domy pośrodku pola? Gdzie pałace z kutymi ogrodzeniami i granitowymi podjazdami, obłożone piaskowcem, stoją wzdłuż rzeki błota?

Zaprzeczyła.

– Powiedz mi, co jest w tym cholernym kraju nie tak. Co to w ogóle za błotoland jest, że pozwalają ludziom budować domy, podłączają prąd i wodę, a droga zawsze jest dekadę później. To jakiś spisek? Biorą łapówki od firm produkujących samochody terenowe? Od warsztatów remontujących zawieszenia? Myjni samochodowych? Pralni chemicznych?

– Nie zapomnij o ortopedach.

– I po co my w ogóle wychodzimy w taką pogodę? – Szulcowi ciężko było przestać gderać, jeśli raz już zaczął.

– Mamy psa.

Fakt, mieli psa. No i teraz brodzili po błocku swojej małej ojczyzny, w najbrzydszy, najohydniejszy, najbardziej paskudny dzień roku. Bo mieli psa. Brunona.

Odeszli od drogi. Tomasz spuścił Brunona ze smyczy. Byli teraz w nowej części wsi, wyludnionej o tej porze dnia niczym Prypeć. Mieszkańcy próbowali zarobić na spłatę kolejnej raty kredytu, a jeśli w domu zostały dzieci z matkami albo babciami, to pewnie skrzętnie ukryte przed koszmarną aurą.

Bruno latał po błotnistych wertepach, rozbryzgując kałuże i przy okazji zmieniając swoje czekoladowe umaszczenie na kremowe, bo taki kolor miało błoto w tej części Warmii. W pewnej chwili pies stanął i zaszczekał.

Zatrzymali się i spojrzeli na siebie. Bruno prawie nigdy nie szczekał. Raz nawet zapytali weterynarza, czy z jego strunami głosowymi jest wszystko w porządku. Lekarz ich wyśmiał i powiedział, że labradory bywają małomówne.

A teraz stał przy jakimś ogrodzeniu i szczekał.

Tomasz podszedł, uspokoił psa, poklepując go po głowie. Spojrzał na stojący za płotem domek. Nowy, zwyczajny. Parter, poddasze użytkowe z oknami dachowymi, wiata zamiast garażu. Oczywiście większy niż ich stara pruska chałupka.

Dom miał klasyczny rozkład, przez okno obok drzwi widać było kuchnię otwartą na jadalnię i salon. Tomasz zauważył, że drzwi lodówki są otwarte. Światła paliły się w kuchni i w sypialni na piętrze.

Wydawało mu się, że słyszy jednostajne zawodzenie dziecka.

– Słyszysz? – zapytał.

– Nic nie słyszę, uszy mi zamarzły.

– Dziecko płacze chyba.

– Z mojego doświadczenia wynika, że tym się głównie dzieci zajmują. Chodź, bo zaraz cała zamarznę.

– Ale tak płacze i płacze.

– Bo pękł mu balonik albo go boli ucho, albo mama wyłączyła bajkę, albo nie dała snickersa na śniadanie. Mówisz, jakbyś dzieci nigdy nie miał.

Pogłaskał Brunona po głowie. Pies ciągle patrzył w stronę domu, ale już nie szczekał, nie warczał też. Chyba faktycznie jest przewrażliwiony.

– Zadzwonię – powiedział, kładąc palec na przycisku domofonu.

– Daj spokój, kobieta tylko tego potrzebuje. – Łagodnym gestem chwyciła jego rękę, odciągnęła od furtki. – Wyjący bachor i wścibski sąsiad, dla mnie to byłoby zbyt dużo na jeden dzień.

Wsunął do kieszeni swoją rękę, razem z ręką żony, i pomyślał, że może faktycznie jest przewrażliwiony. Zawsze był takim trochę ojcem kwoką, cała rodzina się z niego śmiała. Nic tylko dzieci i dzieci.

Minęli kolejne trzy posesje, kiedy zauważyli, że Brunon ciągle nie ruszył się z miejsca. Musiał trzy razy gwizdnąć, zanim krnąbrny pies do nich przybiegł.

# 8

Dzień to był na ulicy Równej inny niż wszystkie, na pewno niezwyczajny. Dzień, w którym wszystko może się zacząć albo skończyć. A im więcej czasu mijało, tym bardziej godziła się z tym, że wszystko kończy się nieodwołalnie, a świadomość nieoczekiwanie wracała i równie nieoczekiwanie znikała. Kiedy pojawiła się za pierwszym razem, była jeszcze dobrej myśli, czuła głównie złość na tego chuja, który oczywiście okazał się damskim bokserem. Nie dość, że ją wystrzelał po gębie, to jeszcze pchnął tak, że uderzyła się w głowę i straciła przytomność.

Złość prędko zastąpił strach, kiedy okazało się, że nie może się ruszyć, musiało jej coś strzelić w mózgu albo w kręgosłupie. Nie czuła w ogóle swojego ciała, nie licząc potwornego, łupiącego bólu głowy. Udało jej się poruszyć powiekami, ale wydobyć z siebie głosu – już nie.

Pomyślała, że jest bardzo źle, i straciła przytomność.

Odzyskała ją, czując się bardzo słabo, kiedy koło jej głowy upadła butelka z mlekiem. Jeden kawałek grubego szkła, od denka, poleciał tak blisko, że dotykał jej brwi. Patrzyła przez niego na świat jak przez mocne okulary, wszystko było trochę nieostre i trochę zniekształcone. Serce jej stanęło z przerażenia, kiedy zobaczyła, jak przez białą kałużę mleka, pomiędzy kawałkami ostrego szkła, przebiegają tłuste nóżki jej synka. Krople mleka prysnęły jej na twarz. Zrozumiała, że ten kretyn zostawił ją samą w domu z dzieckiem, i zalała ją fala przerażenia. W ułamku sekundy przypomniało jej się wszystko, co kiedykolwiek czytała lub słyszała o wypadkach domowych. Mokra podłoga w łazience. Schody na górę. Gniazdka elektryczne. Piec w kotłowni. Skrzynka z narzędziami. Nóż na blacie. Chemia gospodarcza.

Wczoraj wsypywała kreta do rur? Czy odłożyła butelkę na najwyższą półkę? Czy zakręciła ją, aż usłyszała kliknięcie zabezpieczające zakrętkę? Czy w ogóle schowała ją, czy postawiła obok śmietnika?

– Juuuuuuż! – doleciało do niej z łazienki.

Wytężyła całą swoją wolę, ale udało jej się tylko mrugnąć prawą powieką. Co zrobi, jeśli nie przyjdzie do niego? Pewnie wstanie, spróbuje sam się wytrzeć, rozmaże sobie trochę kupy na tyłku, żadna tragedia. Spuści wodę. Będzie chciał umyć ręce. Lubi się czuć samodzielny. Stanie na muszli, żeby sięgnąć do umywalki. Czy zamknie klapę? Czy jeśli nie zamknie, to wpadnie do środka? A jeśli mydło wpadnie mu do sedesu? Nachyli się, będzie chciał je wyciągnąć.

Zakręciło jej się w głowie. W panice wodziła na wszystkie strony gałkami ocznymi. Wtedy kątem oka dostrzegła piekarnik. Rozkręcony nie wiadomo kiedy na cały regulator, w środku drgało rozgrzane powietrze, z pozostawionego wczoraj biszkopta unosiła się para.

I odpłynęła.

Potem do świata przywróciło ją szczekanie. Duży pies, o niskim głosie. Musiał szczekać tuż koło furtki, blisko, tylko szczekanie i płacz dziecka przebijały się przez otaczającą ją mgłę. Mgła sprawiała, że świat ściemniał i stracił kontury, dźwięki też się rozmazywały. Czuła, że wszystko od niej odpływa, ale przynajmniej głowa przestała ją boleć.

Potem szczekanie ustało, a ona zrozumiała, że pomoc nie nadejdzie.

Nie pójdzie na akademię do przedszkola, nie zaprowadzi młodego pierwszy raz do szkoły, nie przyłapie na paleniu, nie pozna przyprowadzonej do domu dziewczyny, nie weźmie wnuków na weekend, żeby mógł odpocząć razem z żoną, nie będzie nigdy miała wigilii, jaką pamięta z domu, przedstawiciele czterech pokoleń razem przy stole, wszyscy mówią jednocześnie.

Jakiś cień pojawił się w polu widzenia. Milimetr po milimetrze udało jej się przesunąć gałkę oczną tak, żeby zobaczyć, jak jej chłopiec łapie rączkę rozgrzanego piekarnika, aby sięgnąć do stojącego na blacie pięciolitrowego kartonu z sokiem jabłkowym.

Zrozumiała, że jej śmierć to nie najgorsze, co się może wydarzyć tego dnia. Dnia tak innego niż wszystkie, że wydawał się kompletnie nie pasować do jej życiorysu.

# 9

Czuł się jak ostatni kretyn. Wychodząc z domu, na wszelki wypadek naciągnął mocno na głowę kaptur grubej, bawełnianej bluzy, żeby przypadkiem nikt go nie rozpoznał. Szybkim krokiem ruszył w dół Emilii Plater, nie patrząc w okna prokuratury, a kiedy doszedł do rogu budynku, rozejrzał się czujnie jak szpieg z kryminalnej komedii i skręcił w stronę czarnej, zielonej dziury. Która o tej porze roku była po prostu czarną dziurą, bez cienia zieleni, bezlistne gałęzie na tle szarej mgły wyglądały jak scenografia do fantastycznego filmu grozy, dziwaczna pajęczyna czekająca na obcej planecie na nieuważnego przybysza. Chociaż nie, znajdował się tu jeden zielony element. Pojemnik na śmiecie.

Prokurator Teodor Szacki podszedł do pojemnika, rozejrzał się jeszcze raz, podniósł pokrywę i wskoczył do środka.

Prokuratura miała oczywiście specjalną maszynę do niszczenia dokumentów, ale zwykłe śmieci zebrane spod biurek, czyli ogryzki, puszki po coli, zasmarkane chusteczki, pomięte notatki i robocze protokoły z przesłuchań pieprzonych ofiar przemocy domowej, wszystko to trafiało do zwyczajnego pojemnika, opróżnianego pewnie późnym popołudniem lub wczesnym rankiem.

Stał pośród identycznych czarnych worków, zawiązanych u góry na identyczne supły, i zastanawiał się, czy jest jakiś sposób, żeby rozpoznać właściwy. Po objętości? Wrzucił tam wczoraj kilka papierów, pustą butelkę po soku pomidorowym i kubeczek po serku wiejskim.

Pomacał kilka worków. W jednym wyczuł małą butelkę. Rozerwał worek i ostrożnie zajrzał do środka. Małpka po żytniej, tak, ciekawe.

Odłożył.

Wymacał kolejną butelkę. Podniósł worek, który co prawda był związany, ale na dole rozerwany. Na jego spodnie wypadła najpierw butelka po napoju energetycznym, potem tylko częściowo niestety zjedzony jogurt, potem filtr pełen fusów po kawie, a potem wielki kleks czegoś, co wyglądało jak sperma i co okazało się majonezem, kiedy w końcu ze środka wypadła resztka trójkątnej kanapki ze stacji benzynowej. Odbiła się od spodni i została na butach, oczywiście majonezem do dołu.

Szacki zaklął głośno i szpetnie, pomyślał, że jego koledzy powinni bardziej dbać o dietę.

– Wypierdalaj stąd albo policję zawołam. – Szacki drgnął, słysząc głos tuż nad uchem.

Odwrócił się do ochroniarza, który musiał zobaczyć jego akcję na monitorze w dyżurce i przyszedł zrobić porządek.

– Pan prokurator? Co pan tu robi?

– Eksperyment procesowy.

Ochroniarz nie wydawał się przekonany. Stał i patrzył podejrzliwie.

– Mogę wrócić do pracy? – Szacki wskazał na rozłożoną u jego stóp mieszaninę odpadków spożywczych, jakby to były akta ważnej sprawy.

– Tak, oczywiście – bąknął niepewnie ochroniarz. – Miłego dnia, panie prokuratorze.

Ochroniarz wrócił do stróżówki, Szacki wrócił do obmacywania worków. Z interesujących rzeczy znalazł jeszcze książeczkę do nabożeństwa i biało-zielony szalik AZS-u Olsztyn. Zaczynało go to niebezpiecznie wciągać, kiedy w końcu trafił na swój sok pomidorowy i serce zabiło mu żywiej. W kubeczku po serku wiejskim czekał nie niego protokół przesłuchania, zwinięty w elegancką kulkę.

## 10

Przejechał obok pary spacerującej z ubłoconym labradorem i po kolejnych kilkuset metrach podróży czymś, co musiało służyć jako tor dla quadów, odnalazł dom z numerem siedemnaście, tabliczka była stylizowana na paryskie oznaczenia ulic, otoczona zieloną ramką. W półokrągłym polu na górze był napis „Avenue Równa”.

Prokurator Teodor Szacki przerzucił wajchę skrzyni biegów na „P”, ale nie wyłączył silnika. Po pierwsze, nie chciało mu się wychodzić w krainę lodu i błota, po drugie, musiał się zastanowić, co powie. Przede wszystkim, co powie, jeśli w domu kobieta jest razem z mężem lub jeśli w domu jest tylko mąż. „Przepraszam, gdyby mógł pan przekazać prześladowanej żonie informacje o procedurze zakładania niebieskiej karty, będę zobowiązany”.

Westchnął, zapiął płaszcz i spojrzał w stronę domu. Światło paliło się w kuchni i w sypialni na piętrze. Zgasił silnik i wysiadł z samochodu, musiał przytrzymać się drzwi, żeby się nie pośliznąć na tym czymś, co nazywano tutaj Równą.

Zadzwonił.

Cisza.

Odczekał, zadzwonił. Postał kilka minut, pomyślał, że może przewija dziecko albo odkłada je na przedpołudniową drzemkę.

Przeszedł wzdłuż ogrodzenia, wspiął na palce, zajrzał do kuchni. Drzwi do lodówki były szeroko otwarte, widział poukładane w środku masła, twarożki, dziecięce jogurty w kolorowych kubeczkach. Zauważył, że osłona dolnej półki z jednej strony jest urwana, wisiała na uchwycie jak złamana ręka.

Poczuł niepokój. I choć wiedział, że to irracjonalne i że za chwilę będzie musiał z zażenowaniem kogoś przepraszać, wspiął się na ogrodzenie, zeskoczył niezgrabnie z drugiej strony i podbiegł do drzwi. Nie bawił się w dzwonienie ani w pukanie, szarpnął od razu klamkę. Było otwarte. Wszedł do małej sieni, powoli otworzył drzwi do holu.

Pachniało spalenizną.

– Halo? Proszę pani? To ja, prokurator... – Przerwał, widząc zaschnięte ślady małych stóp na podłodze. Małych stóp, odciśniętych w czymś różowym, nie miał pojęcia, co to było. Jogurt? Mleko truskawkowe?

– Rozmawialiśmy wczoraj – powiedział głośno, otwierając drzwi. – Słyszy mnie pani?

Niepewnie poszedł w stronę kuchni i salonu, każda komórka jego ciała krzyczała, że coś tu jest bardzo nie tak.

I było.

Zwłoki leżały na podłodze, kałuża krwi i mleka tworzyła wokół głowy denatki dwukolorową aureolę. Poczuł, jak odkleja się od rzeczywistości, świat wokół zawirował. Straciłby przytomność, gdyby nie obraz różowych śladów małych stópek, które doprowadziły go do leżącej na podłodze kobiety.

Rozejrzał się. Z piekarnika sączyła się smużka dymu, to stamtąd pachniało spalenizną. Mały chłopiec we wściekle turkusowej górze od piżamy kucał w kącie pokoju, zgarbiony, odwrócony plecami. Był czymś zajęty. Szacki podszedł do niego i ukłęknął obok. Chłopiec musiał mieć koło trzech lat. Łączył ze sobą dwa elementy układanki, jakąś uśmiechniętą postać z bajki, samochód chyba. Potem rozdzielał te elementy i znowu łączył tym samym automatycznym ruchem.

– Cześć, słyszysz mnie? – powiedział łagodnie Szacki, przesuwając się tak, aby chłopiec mógł go widzieć. Mały najpierw nie zareagował, potem spojrzał na prokuratora czarnymi, pozbawionymi emocji oczami. Cały przód piżamki miał w mleku i krwi.

– Wezmę cię na ręce, dobrze? – Szacki ukłęknął, uśmiechnął się i wyciągnął do niego dłonie.

Chłopiec o pustych oczach objął jego szyję, wtulił się w kołnierz płaszcza i zastygł.

Szacki powoli wstał, wyciągnął z kieszeni telefon.

I wtedy zobaczył, że kobieta mrugnęła.


11


Stał koło domu na Równej, przemoknięty i zmarznięty, patrząc, jak samochód, którym opieka społeczna przyjechała po chłopca, podskakuje na wybojach. We mgle błysnęły światła stopu, potem kierunkowskaz, stary nissan skręcił na drogę do Olsztyna i zniknął. Karetka zabrała matkę chłopca kwadrans wcześniej. Dochodzeniowcy zbierali w środku dowody.

Nie miał tu absolutnie nic do roboty.

A mimo to nie był w stanie wsiąść do samochodu i odjechać. Ba, nie mógł nawet się ruszyć.

Po prostu stał.

Usłyszał, jak za nim zatrzymuje się samochód. Silnik zgasł, trzasnęły drzwi.

Asesor Edmund Falk stanął przed nim, musiał zadrzeć głowę, żeby spojrzeć Szackiemu prosto w oczy.

– Jeśli ona nie przeżyje, zniszczę pana – powiedział.

Szacki nie odpowiedział. To był logiczny wybór.

# ROZDZIAŁ 5

## poniedziałek, 2 grudnia 2013 roku

Międzynarodowy Dzień Upamiętniający Zniesienie Niewolnictwa. Urodziny obchodzą Nelly Furtado i Britney Spears. Mijają dokładnie 22 lata, odkąd Polska, jako pierwsze państwo na świecie, uznało niepodległość Ukrainy w 1991 roku. Tymczasem po zakończonym fiaskiem szczycie Partnerstwa Wschodniego w Wilnie na kijowskim Majdanie cały czas trwają protesty, opozycja rośnie w siłę, pojawiają się nawoływania do rewolucji. Kiedy Ukraińcy chcą do Unii, Brytyjczycy chcą z Unii. Tylko 26 proc. poddanych królowej ocenia UE pozytywnie. Naukowcy ogłaszają, że odkryli gen alkoholizmu. Myszy, zwykle abstynenckie, po zmodyfikowaniu genu Gabrb1 zaczęły preferować wódkę. Z czasem zwierzęta zaczęły wykonywać najtrudniejsze zadania, byle dostać kolejną dawkę alkoholu. Sądy działają dziś sprawnie: w Rawie Mazowieckiej 49-letni ksiądz zostaje skazany na 8,5 roku więzienia za pedofilię. W Strasburgu cały dzień trwa rozprawa w sprawie tajnych więzień CIA na Mazurach. W Olsztynie rozpoczyna się proces członków Spółdzielni Mieszkaniowej „Pojezierze", którzy zorganizowali happening przeciwko nieprawidłowościom w spółdzielni, na ławie oskarżonych między innymi 84-letnia kobieta. W nocy przymrozki, w dzień dwa stopnie, pochmurno, oczywiście mgła i marznąca mżawka.

Anatomicum na Wydziale Nauk Medycznych tym razem nie przypominało jaskini szekspirowskich wiedźm. Zniknęły wszystkie wrzące kotły, zniknął też swojski zapach rosołu. Zniknęła doktorantka Alicja Jagiełło. Został profesor doktor Ludwik Frankenstein, został też denat, do niedawna znany jako Piotr Najman, przedsiębiorca z branży turystycznej. Do niedawna, bo odkąd potwierdzono, że w jego szkielecie znajdują się nie tylko endoprotezy, ale też cudze kości – sprawa tożsamości kościotrupa stała się nieco zawiła.

Kości opuściły stół prosektoryjny, na którym leżały wcześniej, i trafiły na podłogę, gdzie zostały rozłożone na wielkim płótnie. Wszystkie rozdzielone, opisane i oznaczone fiszkami, Szackiemu przypominało to zdjęcia z badań wypadków lotniczych, kiedy układa się znalezione szczątki samolotu w hangarze. Każdemu w Polsce skojarzyłoby się to identycznie, katastrofa smoleńska wyedukowała cały naród w dziedzinie awiacyjnych śledztw.

Najman i spółka zostali potraktowani podobnie. Na białym płótnie odrysowano czarnym markerem ludzki kształt, nienaturalnie wielki, jakby nadmuchany, musiał mieć dwa i pół metra. W fantomie ułożono wszystkie kości i kostki na właściwych miejscach, stojący nad szczątkami zadumany Frankenstein przypominał nauczyciela, który zastanawia się, jak ocenić pracę studentów chcących zaliczyć anatomię.

– Dwieście sześć to oczywiście pewne uproszczenie – powiedział.

– Słucham? – Szacki nie zrozumiał. Jego umysł bronił się z całej siły przed myślą, że szkielet składa się z kości należących do dwustu sześciu różnych ofiar. Oznaczałoby to śledztwo, którego nie zamknąłby do emerytury.

– Powiedziałem panu przez telefon, że układ kostny człowieka liczy sobie dwieście sześć kości. Jest to pewne uproszczenie. Noworodek ma dwieście siedemdziesiąt kości, człowiek dorosły dwieście sześć zazwyczaj, osoba w podeszłym wieku może mieć mniej, bo z czasem kości zrastają się, łączą w jedną. Wie pan, wykształciłem wielu patologów, naprawdę znakomitych, ale sam rzadko robiłem oględziny, z których trzeba napisać opinię. Dlatego nie nauczyłem się kryminalnego sposobu myślenia, tej obsesji, żeby wszędzie szukać przejawów zła, jakiejś zbrodni.

Frankenstein założył ręce za plecami, wyprostował się.

– Do czego pan zmierza? – zapytał Szacki.

Nie chciał poganiać profesora, ale chętnie przeszedłby do konkretów.

– Powinno mi to dać do myślenia, że w tych puzzlach, jakie dzięki panu dostałem, nie brakowało żadnego elementu.

– Dlaczego? Ustaliliśmy, że ktoś przyniósł kości w worku na krótko przed ich znalezieniem. Nie było czasu, żeby się tym zajęły jakieś szczury albo studenci medycyny.

– Jest pan laikiem, dlatego pan tak mówi. Myśli pan o szkielecie i widzi pan kość udową, czaszkę, żebra, kręgi kręgosłupa. A to tylko niewielka część z całego układu kostnego. Trzeba mieć sporą wiedzę, żeby gdzieś w jakimś dziwnym miejscu, gdzie dokonano morderstwa...

– Teraz to pan mówi jak laik. Zabójstwa nie są dokonywane pod przęsłami wiaduktów i w piwnicach opuszczonych domów. Wręcz przeciwnie, większość ma miejsce w zadbanych i dobrze oświetlonych wnętrzach, czyli w domach rodzinnych.

– Tak czy owak, nie są to sterylne pomieszczenia, specjalnie przygotowane w tym celu. A tutaj komuś udało się zamordować, rozpuścić zwłoki i potem z tych szczątków wyłowić wszystkie kości. Niektóre z nich są naprawdę malutkie, na przykład paliczki palców albo kość guziczkowa, a niektóre wręcz mikroskopijne. Proszę spojrzeć.

Frankenstein ukucnął koło czaszki Najmana, zaprosił gestem Szackiego, żeby dołączył. Wyjętym z kieszonki ołówkiem dotknął kosteczek leżących na płótnie na wysokości ucha fantomu.

– To są kosteczki słuchowe, przenoszą drgania błony bębenkowej do ucha wewnętrznego, dzięki czemu słyszy pan, co mówię. Młoteczek, kowadełko i strzemiączko. Bardzo ciekawa konstrukcja, musi pan wiedzieć, że to jedyne kości w ludzkim organizmie, które nie zmieniają swojej wielkości od urodzenia człowieka. W życiu płodowym zostają w stu procentach wykształcone, na dodatek w niecodzienny sposób, będący jednym z dowodów na teorię ewolucji, ponieważ u ryb i gadów identycznie...

– Profesorze, proszę.

Frankenstein wyprostował się dumnie. Nawet jeśli przygotował jakąś ripostę, zachował ją dla siebie.

– To jest strzemiączko. Widzi pan?

Skinął głową. Zawsze myślał, że nazwa jest umowna, tymczasem niewielka kosteczka wyglądała faktycznie jak miniaturka strzemienia, jakiś element jeździeckiego wyposażenia krasnoludka.

– Ta kość ma trzy milimetry, jej odnogi nie są grubsze niż jedna czwarta, może jedna trzecia milimetra. Po pierwsze, raczej nie ma szans, żeby tak niewielka struktura zniosła potraktowanie jej ługiem. Po drugie, nie wierzę, że można w tej magmie, w którą muszą się zamienić rozpuszczone wodorotlenkiem sodu zwłoki, odszukać coś tej wielkości.

Słuchał uważnie. Nie podobało mu się to, co słyszał, dzięki swoim strzemiączkom, niezmienionym od urodzenia. Nie podobało mu się, bo wywód profesora zmierzał do tego, aby uprawdopodobnić tezę o szalonym seryjnym mordercy.

– Panie profesorze – powiedział – ja wszystko rozumiem, ale czy to są teoretyczne dywagacje, czy mówimy o tym konkretnym wypadku?

– Panie prokuraturze – Frankenstein spojrzał na niego znad okularów – zarówno ja, jak i mój zespół nie śpimy od kilku dni, analizując i krosanalizując dane genetyczne ze wszystkich dwustu sześciu kości na pana zlecenie, a jedyne wsparcie i uznanie, jakie otrzymujemy, to pańska rosnąca irytacja. Czy na pewno nie mogę prosić o kilka sekund cierpliwości?

Szacki powinien się zamknąć i uśmiechnąć grzecznie, w końcu co go zbawią dwie minuty wykładu. Niestety zawsze z trudem przychodziły mu takie zachowania.

– Proszę zrozumieć, że są profesje, gdzie czas ma znaczenie, a celem jest coś innego niż publikacja w periodyku naukowym, czytanym przez czterech kolegów.

Frankenstein uśmiechnął się delikatnie.

– Oczywiście, sprawiedliwość, prawie zapomniałem. *Misstraut allen Denen, die viel von ihrer Gerechtigkeit reden.*

– Przepraszam, jestem z Polski.

– Jak mawiał filozof, „bądźcie nieufni wobec wszystkich, którzy dużo mówią o sprawiedliwości".

– Jak na razie o sprawiedliwości nie powiedziałem ani słowa.

Profesor zdjął okulary, wyjął z kieszeni irchę, wytarł je dokładnie. Najwidoczniej pauza była jego ulubionym zabiegiem retorycznym.

– Ktoś zadał sobie wiele trudu, żeby skompletować idealny szkielet – powiedział. – Żeby niczego nie brakowało. Dostanie pan ode mnie raport ze szczegółami, ale najważniejsze ustalenia są następujące: większość kości należy do Najmana. Ale nie wszystkie. Część kości obu dłoni miała innego właściciela, mężczyznę.

– Możecie ustalić płeć na podstawie DNA? A wiek? Inne dane?

– Kolor oczu, kolor włosów. Wiek niestety w sposób bardzo, bardzo przybliżony i po skomplikowanych testach. Mogę kontynuować czy woli pan teoretyczne dywagacje?

Tym razem Szacki się zamknął.

– Jednak co ciekawe, w szkielecie jest jeszcze dwanaście kości nienależących do Najmana i żadna z nich nie została potraktowana ługiem. Oprócz pobrania DNA kazałem zrobić testy chemiczne.

Szacki spojrzał pytająco.

– Sześć z nich to kosteczki słuchowe. Dwa komplety po trzy kosteczki. Jeden komplet należał do mężczyzny, a drugi do kobiety.

– Do właściciela dłoni?

– Nie, to trzy różne osoby.

– A pozostałe sześć?

– Wygląda na to, że to dekoracja teatralna.

– Bo?

– To kilka drobnych kości z różnych miejsc. – Frankenstein schował ołówek i wyciągnął teleskopowy wskaźnik. – Kość guziczkowa, czyli inaczej ogonowa, na samym końcu kręgosłupa. Wyrostek mieczykowaty, o tutaj, na samym dole mostka. I cztery najmniejsze paliczki z różnych palców obu stóp. Wszystkie te kości są po pierwsze autentycznie stare, po drugie nie zostały poddane działaniu ługu, po trzecie należały do kobiety.

Szacki przez chwilę analizował te informacje.

– Czyli że już po zabójstwie ktoś ułożył sobie kostne puzzle, sprawdził, czego brakuje, i wygrzebał brakujące elementy w jakiejś starej trumnie.

– To narzucająca się hipoteza – potwierdził naukowiec.

– Dlaczego?

– Na szczęście nie muszę szukać odpowiedzi na to pytanie.

Zupełnie inaczej niż ja, pomyślał Szacki. Przez głowę przeleciało mu kilka wersji śledczych, jedna gorsza od drugiej. I w każdej pojawiał się jakiś ponury świr, który siedzi w jednym z warmińskich gargameli, otoczony przez kupki posegregowanych kości, i w piwnicy sobie odhacza, czego mu jeszcze brakuje, żeby dzieło było skończone. Szlag by to.

– Czyli są to kości pięciu osób? – spytał, żeby potwierdzić. – Nasz denat w roli głównej, w drugoplanowych właściciel dłoni, właściciel ucha i właścicielka drugiego ucha, a jako statystka sympatyczna dawczyni brakujących części.

Frankenstein lekko skinął głową.

– Gdzie tu jest neurochirurgia? – zapytał Szacki.

– Nowy budynek w głębi po lewej, drugie piętro.

Prokurator Teodor Szacki podał rękę profesorowi na pożegnanie i wyszedł z prosektorium. Dopiero na korytarzu przyszło mu do głowy, że powinien jakoś podziękować. O mało co nie zawrócił, ale uznał, że nie ma czasu. Poza tym pomaganie wymiarowi sprawiedliwości to obowiązek obywatela, tylko tego brakowało, żeby każdemu wysyłać kwiaty.

## 2

Rozejrzał się po wyjściu z Anatomicum. „W głębi" musiało oznaczać dalej od ulicy i faktycznie zza pruskiej zabudowy wyłaniał się nowy budynek. Szacki ruszył w tamtym kierunku przez szpitalny dziedziniec. W lecie był to pewnie ładny ogród, teraz kilka poprzecinanych alejkami placków błota i starej trawy, z której wystrzeliwały czarne pnie starych drzew.

Po dojściu do nowej części kompleksu z przyjemnością zauważył, że projektanci szpitala byli nie tylko pierwszymi w powojennej historii miasta, którym udało się osiągnąć coś więcej, niż puścić pawia w przestrzeń publiczną. Byli też pierwszymi, którym udało się dość składnie połączyć charakterystyczne czerwonoceglane pruskie budownictwo z nowoczesną architekturą. Przez co nowy kompleks sprawiał tyleż współczesne i profesjonalne, co sympatyczne wrażenie – taki szpital, w którym chciałoby się chorować, jeśli już gdzieś trzeba.

Przeszedł przez rozsuwane drzwi oraz izbę przyjęć i wjechał windą na drugie piętro. Jak zwykle w szpitalach, na parterze panował gwar i rozgardiasz, na oddziałach natomiast spokój, korytarze świeciły pustkami, pachniało płynem do dezynfekcji i kawą, szepty mieszały się ze szmerem aparatury medycznej.

Za ladą dyżurki oddziału nikogo nie było, Szacki stanął obok i czekał. Tak naprawdę szukał pretekstu, żeby się stąd ulotnić. Dlatego nawet nie szukał kontaktu wzrokowego z lekarką, która wyszła z jednego z pokoi i z teczką w ręku szybkim krokiem dokądś zmierzała. Był pewien, że go minie, ale ona spojrzała na niego, zmarszczyła brwi i zatrzymała się gwałtownie.

– Pan kogoś szuka? – zapytała.

Spojrzał na nią. Kilka lat po czterdziestce, drobna budowa, ciemne włosy, okulary, grzywka. Typ prymuski. Zasłaniała się teczką jak tarczą.

Podał imię i nazwisko.

Lekarka, zamiast odpowiedzieć, przekrzywiła głowę, jakby się nad czymś intensywnie zastanawiała. Charakterystyczny gest wydał mu się znajomy. Kto tak robił? Żenia? Szefowa?

– A kim pan jest dla chorej?

– Prokuratorem. Teodor Szacki.

Na te słowa zachowująca profesjonalny chłód lekarka rozpromieniła się, jakby zobaczyła listonosza ze zwrotem podatku.

– No właśnie, prokurator Szacki we własnej osobie! Zastanawiałam się, skąd pana znam. Bardzo, bardzo się cieszę, że mogę pana poznać. Przepraszam, porozmawiałabym chętnie dłużej, ale już jestem spóźniona na konsylium. Może następnym razem, dobrze? – Uśmiechnęła się zachęcająco.

Pokiwał głową, nie mając pojęcia, czemu zawdzięcza swoją sławę na oddziale neurochirurgii.

– Ostatnie drzwi po prawej stronie! – krzyknęła, zanim weszła do windy.

Podziękował, zaczekał, aż zamkną się drzwi, postał jeszcze chwilę i w końcu uznał, że musi mieć tę konfrontację jak najszybciej za sobą. Ruszył szybkim krokiem, minął kilka szpitalnych sal, pustych lub prawie pustych, i w końcu znalazł się w pokoju, gdzie na jedynym łóżku leżała młoda kobieta.

Wyglądała dość zwyczajnie.

# 3

Świadomość przychodzi i odchodzi zupełnie znienacka, jakby ktoś kompulsywnie bawił się jej głównym przełącznikiem, tak jak ludzie czasami pstrykają długopisem.

Pstryk.

I ciemność zastępuje biała wata, która potem zamienia się w mleczne szkło, za którym poruszają się różne nieostre plamy, zaczynają pomału zyskiwać na ostrości. Skupia się na nich z wysiłkiem.

Pstryk.

Ciemność.

Pstryk.

I ciemność zastępuje biała wata, pojawia się jakaś myśl, ulotna, słaba, wystarczająca tylko do tego, żeby potwierdzić, że ona to ona, i pozwala jej się określić jako świadomy byt. Skupia się na tej myśli i buduje wokół kolejne; skoro już wie, kim jest, stara się sobie przypomnieć, gdzie jest i dlaczego. Ma wrażenie, że każdą z myśli musi doganiać. To bardzo męczące.

Pstryk.

Toczy tę walkę już bardzo długo, ale ma pierwsze sukcesy. Kilka razy utrzymuje świadomość na tyle długo, że rozumie, że jest w szpitalu i że coś się stało. Raz dochodzi do strasznego wniosku, że być może przeżyła w komie trzydzieści lata i nikogo już nie zna. Ale zaraz potem odpływa – pstryk – a kiedy wraca, już tego wniosku nie pamięta.

Kilka razy świat rozostrza się na tyle, że widzi nieznane twarze. Próbuje się odezwać, ale to daremne.

Pstryk.

Bardzo szybko przypomina sobie, że ma dziecko. Chyba chłopczyka, ale nie jest pewna. Imienia nie potrafi znaleźć w pamięci. Ale jest mały. Przypomina sobie uczucie miłości i uczucie strachu. Czy coś mu się stało? Czy umiera tak jak ona? Za dużo emocji.

Pstryk.

Wyjątkowo razem z przytomnością przychodzi ból. Myśli, że to może dobry znak, że jeśli uchwyci się tego bólu, to dłużej zachowa świadomość. Potrzebuje tego, żeby wydobyć z siebie więcej o dziecku, które tak kocha i o które tak się boi.

Chłopiec. Jest prawie pewna, że to chłopiec. Ciemne włosy. A oczy? Widzi obraz dziecka w piżamce, śpiącego na wznak, pochrapującego, na piżamce ma motocykl. Niebieski motocykl z napisem „Wrrrrrr". Śpi, więc oczu nie widać. Próbuje przywołać jakiś inny obraz, ale nie potrafi. Jak na złość.

Pstryk.

Otwiera oczy. Tym razem zamiast waty od razu jest mleczna szyba, postęp. Nauczona doświadczeniem, nie popędza zmysłów, czeka spokojnie, czy się wyłączy, czy nie. Po chwili obraz zyskuje na ostrości i widzi, że stoi przed nią mężczyzna.

Chciałaby się zastanowić, kim jest, ale nie ma kontroli nad swoimi myślami, zamiast tego rozważa, czy to możliwe, że w wyniku... w wyniku tego, co jej się przytrafiło, czymkolwiek to było, straciła widzenie kolorów. Ponieważ mężczyzna jest monochromatyczny. Białe włosy, blada twarz, czarny płaszcz, marynarka, koszula i krawat w różnych odcieniach szarości. Stoi w drzwiach, potem podchodzi do jej łóżka. Wyprostowany, ręce opuszczone wzdłuż tułowia.

Nie ma pojęcia, kim jest. Stara się wyłowić emocje, które do niego pasują.

Miłość? Przyjaźń?

– Przyszedłem, żeby prosić panią o wybaczenie – mówi cicho mężczyzna. – Ale rozumiem, że mogę tego wybaczenia nigdy nie otrzymać. Bo nie będzie mi mogła go pani udzielić ani co bardziej prawdopodobne, nie będzie pani chciała.

Widzi, że mężczyzna coś mówi, ale nic do niej nie dociera. Skupia się na emocji, już wie, że przez emocje najłatwiej dojść do faktów, do obrazów.

Smutek?

– Ale chciałbym, aby pani przynajmniej przyjęła do wiadomości moje przeprosiny. – Patrzy jej w oczy. Ma zimne spojrzenie, nie podoba jej się ten mężczyzna. – Popełniłem w życiu wiele błędów, ale ten jest najgorszy. Nigdy nie przestanę się za to wstydzić.

Żal?

– Obiecuję pani, że ludzie winni tego, co się stało, poniosą karę. To oczywiście pani mąż. Jeszcze go nie mamy, ale to kwestia dni lub nawet godzin.

Nienawiść?

– Ja poddam się postępowaniu dyscyplinarnemu i odejdę z prokuratury. Obiecuję pani, że nikt już nie będzie przeze mnie cierpiał.

Gniew. Tak, to było właściwe uczucie.

Razem z emocją przychodzi obraz. Plecy jej syna, pochylonego nad czymś. Strużka dymu nie wiadomo skąd. Ogromny strach. A potem kroki, poły czarnego płaszcza migające jej przed oczami. To ten mężczyzna. Pochyla się, bierze małego na ręce. Chłopiec z ufnością wtula się w kołnierz płaszcza, pokrytego drobinkami mżawki. Patrzą na nią jednocześnie. Lodowate oczy mężczyzny i brązowe, załzawione oczy jej dziecka. Brązowe. Co za ulga!

Gniew. Postanowiła trzymać się tej emocji, ponieważ to ona jak do tej pory miała jej najwięcej do zaoferowania.

Pstryk.


# 4

Chłodne powietrze orzeźwiło go, ale ciągle czuł się słabo, usiadł na ławce pod budynkiem szpitala, żeby dojść do siebie. Niby wiedział, co zobaczy w szpitalnym pokoju, ale co innego wiedzieć, a co innego widzieć. Nie potrafił wyrzucić spod powiek leżącego na szpitalnym łóżku ciała, bardziej zwłok niż żywej osoby. Twarzy oszpeconej przez zwiotczałe mięśnie, obnażonych zębów, widocznych spod opuszczonej wargi. Oczu, które zapewne starały się mu przekazać jakieś emocje. Czy w myślach darła się na niego, żeby się wynosił? Wyzywała go? Rzeczowo obarczała winą za wszystko, co się stało?

Najgorszy był siniec pod okiem. Ogromny, czarno-fioletowy siniec. Powiedział, co miał do powiedzenia, ale nie czuł się lepiej. Też dlatego, że nie powiedział jej całej prawdy, zaledwie kilka komunałów. Nie powiedział, czym naprawdę było spowodowane jego przybycie na białym koniu. Że nie stała za tym ani troska, ani nawet najzwyklejsza przyzwoitość. A jedynie urzędniczy strach, desperacka próba ratowania własnej dupy. Co zrobił na dodatek z musu i niechętnie.

Czuł wstyd, że tego nie powiedział, i oszukiwał się, że zrobi to kiedy indziej. Że nie miało sensu powiadamiać kobiety, która cudem wywinęła się śmierci, że gdyby nie zbieg okoliczności, jeden nadgorliwy asesor i szefowa, która chciała koniecznie ukręcić łeb sprawie, to teraz jej matka zastanawiałaby się, jak ubrać wnuczka na pogrzeb.

Ale ta wizyta pomogła mu podjąć najważniejszą w jego dotychczasowym życiu decyzję. Myślał o niej od kilku dni, ale dopiero na szpitalnym korytarzu myśl zamieniła się w spiżowe przekonanie.

Nie będzie już prokuratorem. Ten etap w jego życiu dobiegł końca. Poświęci jeszcze kilka dni lub tygodni, żeby albo rozwiązać sprawę Najmana, albo przekazać ją komuś innemu. Upewni się, że Falk kontroluje sprawę kata z Równej. Te dwa śledztwa to ostatnie, jakimi zajmuje się jako prokurator.

Wstał z ławki i postanowił, że przejdzie się do prokuratury przez starówkę. W połowie drogi jednak stchórzył na myśl o spotkaniu z Falkiem i szefową. Pod wpływem impulsu skręcił obok starego ratusza i wszedł do swojej ulubionej od niedawna kawiarni. Lokal był w swoim przestylizowaniu cudownie warszawski i Szacki czuł się tutaj swojsko. Poza tym mieli znakomite ciasta, przede wszystkim bezy. Trzecim powodem jego przywiązania do „SiSi" było to, że od czasu, kiedy błysnął legitymacją i spytał złośliwie o opłacanie tantiem, wyłączali muzykę, kiedy tylko stawał w drzwiach. Uwalniając go od terroru polskiej muzyki rozrywkowej.

Kwadrans później pobudzony cukrem i kofeiną ślęczał nad notesem, próbując uporządkować galopujące w głowie myśli. Odnalezienie chłopca bawiącego się przy skatowanej matce wstrząsnęło prokuratorem potężnie. Straszliwe, dławiące poczucie winy rozbiło go kompletnie, nie pozwalało wrócić do prokuratorskiej rutyny. A przecież musiał się wziąć w garść, gdyż rewelacje Frankensteina sprawiały, że sprawa przestała być ciekawym zabójstwem. Stała się priorytetowym śledztwem o znaczeniu krajowym.

Zmusił się do systematyczności, zapisując na stronie notesu słowo „Równa". Niezależnie od towarzyszących mu emocji to jest śledztwo Falka, będzie w nie zaangażowany jako patron, ale to żadne wyzwanie prawnicze. Jak tylko znajdą tamtego fiuta, Falk go rozjedzie jak walec, będzie miał wspaniałe pierwsze skazanie.

Zapisał w notesie: „Równa – Falk 100 %, ew. konsultacje, poza tym KONIEC".

Okej, zawsze do przodu. Na następnej stronie napisał „Druga liga". Pod spodem zrobił listę wszystkich swoich spraw, sprawdził w kalendarzu terminy aresztów, urzędowe terminy zakończenia śledztw, dni, kiedy musiał być w sądzie. Nie wyglądało to źle, do stycznia nie miał nigdzie oskarżać, nie musiał też niczego pilnie skończyć. Łatwo będzie rozdysponować jego obowiązki, kiedy ogłosi odejście z urzędu. Teraz poprosi Szarejnę o przekazanie innym trzech śledztw, w których trzeba szybko zlecić kilka czynności. Nic wielkiego, biegli i jedna wizja lokalna. Krótka lista i słowo „KONIEC". Przewrócił kartkę.

Wahał się przez chwilę, czy napisać „Gówno", czy „Ból dupy". W końcu wykaligrafował słowo „Rzecznik", uznawszy, że nie ma co się poddawać emocjom. Kompletne wyłganie się z tego było niemożliwe do ogłoszenia decyzji o odejściu. Jeśli będą chcieli, aby się produkował przy okazji swojego śledztwa, oczywiście to zrobi. Potrafi. Jeśli będą chcieli czegoś innego, spróbuje być miły. I obieca, że już za chwilę na sto procent się tym zajmie, ale na razie, rozumieją państwo, ważne śledztwo, seryjny morderca, przykro mi.

No właśnie, seryjny morderca. Przewrócił kartkę, zgiął lekko notes, żeby strony się nie zamykały, i drukowanymi literami zapisał „NAJMAN" w poprzek obu stron.

– Zamknij na chwilę oczy! – ryknął mu nad głową człowiek z wadą wymowy. Szacki drgnął, kawałek bezy spadł mu z widelczyka. – Nie myśl o tym, czy się boisz, czy nie.

Dźwięki potwornej polskiej muzyki zniknęły. Ciszę wypełniły szybkie kroki, barman stanął przed nim z przestraszoną miną.

– Bardzo przepraszam, panie prokuratorze, koleżanka jest nowa. Obiecuję, że to się nie powtórzy. Może kawy na koszt firmy?

Podziękował, ciągle jeszcze nie poradził sobie z filiżanką mocnej jak szatan czarnej. Nawet niezła, ale bał się, że jak wszystko wypije, to arytmii weźmie i dostanie.

Po lewej stronie zanotował, co wie. Niewiele, biorąc pod uwagę, że od identyfikacji zwłok minął prawie tydzień. Udało się potwierdzić dzięki nagraniom z różnych kamer monitoringu i zeznaniom świadków, że Piotr Najman w poniedziałek rano wyjechał swoją mazdą do pracy. Zostawił ją na Sikorskiego w warsztacie do przeglądu. Logiczne, jeśli miał wyjechać na kilka dni. Tyle tylko że nic innego nie potwierdzało, żeby planował wyjechać na kilka dni. Zdaniem pracowników serwisu nie miał bagażu. Touroperator z Warszawy nie wiedział ani o wyjeździe na Bałkany, ani o szkoleniu. Żadna z olsztyńskich korporacji taksówkowych nie dostała zlecenia, aby przyjechać w poniedziałek pod jego biuro na Jaroty. Nie kupił biletu na swoje nazwisko na autobus do Warszawy, być może wsiadł na przystanku, ale pracownicy przewoźnika tego nie potwierdzili.

Jedynie żona i wspólniczka zgodnie zeznały, że miał wyjechać. I teraz są dwie możliwości. Pierwsza: obie kłamią. Druga: Najman je obie okłamał. Założenie pierwszej oznaczałoby, że dwie kobiety biorą udział w morderczym spisku, co wydawało się mało prawdopodobne. Zwłaszcza że billingi potwierdziły wersję Moniki Najman. Przez tydzień nieobecności męża dwa razy próbowała się do niego dodzwonić, wysłała trzy sms-y, że u nich wszystko w porządku. Okej, może nie była zbyt troskliwą żoną, ale to jeszcze nie przestępstwo. A może przyzwyczaiła się do ciągłych wyjazdów męża, niektórych egzotycznych, i do tego, że nie ma z nim kontaktu.

Czyli wersja druga, dość prawdopodobna. Facet wykorzystuje pracę związaną z ciągłymi wyjazdami, żeby ściemnić żonie, ściemnić wspólniczce i spędzić tydzień z kochanką w którymś z mazurskich hoteli dla cudzołożników. Zapisał po prawej „kochanka". Podkreślił. Jeżeli kobieta istnieje, to nawet jeśli nie ma z zabójstwem nic wspólnego, facet zaginął podczas podróży do niej lub od niej, lub w przerwie między stosunkami, kiedy wyskoczył po wino, tak czy owak, to może być ich najważniejszy świadek. Trzeba będzie sprawdzić komputery Najmana, billingi, przesłuchać przyjaciół i znaleźć dziewczynę. Sprawdzić wyjazdy, może na jakimś egzotycznym szkoleniu się poznali.

Zapisał „ług". Od słowa poprowadził dwie strzałki i napisał kolejne dwa „motyw?" i „świr?". Łysy Piotr Najman ze Stawigudy nie został zamordowany, jak większość jego rodaków, sztachetą po pijaku. Został w wyrafinowany sposób pozbawiony życia. Dlaczego? Być może dlatego, że dał komuś powody, żeby go nienawidzić. Może kiedyś przejechał kogoś, wracając z imprezy. Może przeleciał czyjąś żonę (Szacki zrobił strzałkę do „kochanka"). Może, jak twierdzi Falk, naraził się komuś, dając pokój bez balkonu. Oznacza to, że wariat, który rozpuścił Najmana, miał z nim wcześniej jakiś kontakt. Zapisał pod słowem „motyw" słowo „przeszłość" i pomyślał, że za chwilę będzie musiał ustalić z Bierutem zakres poszukiwań.

Istniała też szansa, zdaniem Szackiego coraz większa, że Najman nie jest najważniejszy. Że kluczowa jest osoba sprawcy, seryjnego zabójcy, który morduje i rozpuszcza dla radochy, a wybór ofiar jest albo drugorzędny, albo bez znaczenia. Niestety coraz więcej za tym przemawiało. Podrzucenie zwłok w dziwacznym miejscu. Napisał „Mariańska" obok słowa „świr". Uzupełnienie szkieletu innymi kośćmi. Dopisał „dodatkowe ofiary", a obok „zaginięcia/DNA".

Pomyślał chwilę, westchnął, dopisał obok „Klejnocki" i zakreślił kilkakrotnie. Nie wierzył w psychologiczne szamaństwo, nie przepadał za tym krakowskim dziwakiem, ale trzeba go ściągnąć, zanim dadzą mu jakiegoś tutejszego specjalistę, co potrafi policzyć olsztyńskie jeziora.

Uznał, że pojedzie do Bieruta na komendę, i od razu zadzwonił po taksówkę.

5

Policjant wrócił z dwiema butelkami gazowanej wody i postawił przed Szackim z taką miną, jakby to był kielich z cyjankiem. Prokurator pomyślał, że coś nie ma szczęścia do współpracowników, czyżby podmokła warmińska ziemia nie rodziła synów radosnych i optymistycznych? Falk swoją sztywnością mógłby zawstydzić gwiazdora porno, z kolei Bierut reklamował ponuractwem warmińską aurę, jakby chciał koniecznie doprowadzić do stanu, kiedy atmosfera po tej stronie okna będzie tak samo smętna.

Podkomisarz westchnął ciężko, jak lekarz przed podaniem złej wiadomości.

– Będę się streszczał – zaczął.

Szkoda, pomyślał Szacki, miałem nadzieję, że ta szampańska impreza potrwa dłużej.

– Zacznijmy od tego, że żaden lekarz z miejskiego nie zniknął, nie wziął dnia wolnego ani nie wybrał się w delegację. Jedna położna pojechała na wczasy, ale miała je od pół roku zaplanowane.

– Gdzie je kupiła?

– W centrum. Zadzwoniłem do niej do Egiptu, wcześniej też jeździła na wycieczki, ale nigdy z biurem Najmana albo Parulskiej. W ogóle z nikim z Olsztyna, przeprowadziła się niedawno z Elbląga. Z Elbląga wszyscy się wyprowadzają – dodał takim tonem, jakby ta migracja była efektem dżumy.

– Tak czy owak, nie rezygnujemy z wariantu szpitalnego – powiedział Szacki. – Zwłaszcza po tym, jak się okazało, że nasz wampir pojezierza złożył Najmana z kilku różnych zwłok. To wymaga wiedzy medycznej. Co z DNA pozostałych kości? Przepuściliście już to przez bazę danych?

– Nic nie wyskoczyło.

– Niedobrze. Trzeba sprawdzić niewyjaśnione zaginięcia z ostatnich, ja wiem, na początek dwóch lat. Pobrać próbki od tych rodzin, które jeszcze nie dały, porównać.

Jan Paweł Bierut podniósł brwi.

– Z miasta?

– Z regionu. To nie Nowy Jork, że każdy seryjny się pożywi i jeszcze dla innych zostanie. Nawet się zastanawiam, czy nie rozszerzyć na ościenne województwa, ale zacznijmy od terenów podmokłych, potem zobaczymy. Może nam się poszczęści.

Nawet jeśli Bierut chciał bronić swojej ojczyzny, to się powstrzymał.

– Proszę też wysłać do głównej zapytanie, czy gdzieś w Polsce nie prowadzą śledztwa w sprawie zwłok bez dłoni albo bez rąk. To jest teraz kluczowe, żeby zidentyfikować właścicieli pozostałych kości, przede wszystkim dłoni.

Szacki myślał o tym jak o zadaniu matematycznym. Każdą poszlakę i każdy dowód wyobrażał sobie jako okrąg o określonym promieniu. Okręgi nachodziły na siebie, a w części wspólnej stał sprawca: logika była bezlitosna. Na razie gapili się w jeden okrąg, podpisany „Piotr Najman". Duży zbiór. Nie nieskończony, ale duży. Jeśli zidentyfikują właścicieli pozostałych kości, nałożą inne kółka na kółko Najmana i poszukają części wspólnych, to znacznie ograniczy obszar poszukiwań.

– A teraz chcę usłyszeć dzieje, przygody i doświadczenia Piotra Najmana – powiedział, upił gazowanej wody, założył nogę na nogę, poprawił kant spodni i dodał: – Seniora rodem ze Stawigudy, których nigdy ogłaszać drukiem nie zamierzał.

Spojrzał na Bieruta. Nawet jeśli temu bliska była twórczość Dickensa, policjant nie dał tego po sobie poznać. Poruszył jedynie przedwojennym wąsem.

– Niestety, nie ma tych dziejów wiele jak na pięćdziesięciolatka. Rodzice nie żyją, ojciec od dawna, matka od kilku lat. Rodzeństwa żadnego nie ma, jedynak. Znaleźliśmy jednego wuja w Legnicy, ale o bratanku wie tylko tyle, że istnieje. Żona, sześcioletnie dziecko.

– Wiele się od żony nie dowiedzieliśmy.

– Niestety. Myśli pan, że coś ukrywa?

– Możliwe. Ale równie możliwe, że to przed nią coś ukrywano. Powiem panu za chwilę. Przyjaciele?

– Wspólniczka równie lakoniczna, co żona. Poza tym koledzy w Warszawie rozpytali dla nas jego partnerów biznesowych z firm turystycznych. Niczego się nie dowiedzieli. My porozmawialiśmy z sąsiadami w miejscu zamieszkania i w miejscu pracy. Nic ciekawego. Osobiście rozmawiałem z dwoma jego konkurentami, wie pan, jak to jest, tacy są skłonni pisać donosy do skarbówki, żeby oczyścić rynek, chętnie też będą plotkować i oczerniać. Nie tym razem. Co więcej, chwalili Najmana, zwłaszcza za znajomość, jak oni mówią, „egzotyki".

Bierut grzebał chwilę w notatkach.

– Poszedłem też tropem lekarskim. Pomyślałem, że skoro miał zabieg na ten palec w Warszawie, to najpierw szukał pomocy tutaj. Faktycznie, był na paru konsultacjach w wojewódzkim, rozmawiałem z ortopedą, nie miał nic do powiedzenia poza medycznymi sprawami. Na dodatek ma siedemdziesiąt lat, więc raczej odpada jako autor wyrafinowanej zbrodni, w czasie której trzeba zapakować dorosłego faceta do żeliwnej trumny.

– Wasze bazy danych? – spytał.

– Skądże – odparł gorzko Bierut. – Przecież pan wie, nikt się w naszych bazach nigdy nie pojawia.

Zgadza się, prokurator Teodor Szacki wiedział, że nic się w oficjalnych bazach danych nigdy nie pojawia. Policja miała swój KSIP, czyli Krajowy System Informacji Policji. Prokuratura miała własny system Libra, bo jakoś żadna mądra głowa nie wpadła na to, że organy ścigania powinny mieć jeden krwiobieg informatyczny. A raczej jakaś mądra głowa wymyśliła, że im więcej systemów i przetargów, tym mniejsze prawdopodobieństwo, że się kadencję skończy z pustymi kieszeniami. Na dodatek wszystkie te systemy były dziwacznie rozczłonkowane, niekompatybilne i niepołączone. Gdyby natura była równie głupia, to każda ludzka kończyna miałaby swoje serce, płuca i żołądek, każdą też musielibyśmy karmić oddzielnie, wpychając kawałki kotleta w kolana i łokcie. Dobrze, jeśli w prokuraturach okręgowych udało się połączyć systemy rejonów w jeden system, ale czasami nawet to było marzeniem ściętej głowy. Co oznacza, że wystarczyło, aby seryjny morderca przenosił się z każdym kolejnym zabójstwem do innego województwa, żeby nikt nigdy tego nie powiązał.

Oczywiście zarówno policja, jak i prokuratura robiły wszystko, aby wprowadzać do systemów jak najwięcej informacji, i zasłaniały się wszelkimi sposobami, aby ich nie usuwać i bezprawnie przetrzymywać jak najdłużej. Niestety Szacki podejrzewał, że GIODO i Sąd Najwyższy dobiorą im się do dupy, zanim system zacznie działać na tyle sprawnie, żeby móc z niego na poziomie ogólnopolskim korzystać. Zawsze kłody pod nogi, a potem święte oburzenie, że prokuratora nie wiedziała, bo pan nauczyciel już jako stażysta na drugim końcu Polski był przesłuchiwany w sprawie chodzenia z uczniami pod prysznic.

– Tak się zastanawiałem... – Bierut przerwał zamyślenie Szackiego, który równocześnie walczył z uczuciem senności – ...że może powinniśmy odpuścić z przeszłością Najmana. Dużo sił i środków, a wygląda na to, że tam po prostu nic nie ma. Zwyczajny facet. Ma dość ciekawą pracę, dużo jeździ, biznes mu idzie, znajduje sobie żonę, buduje się pod miastem. Siedzi tam, telewizję ogląda, latem grilla robi. Życiorys, jakich miliony. Grzebanie w tym to ślepa uliczka.

Szacki żałował, że nie pali. Może miałby przy sobie zapałki, żeby podeprzeć nimi opadające powieki.

– Napiszę jeszcze pismo do banku i urzędu skarbowego – powiedział. – Nie możemy odpuścić wersji, że to jakieś mafijne porachunki. Może coś wyjdzie z deklaracji podatkowych albo z ruchu na kontach. – Przerwał gwałtownie. Jedna z myśli, które przeciskały się przez senny umysł jak przez galaretkę, zawieruszyła się po drodze. Przed chwilą myślał o jeszcze jednej bazie danych. O jakiej? Nie mógł sobie przypomnieć, zamiast tego powiedział policjantowi o swojej teorii, że Najman miał kochankę. To by tłumaczyło kłamstwa, jakimi karmił żonę i wspólniczkę.

– I myśli pan, że ona miałaby coś z tym wspólnego?

– Myślę, że niekoniecznie. Ale myślę też, że to ważny trop.

Bierut spojrzał na niego znużony i zniechęcony.

– Czyli co? Mamy jeszcze raz przesłuchać wszystkich, pytając tym razem o kochankę? Jeśli nie powiedzieli nam za pierwszym razem, za drugim też nie powiedzą.

Tak byłoby najlepiej, ale Szacki rozumiał, że wymaganie tego byłoby okrucieństwem. Jan Paweł Bierut by się postawił, jego przełożeni zaczęliby robić piekło jego przełożonym. Nie potrzebował tego.

– Parulska, jego wspólniczka, pewnie ma w kalendarzu jego wyjazdy. Nie mówię o wakacjach, mówię o tych branżowych spędach, kiedy obwożą się po pięciogwiazdkowych hotelach. Proszę wziąć trzy ostatnie, potem od organizatorów wyciągnąć listę uczestników. Sprawdzimy, czy jakieś nazwisko się powtarza. Egzotyczne miejsca, hotele, alkohol, zdziwiłbym się, gdyby sobie znalazł kochankę gdzie indziej.

Przez chwilę siedzieli w milczeniu. Szacki próbował odnaleźć myśl, która poprzednio mu uciekła. Prawie ją miał, kiedy Bierut zapytał:

– Myśli pan, że to naprawdę seryjny? Prawdziwy wariat? Szaleniec, który chce się z nami bawić w szarady?

– Mam nadzieję – mruknął wściekły Szacki.

– Nadzieję?

– Łatwiej złapać takiego kretyna niż gościa, który udusił żonę w sypialni i zakopał na działce sąsiada. Jak ktoś się tak bawi, musi popełnić jakiś błąd i zostawić setki śladów. Poza tym same wydumanie to już poszlaka. Proszę spojrzeć, ile już mamy. Kości czterech osób, wyjątkowy *modus operandi*, który ogranicza ilość możliwych miejsc zbrodni, i zidentyfikowany sposób zabójstwa. Jeśli to naprawdę wariat, to nie mogę się doczekać, aż zacznie nam przysyłać enigmatyczne listy, pisane krwią młodych mężatek.

Tak jest! Mężatek. Chodziło mu o coś z mężatkami. Chciał sprawdzić, czy...

Już się uśmiechał, zadowolony, że w końcu złapał niesforną myśl, kiedy ktoś zapukał gwałtownie do drzwi i zaraz je otworzył. Był to asesor prokuratorski Edmund Falk.

– Mamy go – powiedział.


# 6

Prokurator Teodor Szacki nigdy nie mówił „my" o prokuraturze i policji. „My" to prokuratura, „oni" to policja. Czytelny podział na dwie instytucje, które mają stać na straży porządku prawnego razem, ale nie ramię w ramię. Oni byli szefami, którzy od znalezienia zwłok, przez proces sądowy, aż po wypuszczenie skazanego po odbyciu kary kontrolowali sprawę. Policja wykonywała zlecone czynności na początkowym etapie postępowania, który miał doprowadzić do ujęcia sprawcy. Aż tyle i tylko tyle.

Ale rozumiał, dlaczego Falk użył pierwszej osoby liczby mnogiej. Dlaczego przy całym swoim wystudiowanym sztywniactwie młody asesor nie był odporny na tego kopa adrenaliny, jaki towarzyszy ujęciu sprawcy. Dlaczego chciał być częścią tego tryumfu.

Gdyby porównać wymiar sprawiedliwości do sztuki, to policjanci odgrywali rolę gwiazd rocka, a prokuratorzy literatów. Gliniarze wychodzili na scenę i jeśli numer się udał, to podniecona publiczność nosiła ich na rękach. Natychmiastowy odzew, spełnienie, haj jak po narkotykach. Prokurator tymczasem ślęczał nad postępowaniem dowodowym miesiące albo i lata, i kiedy w końcu dostawał swoją wielką nagrodę w postaci skazania, sprawa zacierała się już pomału w jego pamięci. Owszem, było to przyjemne, ale mało rock'n'rollowe.

Sam często zazdrościł policjantom tej adrenaliny. I wiele razy słyszał zarzut, że przy śledztwie zachowuje się bardziej jak oficer dochodzeniowy niż prokurator, że za bardzo pcha się na pierwszą linię. Od Falka różniło go jednak to, że nigdy nie używał pierwszej osoby liczby mnogiej.

Patrząc przez lustro weneckie na siedzącego w pokoju przesłuchań mężczyznę, pomyślał, że tryumf na miarę hollywoodzkiego kina to nie był. Gość po prostu wrócił do swojego domu na ulicy Równej, od czwartku będącego pod obserwacją. Podobno wsiadł do policyjnego samochodu bez ociągania, nie okazując ani zaskoczenia, ani strachu, ani też irytacji charakterystycznej dla katów domowych.

W czasie zatrzymania nie powiedział ani słowa. I nic nie wskazywało na to, aby ten stan miał ulec zmianie.

– Czy mam rozumieć, że korzysta pan z prawa do odmowy składania wyjaśnień? – spytał Falk po raz kolejny. Ku zadowoleniu Szackiego mimo dziwacznego obrotu sprawy głos asesora nie zdradzał żadnych emocji.

Mężczyzna nawet nie drgnął, patrzył przed siebie nieruchomym wzrokiem.

– Proszę pozwolić, że jeszcze raz wytłumaczę pańską sytuację. Został panu postawiony zarzut usiłowania zabójstwa pańskiej żony. Który to zarzut zresztą w każdej chwili może się zmienić na zarzut zabójstwa, ponieważ pańska żona jest w ciężkim stanie. Jest pan obecnie zatrzymany, a do sądu został skierowany wniosek o tymczasowe aresztowanie. Czy pan to rozumie?

Zero reakcji.

– Proszę skinąć głową, jeśli pan to rozumie.

Zero reakcji.

Falk wymienił imię i nazwisko mężczyzny.

– Proszę skinieniem głowy potwierdzić, że to pan.

Zero reakcji.

Falk wyprostował się, poprawił mankiety koszuli. Patrzył na podejrzanego i czekał. Standardowa taktyka, nie trzeba kończyć szkoleń FBI, żeby wiedzieć, że mało kto potrafi znieść przedłużającą się ciszę. W końcu każdy zaczyna mówić.

Jednak siedzący naprzeciwko Falka mężczyzna wydawał się mieć w dupie techniki przesłuchań, także te FBI. Po prostu siedział bez ruchu. Jak wszyscy kaci domowi wyglądał w stu procentach normalnie. Żadnego demonicznego uśmiechu Jacka Nicholsona, żadnego spojrzenia żula z przedmieścia, aparycji płatnego mordercy, blizny w poprzek twarzy, ułamanego zęba, nawet brwi nie miał krzaczastych. Zwyczajny facet, taki co o siedemnastej wychodzi z urzędu z krawatem włożonym do aktówki i wsiada do swojej skody, po drodze na stacji kupuje sobie hot doga. Gdyby przeciętność chciała się zareklamować, powinna gościa zatrudnić, żeby występował na billboardach.

– Starczy tej zabawy – powiedział jeden ze stojących obok Szackiego policjantów. – Trzeba przycisnąć chuja.

Szacki przewrócił oczami. Miał alergię na gliniarski testosteron, jeszcze chwila i kichać zacznie.

– Prokurator nadzorujący postępowanie przesłuchuje teraz podejrzanego – powiedział Szacki beznamiętnie, kiedy policjant położył rękę na klamce. – Proszę mu przeszkodzić, a będzie pan miał ogromne kłopoty.

Temperatura w pomieszczeniu spadła o kilkanaście stopni. Szacki prawie się zachwiał, tak fizycznie odczuł skondensowaną nienawiść, jaką obdarzył go policjant. Obdarzył, ale rękę z klamki zabrał.

– Staram się zwykle nie używać takich argumentów – powiedział Falk takim tonem, jak gdyby to było jego milionowe przesłuchanie – ale proszę sobie wyobrazić, że jedzie pan samochodem, pomału przyspiesza, patrzy, jak strzałka prędkościomierza przesuwa się zgodnie z ruchem wskazówek zegara. Widzi pan? Teraz proszę sobie wyobrazić, że na zegarze nie ma kilometrów, tylko lata. Od ośmiu do nieskończoności. Z każdą chwilą milczenia wciska pan pedał gazu. Osiem lat, dwanaście, piętnaście, dwadzieścia pięć. Właśnie dochodzi pan do dożywocia. Nie musi pan się przyznawać, nie musi z nami współpracować, to jest wszystko zrozumiałe i legalne. Ale rżnięciem głupa szkodzi pan sobie bardziej, niż się panu wydaje.

Zero reakcji. Mężczyzna nawet nie westchnął.

– Dam panu chwilę na przemyślenie tego. Zaraz wrócę.

Szacki w tej samej chwili wyszedł na korytarz. Zrozumiał, że Falk chce z nim porozmawiać sam na sam.

– No i co teraz? – zapytał asesora, uznając, że pole walki to najlepsze miejsce na naukę.

– Szczerze? Mam duże wątpliwości, czy postawienie zarzutów jest skuteczne. Facet zachowuje się jak katatonik i nie wychodzi z roli nawet na ułamek sekundy. Może udaje, a może faktycznie się wyłączył. Jeśli tak, to nie zrozumiał ani zarzutów, ani informacji o przysługujących mu prawach. Co oznacza, że nie możemy go wpakować do aresztu.

– Czyli co pan proponuje?

– Złóżmy wniosek o skierowanie go na badanie psychiatryczne połączone z obserwacją. Zostanie odizolowany w zakładzie, dostaniemy osiem tygodni na zebranie dowodów, potem będziemy procedowali w zależności od opinii biegłego.

Szacki pokiwał głową. To była najlepsza decyzja, pomyślał o tym już w chwili, kiedy mężczyzna nie odpowiedział na pytanie o imię i nazwisko. Legion widział takich cwaniaczków. Ustalili, że Falk wypełni kwity do sądu, a Szacki wejdzie do pokoju przesłuchań. Może nowy element skłoni zatrzymanego do zwierzeń. Wątpliwe, ale warto spróbować.

Wszedł do środka. Mężczyzna akurat przeglądał się w lustrze, za którym stali policjanci. Nie zareagował na pojawienie się prokuratora, nawet nie drgnął, kiedy ten podszedł do stołu, usiadł, dosunął krzesło i położył na blacie splecione dłonie.

Minęło co najmniej pięć minut idealnej ciszy, kiedy mężczyzna w końcu obrócił głowę w stronę prokuratora. Zwyczajnie, mechanicznie, nie było w tym geście decyzji. Szacki drgnął, kiedy spojrzenie mężczyzny w końcu spotkało się z jego. Zrozumiał, że mężczyzna milczał nie dlatego, że taka była jego strategia. Milczał, ponieważ był śmiertelnie przerażony.

Prokurator Teodor Szacki nigdy nie widział takiego strachu w niczyich oczach.

## 7

Olsztyn nie był może tak szybki jak Warszawa, gdzie w centrach handlowych zaczynali puszczać kolędy, kiedy jeszcze dogasały zapalone na Wszystkich Świętych znicze, ale w pierwszy grudniowy poniedziałek czuć było atmosferę świąt. W „Staromiejskiej" wisiały bożonarodzeniowe dekoracje, za oknem na rynku stała już połowa choinki, w „Gazecie Olsztyńskiej" skwapliwie odnotowano, że ścięto najważniejsze warmińskie drzewko, które za chwilę ozdobi plac przed ratuszem. Szacki wyjrzał za okno i poczuł przemożne, dziecięce pragnienie, żeby spadł śnieg. Nie wynikało ono z nostalgii za bezgrzesznymi latami, za sankami, śnieżkami i beztroską, lecz z ubiegłorocznego wspomnienia. Olsztyn był dla niego jeszcze nowy, Żenia była nowa, przepełniała go euforia nowego życia. Euforia fałszywa, w wieku czterdziestu trzech lat nowe mogą być złudzenia i choroby, życie już niespecjalnie. Wtedy oczywiście tego nie czuł, euforia nie zostawia miejsca na zdrowy rozsądek. Olsztyn podarował mu wówczas magiczne tło dla jego ekscytacji. Spadł piękny śnieg, na starym mieście trwał przedświąteczny jarmark, pachniało zimą i grzanym winem. Żenia trzymała rękę w kieszeni jego płaszcza, jak nastolatkowie bawili się swoimi palcami, chichocząc, spacerując razem z tłumem wśród lodowych rzeźb na małym rynku i między oświetlonymi rzęsiście kamienicami starówki. Żenia opowiadała mu swoje olsztyńskie przygody z lat licealnych, a on dzięki temu sam czuł się młody, nowy i szczęśliwy.

Bardzo pragnął, żeby w tym roku też spadł śnieg. Choć na chwilę.

– Nie no, tato, jak chciałeś sobie pomyśleć w samotności, to naprawdę trzeba było powiedzieć.

Spojrzał na córkę siedzącą po drugiej stronie restauracyjnego stolika. W ustach rosła mu riposta, że nie mógł przewidzieć, że rozładuje jej się telefon, przez co nie będzie mogła pisać sms-ów i nieoczekiwanie zażąda kontaktów z ojcem. I że chętnie skoczy po ładowarkę, żeby mogła spędzać z nim czas tak, jak lubi najlepiej.

– Przepraszam. Myślałem, że chciałbym, żeby spadł śnieg.

– Tutaj to niebezpieczne. Czytałam wczoraj, że wilcy w okolicy podchodzą pod ludzkie siedziby, na inwentarz polują. Jeszcze by do miasta przyszły, niebezpiecznie by mi było brnąć do szkoły przez zaspy, omijając dzikich zwierząt hordy.

– Odpuść, Żeni nie ma.

Zamiast odpowiedzi zrobiła minę, która bardzo jasno wyrażała myśl, że to bardzo wyjątkowa sytuacja, kiedy nie musi dzielić czasu swojego ojca z jego irytującą wybranką. Odczytał komunikat w stu procentach trafnie i sięgnął po menu, żeby zrobić to, co zawsze robił w takich sytuacjach: zmienić temat i udawać, że wszystko jest w porządku i że nie ma pojęcia, o co chodzi.

Przypomniał sobie powtarzane do znudzenia słowa Żeni, że dla niego nie ma to znaczenia, ale Heli wyrządza krzywdę, uciekając od każdego trudnego tematu, traktując ją albo jak samodzielną, niewymagającą żadnej atencji kobietę, albo jak małą dziewczynkę, w zależności od tego, co akurat bardziej było mu na rękę i co pozwalało uniknąć konfrontacji.

Odłożył menu.

– Powiedz to.

– Nie rozumiem.

– Zamiast patrzeć na mnie wymownie, powiedz to słowami. Na pewno słyszałaś, że ludzie czasami stosują taki sposób komunikacji.

– Nie rozumiem. Co mam powiedzieć słowami?

– Że chociaż odczuwasz niewysłowioną ulgę, że nie ma tutaj Żeni, to nie jesteś w stanie mi zapomnieć, że to są chwile wyjątkowe rzadkie, kiedy zmuszam się, żeby poświęcić uwagę tobie i tylko tobie.

Zagryzła wargę.

– Jezu, nie musisz być od razu agresywny.

– Nie jestem agresywny – odpowiedział spokojnie. – Chcę ci tylko ułatwić rozmowę na interesujące cię tematy.

– Nie interesują mnie rozmowy na te tematy.

– Ale mnie interesują.

– To porozmawiaj o nich z kimś. Z Żenią albo z jakimś specjalistą najlepiej.

Zajebię gówniarę, pomyślał, i tyle będzie z traktowania jej poważnie.

– Bałaś się mnie kiedyś?

– Słucham?

– Bałaś się kiedyś, że cię uderzę? Popchnę, spoliczkuję, zrobię fizyczną krzywdę.

– Teraz się boję, że zwariowałeś.

– Poważnie pytam.

Spojrzała na niego. Miał wrażenie, że po raz pierwszy od bardzo dawna normalnie. Nie z odrzuceniem, nie z wystudiowaną, fałszywą normalnością. Tylko normalnie, tak po prostu, jak jeden przyjaciel patrzy na drugiego w czasie rozmowy.

– Państwo już wybrali? – Kelnerka stanęła przy stoliku z notesikiem w dłoni.

– Dwa razy kołduny w rosole? – spytał Szacki, patrząc na córkę. Hela skinęła głową. Kelnerka zabrała karty i zniknęła.

– Poważnie pytam – powtórzył. – Mam taką sprawę, to znaczy nadzoruję, nieważne. Normalna rodzina, we wsi, jak się jedzie na Gdańsk. Wiesz, jak to wygląda. Osiedle na klepisku, małe kwadratowe działki, nowe domy, na podjeździe fura, za domem grill i trampolina dla dziecka, w środku plazma na ścianie. On, ona, trzylatek. Ona siedzi w domu z małym, on zasuwa w Olsztynie, żeby mogli spłacić kredyt. W wakacje pewnie jadą nad morze na dwa tygodnie. Sto procent normalności, dzień do dnia podobny. Tylko że ona się boi. Teoretycznie nic się nie dzieje, ale ona i tak się boi, z dnia na dzień coraz bardziej. On pewnie jest tradycyjny, może władczy, dumny z domu, drzewa i syna. A ona się boi. W końcu nie może wytrzymać i mu mówi. Cięcie. A potem ja ich znajduję. Jego nie ma. Ona leży z dziurą w głowie, w kałuży krwi i rozlanego mleka. Dziecko bawi się przy niej, w kółko te same dwa kawałki układanki ze sobą łączy.

Hela patrzyła na niego oniemiała.

– Wiesz, że pierwszy raz opowiadasz mi o pracy?

– Serio?

Potwierdziła skinieniem głowy. Dziwne, nie zdawał sobie sprawy, zawsze miał wrażenie, że rozmawiają o wszystkim.

– I zastanawiałem się, czy ja też jestem zdolny do czegoś takiego. Czy każdy mężczyzna obnosi swoją fizyczną przewagę, gotowość do przemocy, taką niewysłowioną groźbę, że wszystko jest cacy, ale jakby co, to pamiętajcie, kto waży trzydzieści kilo więcej i ma z natury mocniejsze mięśnie szkieletowe. Dlatego pytam.

Milczała przez chwilę.

– Ale nic mi nie zrobisz, jak nie trafię z odpowiedzią?

– Bardzo śmieszne.

– Nigdy się nie bałam, że mnie uderzysz. Nawet jak wyrzuciłeś mi Milusia przez okno.

– Nie mów, że to pamiętasz.

– Jakby to było wczoraj.

– Puściły mi nerwy, ale to było pół żartem. Zaraz go przyniosłem zresztą.

– Wiem, wiem. Ale wtedy się bałam. Nie, że mnie uderzysz, tylko to było takie straszne. Krzyczałeś i machałeś rękami, i w ogóle.

Nie wiedział, co powiedzieć. Dla niego to była zabawna anegdota, opowiadał ją czasami, żeby rozerwać towarzystwo. Myślał, że to koniec, że wyłgał się jednym wydarzeniem i że może odetchnąć z ulgą. Ale Hela mówiła dalej.

– Czasami bałam się, że będziesz krzyczał. W pewien sposób ciągle się boję.

– No fakt, jestem cholerykiem. – Próbował zbagatelizować sprawę.

– Nie wiesz, jak to wygląda z drugiej strony. Jak ktoś nachyla się nad tobą taką wielką twarzą i wydaje głośne dźwięki. Twarz człowieka w złości robi się taka zwierzęca. Pamiętam ten twój grymas, tak blisko, że widziałam, jak ci pod wieczór zarost odrasta na policzkach, takie mikroskopijne włoski. I hałas. Pamiętam, że nie słyszałam słów, tylko hałas, jakby mnie atakowały te dźwięki, trzymały, nie pozwalały uciec. – Mówiła to spokojnie, beznamiętnie, lekko zamyślona, uważnie wyławiając wspomnienia. – Tego się bałam. Czekałam czasami wieczorem, aż wrócisz, i z jednej strony bardzo tęskniłam, chciałam, żebyśmy coś porobili razem. Układali te obrazki z plastikowych koralików, pamiętasz? Ale jak słyszałam dźwięk drzwi od windy i twoje kroki, czułam też lekki niepokój. Zastanawiałam się, czy będziesz zły.

Milczał.

– To znaczy „zły” to złe słowo. Nie jesteś zły, jesteś bardzo dobrym człowiekiem, wiesz? Naprawdę. – Poklepała go po dłoni. – Tylko jesteś... – Zawiesiła głos, szukając właściwego określenia. – ...jak by to powiedzieć, nie poirytowany i nie agresywny. O, wiem, gniewny. Może to kwestia twojej profesji, ale gdybym miała wybrać jedną cechę, która identyfikuje mojego ojca, to powiedziałabym, że jest to gniew.

Na szczęście w tej samej chwili kelnerka postawiła przed nimi dwa parujące talerze rosołu z kołdunami. Oka tłuszczu przepychały się na powierzchni z szatkowaną natką pietruszki, a pierożków było tyle, że faktycznie nazwa „kołduny w rosole" wydawała się bardziej uzasadniona niż tradycyjny „rosół z kołdunami".

Hela zaczęła jeść z apetytem, jak gdyby nigdy nic. On za to był zdruzgotany.

– Przepraszam, nie wiedziałem. Nie chciałem.

– Jezu, tato, wyglądasz, jakbyś miał się rozpłakać – odparła z pełnymi ustami. – Pytałeś, czy się bałam, to odpowiedziałam. Gdybyś się pytał o fajne rzeczy, tobym też odpowiedziała. Jakiś kryzys masz, czy co? Może znajdź sobie kogoś młodszego. Miałabym w domu rówieśniczkę, Żenia jest jednak starsza ode mnie. Niewiele, ale zawsze.

Mentalnie zaklaskał z uznaniem. Najpierw go rozmiękczyła, a potem strzeliła prosto w gębę. Z przykrością musiał uznać, że nie miała tego po matce. Jego geny, sto procent. Biorąc pod uwagę, że od matki też wzięła swoje, to przed końcem wieczoru przerobi jeszcze jeden płacz i jeden szantaż emocjonalny. Czemu nie poszli do kina? Nie trzeba byłoby rozmawiać.

– Jesteś niesprawiedliwa.

Wzruszyła ramionami. Przez chwilę jedli w milczeniu.

– Jedno mnie ciekawi – powiedział w końcu. – Nie pytam się złośliwie, nie chcę się kłócić, nie odbieraj tego jako atak. Nie jestem ślepy, widzę, że w ogóle się dogadujecie, może nawet przyjaźnicie. Czemu jak tylko się pojawiam, wchodzę na pole bitwy? Albo słyszę uwagi jak ta teraz?

– Jedz, zimny rosół jest do niczego.

Drgnął, te same słowa, wypowiadane identycznym tonem i głosem, słyszał od matki Heli przez dekadę. Jedz, zimny rosół jest do niczego.

– Skoro szczerze rozmawiamy – zaczęła po chwili – to powiem, że lubię Żenię. Nie sądzę, żeby była ładna, jakoś specjalnie błyskotliwa chyba też nie jest, ale za to bardzo mądra. Przenikliwie, głęboko mądra.

– To dlaczego ten teatr?

– To nie teatr. Jak widzę was razem, nie mogę tego znieść. To fizyczne odczucie, jakby ktoś mnie głaskał drutem kolczastym. Nie rozumiem tego. Nie proś, żebym to wytłumaczyła.

Nie poprosił.

– Najgorsze są czasami takie małe rzeczy, takie zupełnie nieistotne.

Spojrzał pytająco.

– Będziesz się śmiał.

– Nie będę.

– Jak oglądacie *Przyjaciół*, mam ochotę uciec. Serio, założyć kurtkę, wyjść przez okno i uciec.

Tego się nie spodziewał.

– Te starocie? Oglądamy, bo to ulubiony serial Żeni. Ma wszystko na DVD, ściągnąłem z półki dla żartu. Nie powinnaś nawet wiedzieć o istnieniu tego antyku.

– Tato, ja zasypiałam przy tej muzyce, wiesz?

Nie wiedział.

– Zasypiałam, a wy oglądaliście z mamą telewizję. Pewnie różne rzeczy, ale to akurat zapamiętałam. Nie serial, nie tych ludzi czy żarty, tylko muzykę. Ta muzyka to mój dom, moje dzieciństwo, moje bezpieczeństwo. Że mama i tata są obok, oglądają telewizję i wszystko jest w porządku, i tak już będzie zawsze.

– *So no one told you life was gonna be this way*, pam, pam, pam – zanucił wesoło.

Hela opuściła głowę i zaczęła chlipać.

– Przepraszam – wyjąkała i pobiegła do łazienki.

Zrobiło mu się ciężko na sercu. Jadł i zastanawiał się, za czym Hela tak naprawdę tęskni. Nawet jeśli faktycznie określał go gniew, skłonny był się z tym zgodzić, to drugim filarem prokuratora Teodora Szackiego był smutek przemijania. Pielęgnował go u siebie jak piękną, rzadką i wymagającą nieustającej opieki roślinę. Odkąd pamiętał, od najmłodszych lat. Wygląda na to, że przekazał córce gen tego jedynego w swoim rodzaju, nigdy nieznikającego do końca smutku.

Rozmawiali potem jeszcze godzinę, długo i szczerze. Uznał, że powinien obchodzić rocznicę tego dnia, kiedy odbył pierwszą prawdziwą rozmowę ze wspaniałą kobietą, która uczyniła mu zaszczyt bycia jego córką. Siedzieli tak długo, że udało im się nawet zjeść deser. Zwykle nie mieli na to ochoty, bo oznaczało to starcie z kubków smakowych powidoków po kołdunach.

– Przepraszam za te sceny – powiedziała Hela, kiedy stali już w podcieniach przed „Staromiejską". – Nigdy mnie nie uderzyłeś i w ogóle, a ja marudzę.

Pocałował ją w czoło.

– Nie gadaj głupot. Zapnij się lepiej.

Wyjątkowo posłuchała. Temperatura musiała spaść poniżej zera, gęsta mgła zamarzała na trotuarze, pokrywając go lśniącą powierzchnią. W taką pogodę nawet nastolatki się zapinały.

– Myślę czasami, czy będę szukała męża podobnego do ciebie.

Też o tym myślał czasami. Miał szczerą nadzieję, że nie. Uważał jednak, że powiedzenie tego byłoby niewłaściwie, i w ogóle nie za bardzo miał pomysł, jak to skomentować.

– Jesteś wspaniałą, mądrą kobietą. I jestem dumny, że jesteś moją córką.

– Czy to znaczy, że mogę jutro...

– Nie – wszedł jej w słowo. – Wtorek jest święty. Oczekuję dwóch dań i deseru.

## ROZDZIAŁ 6

## wtorek, 3 grudnia 2013 roku

Międzynarodowy Dzień Niepełnosprawnych, w Polsce Dzień Naftowca i Gazownika. Urodziny obchodzą Adam Słodowy (90) i Adam Małysz (36). Mija dokładnie 21 lat od wysłania pierwszego sms-a. Na Ukrainie opozycji nie udaje się odwołać rządu, uliczne protesty przybierają na sile. Po spałowaniu demonstrujących przez oddziały Berkutu ludzi na kijowskim Majdanie przybywa. W korupcyjnym rankingu Transparency International Polska awansowała z 41. na 38. pozycję, wyprzedzając m.in. Hiszpanię i Grecję. A polscy nastolatkowie w międzynarodowych badaniach kompetencji zajęli pierwsze miejsce w Europie pod względem zarówno umiejętności matematycznych, jak i czytania. W Olsztynie oskarżyciel żąda 300 złotych grzywny od trójki artystów, którzy na biurze posła Tadeusza Iwińskiego przykleili tabliczkę „Komitet Wojewódzki PZPR w Olsztynie – Tow. Sekretarz Iwiński". Wydział Nauk Medycznych UWM ogłasza nabór zawodowych chorych, którzy będą symulować przed studentami, wymagane dobre zdrowie i zdolności aktorskie. Zimno, w regionie rośnie liczba przestępstw popełnianych przez ludzi, którzy chcą spędzić zimę w cieplutkim areszcie. Desperat podpalił drzwi klasztoru w Szczytnie. Ze względów technicznych opóźnia się strojenie olsztyńskiej choinki numer jeden, tej na placu pod ratuszem. Oprócz bombek i światełek zawisną na niej zrobione na szydełku płatki śniegu. Prawdziwego śniegu nie ma, jest mgła i marznąca mżawka.

# 1

Każde miasto ma swoją Pragę. Część gorszą, mniejszą, brzydszą, małomiasteczkową, z reguły chowającą kompleksy za ostentacyjnie obnoszoną dumą z inności. Wszędzie jest jakieś zarzecze, zalesie, zamoście czy zajezierze, obszar oddzielony wyraźną granicą. I którego mieszkańcy niezmiennie mówią, wybierając się do centrum, że jadą „do miasta".

Olsztyn przedzielony był torami, a zatorze nazywało się tutaj po prostu Zatorze, nikt się nie pokusił o wymyślenie bardziej romantycznej nazwy własnej.

Prokurator Teodor Szacki wyjechał z domu świtem czarnym jak środek nocy, przecisnął się przez śródmieście, minął ratusz, teatr i w końcu pokonał tory, korzystając z wyremontowanego niedawno wiaduktu.

Minął kilka skrzyżowań i przed ciemnym parkiem skręcił w uliczkę, która – jeśli wierzyć mapie w jego komórce – nazywała się Radiowa. Rozglądał się z ciekawością po miejscu, w którym znalazł się po raz pierwszy. Ulica skręcała łagodnym łukiem, po prawej mijał park z dużym, teraz zamarzniętym stawem, po lewej szereg przepięknych willi. Przed wojną musiała to być wyjątkowo reprezentacyjna dzielnica, wille wyglądały naprawdę okazale w porównaniu z resztą poniemieckiej zabudowy jednorodzinnej.

Po kilkuset metrach dojechał do końca ulicy i do swojego celu. Budynek stanowił przykry zgrzyt w pięknej okolicy, pseudonowoczesny szklano-plastikowy koszmarek. Częściowo niebieski, częściowo czerwony, dziwacznie asymetryczny, jakby architekt cierpiał na rzadkie połączenie daltonizmu z astygmatyzmem.

Zaparkował i wyłączył silnik. Nie miał ochoty wychodzić. W citroenie było ciepło, przytulnie i bezpiecznie. W radiu jakiś facet śpiewał w kółko, że on tu zostaje. Szacki pomyślał, że to jakaś ponura wróżba, jakby los chciał potwierdzić jego podejrzenia, że spędzi resztę życia w tym mieście jedenastu jezior, tysięcy mżawek i miliona mgieł.

– Jak słyszeliśmy, Łukasz Zagrobelny nigdzie się nie wybiera, i dobrze, tęsknilibyśmy, bo to wyjątkowo dobra polska muzyka – powiedział prezenter, a Szacki parsknął śmiechem tak gwałtownie, że opluł sobie kierownicę. – Za chwilę wiadomości, a potem naszym gościem będzie Teodor Szacki, jedyny w swoim rodzaju gwiazdor wymiaru sprawiedliwości, a od niedawna rzecznik prasowy naszej prokuratury.

– Ożeż kurwa ja pierdolę – powiedział prokurator Teodor Szacki.


## 2

Edmund Falk nie lubił zmieniać niczego w swoich procedurach. Nie dlatego, że cierpiał na nerwice lub jakieś zaburzenia obsesyjne. Po prostu znał się wystarczająco dobrze, aby wiedzieć, że jeśli raz sobie odpuści, za chwilę zrobi to ponownie, i z procedury nic nie zostanie. Tyle razy tego doświadczył, że w końcu zaakceptował fakt, że musi sam być swoim najsurowszym opiekunem. Inaczej wszystko, czego się podejmuje, skończy się tak samo jak jego kariera taneczna. Zaczynał jako młody zdolny, jeden z wielu w słynącym z zawodowych tancerzy Olsztynie, potem awansował na nadzieję tańca, przyszły sukcesy w zawodach juniorskich, a potem między imprezami i romansami wszystko w kilka miesięcy legło w gruzach.

Nie żeby żałował tanecznej kariery, wręcz przeciwnie, ale był czas, kiedy wierzył, że nic gorszego go w życiu nie spotka. Dlatego się zmienił. Ludzie śmiali się z jego obsesji, podczas gdy w jego zachowaniach obsesji wcale nie było. Jedynie logiczny wybór.

Dlatego teraz, jak zwykle co drugi dzień o tej porze, nie zważając na pogodę, biegł w równym tempie stu czterdziestu uderzeń serca na minutę przez las miejski. Cztery kilometry miał już za sobą, zostało mu do przebiegnięcia sześć.

Nie słuchał w czasie biegania radia albo muzyki, ale tym razem wziął ze sobą telefon i wsadził słuchawki do uszu. Chciał wysłuchać, co Szacki powie po wiadomościach w Radiu Olsztyn jako świeżo mianowany rzecznik prasowy.

Tymczasem w rozgłośni ciągle grała muzyka, a on zastanawiał się, czy spotkać się z Wandą, czy nie. Teoretycznie już się umówił, praktycznie mógł to odwołać. Teoretycznie zrobił to dla ojca, praktycznie bardzo był ciekaw, czy cokolwiek zostało z tego, co działo się kiedyś między nimi. A działo się wiele.

Teoretycznie rozumiał, że w jego wypadku zaangażowanie jest niemożliwe, to logiczny wybór. Praktycznie chwyciłby się każdej wymówki, żeby ją zobaczyć.

Wybiegł na aleję Wojska Polskiego i postanowił, że zamiast przeciąć ją jak zwykle, pobiegnie kawałek przy ulicy. Czuł dziwny niepokój i światła cywilizacji wydały mu się bardziej kuszące niż puste ścieżki w wilgotnym lesie.

Biegł w stronę centrum, po prawej miał park i budynek radia, po lewej szpital psychiatryczny. Spojrzał w rozświetlone okna szpitala. A potem na stoper. 160 uderzeń na minutę.

Nie powinienem tędy biegać, pomyślał.

# 3

Przed mikrofonem Radia Olsztyn zasiadł spięty, martwiąc się, że źle poprowadzona rozmowa na temat Najmana może doprowadzić co najmniej do histerii w mediach. Jedno nieopatrzne słowo i sprawa seryjnego mordercy z Warmii wymknie się spod kontroli i zamieni w medialny huragan.

Na szczęście okazało się, że lokalne radio jest tak samo niezainteresowane kontrowersyjnymi tematami jak lokalna prasa. Szacki odpowiedział na kilka ogólnych pytań dotyczących specyfiki kryminalnej miasta. Przyciśnięty do muru w kwestii lokalnego patriotyzmu, wybrnął żartem, że zamierza zostać Warmiakiem na sto procent, kiedy zima odpuści i gdy nauczy się żeglować, bo na razie zamiast jedenastu jezior ma jedenaście lodowisk. Zbył polityczne pytanie o konflikt na szczycie między prokuratorem generalnym a premierem, tłumacząc, że jako zwykły śledczy ma inną perspektywę.

Cieszył się, że jego pierwsze oficjalne medialne starcie idzie jak po maśle, lecz trochę się nudził. Dziennikarz miał niski, radiowy głos hipnotyzera, co w połączeniu z ciepełkiem kameralnego studia sprawiło, że Szackiemu kleiły się oczy. Potrzebował kawy.

– Słuchacze komentują na bieżąco naszą rozmowę – powiedział dziennikarz, zerkając w ekran komputera. – Trochę uwag na temat funkcjonowania systemu w ogóle, raczej krytycznych. Ale też widzę, że jakiś dowcipniś pyta, czy w Olsztynie grasuje seryjny morderca.

Dziennikarz uśmiechnął się, Szacki też się uśmiechnął, kiwając wyrozumiale głową. Włożył w ten uśmiech tyle sympatycznego pobłażania, ile w sobie znalazł, byleby tylko nie musieć odpowiadać na to pytanie. Nie mógł skłamać, a powiedzenie, że „na tym etapie nie może udzielać informacji o konkretnych śledztwach" postawiłoby wszystkie media w Polsce w stan alarmu.

– I jeszcze telefon od słuchacza. Pozwoli pan?

Szacki skinął głową. Pewnie ktoś mu wyleje kubeł pomyj na głowę za to, że jakiś jego kolega na drugim końcu Polski uznał swastykę za hinduski znak szczęścia, ale lepsze to niż rozmowa o seryjnych zabójcach.

W słuchawce słyszał tylko szum i kiedy już myślał, że połączenie zostało zerwane, on i wszyscy stojący właśnie w porannych korkach słuchacze Radia Olsztyn usłyszeli niepewny głos starszej kobiety:

– Dzień dobry, ja dzwonię, żeby wszyscy się dowiedzieli, że nie każdy prokurator siedzi za biurkiem i przekłada papiery. Pan prokurator Szacki sam tego nie powie, ale kilka dni temu uratował życie jednej kobiecie. Nie paragrafami, tak po prostu, wszedł do niej do domu i uratował życie. Jedno wspaniałe życie. Bardzo dziękuję, do widzenia.

Dziennikarz patrzył na niego zdziwiony.

– To prawda, panie prokuratorze?

Wahał się przez chwilę. Wyobraził sobie Szarejnę i Poniewasza, którzy właśnie siedzą przy radiu i podnoszą ręce w geście tryumfu albo przybijają piątkę lub robią żółwika czy jak tam teraz gimbaza wyraża radość. Mieli rację, hura, sukces i jeszcze raz sukces, prokurator Teodor Szacki będzie twarzą urzędu, szeryfem nowej generacji, prokuratorzy będą chcieli w gabinetach wieszać jego portret obok orzełka. Wystarczyło potwierdzić.

– To nieprawda – powiedział. – Faktycznie rankiem dwudziestego ósmego listopada udałem się... – Dziennikarz zrobił tak przerażoną stylem Szackiego minę, że ten urwał gwałtownie. – Mówiąc krótko, w czwartek rano poszedłem do kobiety, która dzień wcześniej szukała u mnie pomocy. Znalazłem ją umierającą, została dotkliwie pobita przez męża. Obok niej bawiło się małe dziecko. Pięć minut później bawiłoby się przy zwłokach swojej matki.

Zapanowała niezręczna cisza. Dziennikarz patrzył na Szackiego zdumiony. Realizator w reżyserce zaczął im dawać rozpaczliwe znaki, żeby coś powiedzieli.

– Pozostaje pogratulować – odezwał się w końcu dziennikarz.

– Niekoniecznie. Kobieta jest ciągle w krytycznym stanie. Dziecko jest pod opieką państwa. Gdybym nie był bezmyślnym urzędasem i wysłuchał tej pani dzień wcześniej, zamiast zlekceważyć jej wołanie o pomoc, ratunek byłby niepotrzebny. Gdybym zachował się właściwie, tej kobiecie, ofierze przemocy domowej, oraz jej dziecku zostałaby zapewniona pomoc prawna i psychologiczna. Nie musiałaby wracać do męża i nie musiałaby umierać na podłodze w kuchni. Chciałbym skorzystać z okazji i publicznie przeprosić tę panią, jej syna i jej rodzinę. Bardzo się wstydzę, cofnąłbym czas, gdyby to było możliwe. Przepraszam.

– Wszyscy popełniamy błędy – powiedział sentencjonalnie dziennikarz i wskazał na zegarek, dając znać, że ich czas dobiega końca. Skoro już się rozbudził, znowu poczuł, jak rośnie w nim irytacja. Gniew, jak to Hela ujęła. Podobało mu się to słowo, nadawało agresji rys szlachetności i sprawiedliwości.

– Owszem. Ale jak pan popełni błąd, to w tirze jadącym do Augustowa zagra Beyoncé zamiast Rihanny. Gdy ja popełnię błąd, jeśli nie dostrzegę zagrożenia albo nie wyeliminuję sprawcy zagrożenia ze społeczeństwa, to czyjeś życie może się zakończyć.

– Rozumiem pański punkt widzenia – dziennikarz poprawił modne okulary, w końcu zainteresowała go rozmowa – ale w takim myśleniu jest pułapka. Czynnik ludzki to najsłabszy, najbardziej awaryjny element każdego systemu. Ale zazwyczaj niezbędny. Gdyby przyjąć pański sposób myślenia, to strach przed błędem może się stać tak paraliżujący, że nikt nie będzie chciał być prokuratorem, sędzią albo neurochirurgiem. Nie da się wyeliminować błędów, ponieważ nie da się wyeliminować człowieka.

– Da się – powiedział Szacki. – Wystarczy wyłączyć autopilota i uważnie rozważać każdą z decyzji, jakie podejmujemy każdego dnia. Dzięki temu unikniemy błędów. – Szacki uśmiechnął się i postanowił zrobić prezent swojemu asesorowi. – To logiczny wybór.

Realizator dawał ręką znaki znane z meczów koszykówki: czas. Szacki udał, że tego nie zauważa.

– Skoro już o tym rozmawiamy, chciałbym poruszyć jeszcze jedną istotną sprawę. Zwracam się do państwa jako do sąsiadów swoich sąsiadów. Pamiętajcie, że jeśli za ścianą albo za płotem dzieje się coś złego, to możecie być dla tej kobiety albo dla tego dziecka ostatnią deską ratunku. Na pewno siedzicie wieczorem i uważacie, że to nie wasza sprawa, że przecież ci ludzie mają rodzinę, pracę, że ktoś coś zauważy. Że sąsiadka jest rozgarnięta, poszłaby na policję przecież. To nie jest prawda. Ofiary przemocy nie idą na policję, ponieważ czują się winne. Zrywają kontakty z rodziną ze wstydu. Są mistrzyniami maskowania, żeby nikt nie zauważył niczego w pracy. Ten moment, kiedy siedzicie w domu i oszukujecie się, że małe dziecko płacze, bo ma pewnie znowu zapalenie ucha, to jest moment, kiedy możecie ocalić kogoś, czyjeś zdrowie, czyjeś życie. Proszę, żebyście pamiętali, że nikt inny tego nie zrobi i że to jest wasza odpowiedzialność i obowiązek.

– Czyli kończymy pochwałą donosicielstwa – zażartował dziennikarz.

Szacki poczuł, jak przed oczami opada mu czerwona kurtyna.

– Nazywa pan donosicielstwem informowanie wymiaru sprawiedliwości w państwie prawa, że komuś dzieje się krzywda? – warknął.

Dziennikarz podniósł ręce w obronnym geście.

– To był prokurator Teodor Szacki, u nas za chwilę wiadomości regionalne, a przedtem jeszcze zdążymy posłuchać dla odmiany czegoś radosnego, w Radiu Olsztyn Aerosmith i utwór w sam raz dla tych, którzy jeszcze nie do końca się przebudzili: *Janie's got a gun*!

Czerwone światełko zgasło, Szacki położył na stole słuchawki, z których dochodziły charakterystyczne pierwsze akordy evergreenu faceta o zbyt dużych ustach.

Pożegnał się szybko i wybiegł z rozgłośni.

Daleko nie ujechał. Na alei Wojska Polskiego utknął w korku, wpatrzony w światła stopu stojącego przed nim nissana, i myślał, że Olsztyn to małe miasto. I że wcześniej czy później ścieżki osób odpowiedzialnych za organizację ruchu w warmińskiej biedametropolii przetną się z jego ścieżkami. A wtedy on, prokurator Teodor Szacki, zamieni się w straszliwego anioła zemsty.


# 4

Dwieście metrów dalej Teresa Zemsta miała ochotę na xanax. O kurwa, ale miała ochotę na xanax. I postanowiła, że go po prostu weźmie, bez żadnego rozważania o uzależnieniach. W swoim wieku i ze swoim doświadczeniem doskonale wiedziała, że gdyby miała się od czegoś uzależnić, dawno by się to stało. I choć w jej środowisku nie było to popularne, a wręcz wyśmiewane, wierzyła w lansowaną przez niektóre ośrodki teorię, że aby się uzależnić, trzeba mieć to coś. Może gen, może jakieś białko, może ćwierć kropli jakiegoś hormonu więcej. Teresa Zemsta tego czegoś nie miała. Dlatego jej życie było podporządkowane tylko i wyłącznie jej. Nie wierzyła w Boga, była przekonana, że miłość to mądra przyjaźń dwóch ludzi, a nie jakieś mistyczne połączenie dusz, a popularnej substancji zmieniającej świadomość o symbolu chemicznym $C_2H_5OH$ używała rekreacyjnie.

Tylko raz w życiu zapaliła jej się czerwona lampka. Tylko raz w życiu poczuła strach, że jakaś emocja i substancja mogą przejąć kontrolę nad jej życiem. Emocją tą był spokój, a substancją alprazolam, benzodiazepinowy lek psychotropowy przepisywany na zaburzenia lękowe, znany lepiej pod bestsellerową nazwą xanax. Próbowała w życiu różnych narkotyków w celach naukowych, ale po wzięciu xanaxu po raz pierwszy poczuła się jak święty Paweł na drodze do Damaszku. Doznała objawienia, miała ochotę paść na kolana, popłakać się ze wzruszenia i ruszyć w świat, aby szerzyć nową wiarę, nauczać ludzi za pomocą barokowych metafor, że spokój i szczęście są w zasięgu ręki, że mają gorzki smak i owalny kształt tabletki. Dodałaby do tego trochę seksizmu i ksenofobii, bez których żadna religia nie osiągnie sukcesu, i alleluja, mogłaby zostać prorokiem boga Pfizera.

Dlatego po króciutkim okresie fascynacji odstawiła xanax i od tamtej pory dwadzieścia lat temu sięgnęła po niego tylko kilka razy, w sytuacjach wyjątkowego napięcia i stresu. Bardzo się tym osiągnięciem szczyciła, bo jeśli czegoś tutaj nie brakowało w szafkach, szufladach i fartuchach, to właśnie xanaxu. Rozdawali go pacjentom jak jabłka, sami brali, znajomym przepisywali, szuflami można było go przerzucać, trudniej było w budynku o butelkę wody mineralnej niż o tabletkę xanaxu.

Teraz uznała, że nie poradzi sobie inaczej. Poszła do pokoju lekarskiego, wygrzebała blister z szuflady, łyknęła tabletkę 0,25, włączyła Sapera na komputerze i czekała, aż benzodiazepina zwiąże się z receptorem GABA, dzięki czemu przestaną jej się pocić dłonie.

Pstryknęła radio, usłyszała wycie Stevena Tylera w *Janie's got a gun* i od razu wyłączyła. Znamienne było to, że kiedy muzycy rockowi brali się za temat przemocy domowej, zaraz ktoś tam łapał za spluwę i wymierzał srogą sprawiedliwość, tylko taki rozwój wydarzeń pasował do ostrych gitarowych solówek.

Tyle dobrego, że jako ordynatora oddziału nikt jej nie może pogonić. Włączyła przeglądarkę i znalazła na Youtube *Can I Hold U Tonight*. Chwilę się wahała, w końcu wcisnęła. Bez sensu, zaraz łzy stanęły jej w oczach. Tyle razy to przerobiła, jej superwizorka pewnie rzygała tym tematem. A jak przychodzi co do czego, to rozdrapuje tego strupa, sypie sól do rany i grzebie w niej widelcem. Ale co poradzi. Do końca życia będzie się zastanawiała, razem z Tracy Chapman, czy skończyłoby się inaczej, gdyby znalazła właściwe słowa. Klucz, którym można było go otworzyć.

Piosenka dobiegła końca. Teresa Zemsta wytarła oczy, posłuchała jeszcze kilku piosenek czarnoskórej diwy i nagle poczuła, że ma w płucach więcej miejsca na powietrze. Odetchnęła głęboko kilka razy.

I ogarnął ją spokój.

Wzięła teczkę z biurka, zawiesiła na szyi kartę magnetyczną do drzwi i postanowiła, że zacznie od nowego pacjenta, żeby mieć to jak najszybciej za sobą. Zastukała do pokoju pielęgniarzy.

– Panie Marku – powiedziała – na wszelki wypadek, okej?

Pan Marek odłożył swoje śniadanie i bez słowa poszedł za Zemstą. Był antytezą tego, jak wyobrażamy sobie pielęgniarza na oddziałach psychiatrycznych. Żaden zwalisty dryblas z głupawym uśmiechem, któremu mama robi kanapki z salcesonem do pracy, co to ledwo, ledwo został po tej stronie barykady, oddzielającej zdrowych od chorych. Pan Marek był inteligentny, z poukładanym życie osobistym, pełen empatii, wysportowany. Instruktor izraelskich sztuk walki, nie potrzebował przewagi masy, żeby poradzić sobie z agresywnymi pacjentami. Teresa Zemsta uważała, że byłby z niego doskonały terapeuta, może nawet lekarz. Pochodził jednak z tak głębokich popegeerowskich warmińskich dołów, że mimo wielkiego wysiłku udało mu się wdrapać jedynie na stanowisko oddziałowego. Historia pana Marka stanowiła dla Zemsty koronny dowód, że nie każdy jest kowalem własnego losu. A nawet jeśli, to dużo zależy od tego, czy na początku dostaje nowocześnie wyposażoną kuźnię, czy musi ukraść pierwszy młotek.

Bez słowa pokonali długi korytarz, izolatka mieściła się na samym końcu piętra. Zwykle obserwacji psychiatrycznej przestępców dokonywano w aresztach, na specjalnych oddziałach. Tym razem sytuacja była wyjątkowa, jak tłumaczył jej młody prokurator o wyglądzie Louisa de Funèsa. Nie chodziło o zbadanie poczytalności podejrzanego. Chodziło o stwierdzenie, czy ich podejrzany w ogóle wie, kim jest, w jakiej sytuacji się znajduje, i czy zrozumie stawiane mu zarzuty.

– Wydaje się, że funkcjonuje – mówił prokurator. – Pije, je, chodzi do toalety. Myje zęby i rozbiera się do snu. Ale cała reszta jest wyłączona.

Wtedy po raz pierwszy poczuła, że drętwieje jej kark. Zapytała o szczegóły.

– Nie nawiązuje żadnego kontaktu. I kiedy mówię „żadnego", dokładnie to mam na myśli. Jakby żył w przestrzeni, gdzie nikogo nie ma. Nie powiedział ani słowa od zatrzymania. Ani jednej sylaby.

Zemsta włożyła sporo wysiłku, żeby nie dać po sobie poznać, ile ją kosztuje ta rozmowa. Spytała, czy ich zdaniem symuluje.

– Mam nadzieję – odparł zimno prokurator. – Tylko wtedy będziemy mogli go odizolować od społeczeństwa.

Spytała, co zrobił.

– Kat domowy. Znęcał się, a kiedy postanowiła odejść, prawie zabił. Zostawił ją nieprzytomną na podłodze w kuchni, samą z niespełna trzyletnim dzieckiem. Nie wiadomo, czy kobieta przeżyje.

Zrobiło jej się słabo. Żeby zachować pozory profesjonalnej rozmowy, powiedziała, że to niespotykane. Że sprawcy przemocy domowej raczej są dumni z tego, co robią. Nie zna przypadku, żeby któregoś z nich męczyły wyrzuty sumienia, o wpadnięciu w mutyzm nie wspominając.

Prokurator potwierdził. Mimo młodego wieku wydawał się doskonale przygotowany.

Stanęła przed drzwiami oddzielającymi ostatni odcinek korytarza od reszty oddziału.

– Pani doktor – powiedział pan Marek – to będzie duży problem, jeślibym jutro wieczorem na pani dyżur małą przyprowadził?

– Znowu migdał? – spytała.

– No chyba tak, a chcemy, wie pani, sprawdzić, czy z uchem wszystko w porządku. Żeby nie było tak jak na wiosnę.

– Oczywiście. – Uśmiechnęła się miło. Nie przeszkadzało jej to, że wielu ludzi na oddziale, a czasami też rodziny pacjentów, „wykorzystywało" jej drugą specjalizację z laryngologii. Kiedy przeżyła załamanie i porzuciła psychiatrię, zajęła się pozytywistyczną pracą w przychodni rodzinnej, ciesząc się opinią dobrej specjalistki od uszu i gardła. Potem wróciła do psychiatrii klinicznej, bo to jednak stanowiło jej pasję i powołanie, ale ciągle zdarzało jej się udzielać porad laryngologicznych i nawet to lubiła. Zwykłe infekcje zwykłych ludzi dające się wyleczyć jednym antybiotykiem stanowiły miłą odmianę od tego, czym normalnie się zajmowała.

Przyłożyła kartę do czytnika.


5


Edmund Falk nie wycofał swojego wniosku o ukaranie Szackiego naganą. Co zresztą Szacki popierał, nie robiąc nic, aby go skłonić do zmiany zdania. Ich szefową doprowadzało to do furii, odbierała to jako osobistą zniewagę, tego dnia odbyła już dwie sympatycznie i milutkie rozmowy z „kochanym Edmundem" i „drogim panem Teo". Z ciepłym uśmiechem, odwołując się do solidarności zawodowej, przyjaźni, koleżeństwa i zwykłej ludzkiej empatii, nakłaniała ich, żeby załatwili sprawę między sobą. W jej przemówieniach pojawiały się ludowe przysłowia, buddyjskie dywagacje o karmie i chrześcijański wymóg miłosierdzia.

Wszystko odbijało się od ich nienagannych garniturów jak kauczukowe piłki od betonowej ściany. Falk wierzył, że czyni słusznie. Szacki też w to wierzył. Paradoksalnie ta niepojęta dla wszystkich zgoda w sprawie, która powinna ich ostatecznie skłócić i poróżnić, sprawiła, że między mężczyznami zawiązała się nić sympatii.

– Muszę przyznać, że pańska decyzja trochę mnie rozczarowuje – powiedział Falk, mieszając w filiżance kawę rozpuszczalną.

Siedzieli w gabinecie Szackiego i czekali na pojawienie się doktora nadkomisarza Jarosława Klejnockiego. Policyjny psycholog, zajmujący się tworzeniem profili psychologicznych sprawców przestępstw, przyjechał już z Krakowa, ale podobno musiał załatwić coś ważnego na mieście. Szacki nie protestował, napotkał w swojej karierze niepoliczalną ilość dziwaków, a Klejnocki i tak był dość zwyczajny w porównaniu z na przykład Ludwikiem Frankensteinem czy siedzącym przed nim asesorem.

– Przykro mi, że po raz kolejny nie mogę sprostać pańskim wysokim standardom. Poza tym myślałem, że tym akurat będzie pan zachwycony. To w końcu pańscy mistrzowie z FBI wymyślili profilowanie i w ogóle analizę behawioralną.

Edmund Falk wypił trochę kawy i skrzywił się. Trudno powiedzieć, czy z powodu kawy, czy słów Szackiego.

– Profilowanie od początku wydawało mi się podejrzane – odparł Falk. – Za dobre, żeby było prawdziwe. Gość czyta akta, analizuje, a potem mówi: znajdziecie go w barze, będzie jadł hamburgera z podwójną ilością sera i czytał wyniki sportowe, a w teczce będzie miał prezent dla matki. Jeśli coś jest na tyle wydumane, że dobrze prezentuje się w kryminałach, to musi być podejrzane. Ale postanowiłem nie kierować się emocjami, tylko wybadać sprawę.

– I?

– Przeprowadzono szereg badań, które miały potwierdzić skuteczność profilowania. Akta rozwiązanych spraw dano profilerom, ale też studentom różnych kierunków, zwyczajnym policyjnym śledczym i psychologom. Poproszono ich o stworzenie na podstawie akt profilu sprawcy, który potem został porównany z faktycznym sprawcą, doskonale znanym, bo jak mówiłem, sprawy dawno zostały rozwiązane, sprawcy skazani.

Zapiszczała komórka Szackiego. Zerknął i zmarszczył brwi. Dostał MMS-a od Klejnockiego. Wyglądało jak zdjęcie nieczynnej fontanny na rynku, tuż przed „Staromiejską". Bez żadnego komentarza.

– Wynik? W żadnym badaniu profile zawodowców nie były bardziej celne od wskazań innych, wliczając w to amatorów kryminalistyki. Za to, co znamienne, świetnie wypadali studenci chemii i biologii.

– Znamienne, ale nie zaskakujące – skomentował Szacki. – W świecie nauki jest miejsce na logikę, zdrowy rozsądek, wnioskowanie na podstawie twardych dowodów i weryfikację wniosków.

– Tymczasem profilowanie to hochsztaplerka. Doszedłem do takiego wniosku i uznałem, że w to nie wierzę. To był logiczny wybór.

Edmund Falk zamilkł, przez chwilę siedzieli w ciszy.

– Nie chce mi się wierzyć, że pan w to wierzy.

– Oczywiście, że nie wierzę – odpowiedział spokojnie Szacki. – Uważam, że psychologia to pseudonauka, a psychologiczne profilowanie przestępców to tylko ładna nazwa dla tego, czym się zajmuje jasnowidz Jackowski. Jak ktoś powtórzy dziesięć razy, że widzi ciało w lesie, to ze trzy razy musi trafić, w końcu jedna trzecia tego kraju to las, łatwiej tam zakopać trupa niż na autostradzie.

– W takim razie, dlaczego spotykamy się z profilerem?

– To bystry gość. Dziwny, ale naprawdę bystry. I przeczytał więcej akt, niż pan kiedykolwiek w ogóle zobaczy na oczy. Pieprzy od rzeczy jak oni wszyscy, ale czasami powie coś, co ma sens.

– Coś? – Falk nie potrafił ukryć pogardy w swoim spojrzeniu.

Nie skomentował. Falk miał swoją rację, ale niektóre rzeczy zrozumie po piętnastu latach praktyki. Na przykład to, że śledztwo jest jak puzzle, naprawdę trudne puzzle, nocny pejzaż falującego oceanu z dziesięciu tysięcy kawałków. W pewnej chwili wszystkie te kawałki już leżą na stole, tylko za cholerę ich nie można połączyć. I wtedy najbardziej potrzebny jest ktoś, kto spojrzy i powie: „Hej, ale przecież to nie jest księżyc, tylko jego odbicie w falach".

6

Xanax sprawił, że była w ogóle w stanie wejść do izolatki, zamiast trząść się przed drzwiami ze strachu. Nie potrafił jednak wyłączyć emocji. Smutek spowodowany wspomnieniem tamtych wydarzeń walczył ze wstrętem, fizycznym obrzydzeniem wobec bladego faceta siedzącego na łóżku. Wiedziała, że ta pogarda jest bardzo nieprofesjonalna, ale nic nie mogła poradzić.

Mężczyzna nie nawiązywał żadnego kontaktu. Szybko uznała, że nie jest to wynik braku możliwości, lecz braku chęci. To nie jego mózg, jak w wypadku większości pacjentów na tym oddziale, zadecydował za niego, żeby wylogować się ze świata. Wyglądało, że to w pełni świadoma decyzja. Obserwacja to potwierdzi, a potem już zależy od prokuratury, co z nim zrobią. Nie ona będzie prowadzić obserwację, ale osobiście zadba o to, żeby żaden sąd nie miał wątpliwości co do poczytalności podejrzanego.

Zastanowiła się, jaki może być powód braku kontaktu. Żelazna konsekwencja mężczyzny jej zdaniem wskazywała na to, że musi chodzić o coś więcej niż zwyczajne symulowanie, taktykę obliczoną na uniknięcie kary. Wyrzuty sumienia? Byłby to pierwszy znany jej przypadek, że jakiś szybki w rękach damski bokser dorobił się sumienia. Habilitację by z tego mogła kiedyś zrobić. Szok? Prędzej. Trauma? Ale jaka? Jak wszyscy kaci domowi, był zapewne ofiarą przemocy w dzieciństwie. Może wróciło jakieś wyparte wspomnienie, jakieś okropieństwo, którego doświadczył.

Może uda się do tego dotrzeć, jeśli w ogóle go otworzą.

Pomyślała ostatnie zdanie, usłyszała je i zalała ją fala smutku. Zebrała całą swoją siłę woli i doświadczenie trzydziestu lat pracy, żeby nie rozpłakać się przy pacjencie. Tak samo wtedy siedziała na taborecie, tak samo układała myśli w głowie i szukała sposobu, żeby otworzyć pacjenta.

Opanowała się.

– Proszę pamiętać, że nie pracujemy dla policji ani dla prokuratury – powiedziała. – Jesteśmy lekarzami i bez względu na to, dlaczego pan się tu znalazł, chcemy pomóc. Jest pan otoczony przez ludzi życzliwych. Będziemy przychodzić, pytać, nie będziemy ustawać w próbach nawiązania kontaktu. Ale gdyby pan sam uznał, że chce porozmawiać, to o każdej porze dnia i nocy jesteśmy do pana dyspozycji. Żeby z życzliwością i zrozumieniem wysłuchać i pomóc. W czym tylko pan będzie chciał. Co tylko przyniesie panu ulgę i sprawi, że poczuje się pan lepiej. Jesteśmy przyjaciółmi. Rozumie pan?

Liczyła, że chwyt zadziała. Że jej łagodny, aksamitny głos doświadczonej terapeutki w połączeniu z pozytywnym przekazem sprawi, że się zapomni i skinie głową. Byłby to miły krok w stronę pełnej poczytalności i w stronę bezwarunkowej odsiadki w zakładzie karnym.

Mężczyzna nawet nie drgnął. Zauważyła, że był chorobliwie blady, jakby cierpiał na anemię lub stracił dużo krwi. Zapisała na karcie: morfologia.

Zerknęła w stronę korytarza. Pan Marek stał oparty o ścianę i obserwował, co się dzieje w środku. Czujnie, ale cierpliwie. Mimo to rozumiała, że pewnie ma pilniejszą robotę, niż gapić się na rozmowę z facetem, który się nie odzywa. Skinęła głową na znak, że zaraz kończy.

– Pójdę już. Przyjdę jeszcze po wieczornym obchodzie, dobrze? Może będzie pan miał ochotę na rozmowę. Większą niż na jedzenie. – Zmusiła się do uśmiechu i wskazała na naczynia po śniadaniu. Kakao było wypite do końca, ale kanapka z serem nietknięta. – Proszę jeść, dobrze? Taki duży mężczyzna, daleko pan na kakao nie zajedzie.

Wstała i podeszła do drzwi, kiedy mężczyzną wstrząsnął krótki atak stłumionego przez zamknięte usta kaszlu. Dziwne, trochę jak kaszel, trochę jak odruch wymiotny. Odwróciła się. Siedział na łóżku w tej samej pozycji, wzrok wbity w ścianę, ale palce zaciśnięte na pościeli. Widziała, że wkładał wiele wysiłku w powstrzymanie tego ataku, aż oczy mu się zaszkliły.

Podeszła bliżej. Mokry oskrzelowy kaszel, płuca próbowały się pozbyć zalegającej w nich wydzieliny, słyszała taki w przychodni setki razy. Próba powstrzymania takiego kaszlu nie miała sensu, ciało w wielu wypadkach było często mądrzejsze od człowieka w walce o zdrowie.

W oczach mężczyzny pojawiła się panika. Jakby głupi atak kaszlu stanowił zagrożenie. Walczył jak mógł ze swoimi oskrzelami, gdyby nie okoliczności, byłoby to komiczne.

Wstrząsany skurczami, zaczął wychodzić ze swej roli. Zerknął na Zemstę z histerią w oczach, ułamek ułamka sekundy, ale wystarczyło, żeby utwierdziła się w przekonaniu, że o żadnej niepoczytalności nie ma mowy.

Kaszel w końcu zelżał. Mężczyzna ciężko oddychał nosem po ataku. Coś było nie tak.

Zemsta skinęła na pana Marka, który momentalnie wszedł do środka i spojrzał pytająco.

– Proszę podejść z pacjentem do okna – powiedziała.

Z jej głosu ulotniły się wszystkie tony przyjaźni i empatii, teraz była panią ordynator. No i laryngolog. Nie miała jednorazowych rękawiczek, nie miała wziernika ani szpatułki, ale uznała, że i tak może mu zajrzeć do gardła. Coś w tym kaszlu było niepokojącego.

Mężczyzna pokornie wstał z łóżka, kiedy pan Marek ujął go za ramię. Dopiero teraz zauważyła, że łóżko jest dziwacznie posłane. Wezgłowie okryto kocem bardzo pieczołowicie, tak pieczołowicie, że w nogach wystawało pół metra kołdry i prześcieradła. Nikt tak nie ścieli łóżka.

Podeszła i zdecydowanym ruchem zerwała koc. Nic. Poduszka nakryta kołdrą. Uniosła kołdrę, znowu nic. Poduszka na prześcieradle. Już miała odłożyć kołdrę na miejsce, ale zajrzała jeszcze pod poduszkę.

Wciągnęła ze świstem powietrze. Prześcieradło pod poduszką i druga strona poduszki były nasiąknięte krwią, jakby mężczyzna wykrwawiał się tam przez całą noc.

Coś było bardzo nie tak.

– Proszę otworzyć usta – powiedziała, podchodząc do okna.

Mężczyzna trząsł się i kręcił głową, w oczach miał tak skrajne przerażenie, że mimo wszystko Teresie Zemście zrobiło się przykro.

– Proszę pana, nie pora na głupie gierki. Wszyscy wiemy, że nic panu nie jest i że właściwie opinię mogłabym napisać dzisiaj. Jestem lekarzem i chcę pana tylko zbadać. Proszę się nie wygłupiać i otworzyć usta.

Nachyliła się, a mężczyzna otworzył szeroko usta.

Zajrzała w krwawą jamę i natychmiast tego pożałowała.


# 7


Doktor nadkomisarz Jarosław Klejnocki przepoczwarzył się. Poprzedni Klejnocki z okularami grubości szyby przeciwpancernej, brodą i fajką był podręcznikowym przykładem ekscentrycznego intelektualisty, który swoje wypowiedzi dzieli na przenikliwe, obrazoburcze i dające do myślenia.

Klejnocki Anno Domini 2013 robił wrażenie pięćdziesięcioletniego akademika, który po latach szczęśliwego i pełnego namiętności związku ze swoją biblioteczką zakochał się w cycatej studentce. Zgolił brodę, zamienił okulary na kontakty, tweedową marynarkę na bluzę z kapturem, a praktyczną fryzurę rekruta na nażelowego jeżyka. I pewnie był przekonany, że te zabiegi odmłodziły go o dwadzieścia lat.

Mylił się.

– Panowie pewnie nie wiecie, chyba że śledzicie mnie na fejsie. – Zawiesił na nich pytające spojrzenie, a kiedy pokręcili przecząco głową, wrócił do wywodu. – Moją małą pasją jest tropienie polskości w polszczyźnie. Uważam, że gdzieś w tych ciemnych leksykalnych odmętach znajdują się słowa, które stanowią klucz do polskiej tożsamości, najlepiej definiują specyficzny nadwiślański stosunek do siebie, bliźnich i do świata w ogóle.

Odmówił kawy, wyjął ze sportowej torby butelkę niegazowanej wody i plastikowy pojemnik z kiełkami.

– Takim słowem jest „paździerz". Proszę zwrócić uwagę na wielowymiarowość tego rzeczownika. Po pierwsze, jest on fonetycznie arcypolski, każdy obcokrajowiec musiałby poświęcić tydzień, aby nauczyć się wymawiać to słowo. Dzięki czemu staje się ono elitarnie, endemicznie polskie, samymi głoskami broni przed obcymi dostępu do skrywanych w nim treści. Po drugie, w swoim pierwotnym znaczeniu oznacza zdrewniałe, suche części łodyg konopi, oddzielone od włókien za pomocą trzepania. Czujecie panowie, że jest w tej scenie coś z Reymonta. Słońce zachodzi nad polami, a czerstwe chłopki międlą i trzepią łodygi lnu. Trzeba pozbyć się paździerzy, żeby móc utkać koszule na te wspaniałe biusty.

Szacki był pewien, że Klejnocki właśnie widzi przed oczami nową narzeczoną. Biegnie do niego w lnianej koszuli i z daleka widać, że jej staropolska, jurna dusza nie akceptuje stanika.

– Ale paździerz nie umiera w czasie trzepania – dodał Klejnocki i zawiesił dramatycznie głos. – Jego odpadowe życie dopiero się zaczyna, kiedy staje się częścią płyty paździerzowej.

Spojrzał na słuchaczy, ale Szacki i Falk siedzieli cicho i nieruchomo jak posągi.

– Ten odpad zdrowej kultury ludowej w Polsce ponowoczesnej zyskuje na znaczeniu. Paździerze po przepoczwarzeniu się w płytę stają się pożądane, poszukiwane jako niezbędny element każdej narodowej prowizorki, wszystkiego, co tanie, byle jakie i na odpierdol. Paździerz, szanowni panowie, we wszystkich swoich znaczeniach jest nie tylko budulcem, ale też fundamentem Rzeczpospolitej. Ponieważ to właśnie z płyty paździerzowej zbudowano stół, przy którym w osiemdziesiątym dziewiątym roku odebrano poród nowej Polski. Oklejono go dębowym fornirem, ale prawda jest taka, że Najjaśniejsza urodziła się na paździerzach.

Zrobił ruch, jakby chciał przeczesać dłonią włosy, ale w ostatniej chwili musiał sobie przypomnieć o żelu i cofnął rękę. Zamiast tego zjadł trochę kiełków, typowe kompulsywne zachowanie człowieka, który niedawno rzucił palenie.

– Przysłałem panu MMS-a – powiedział z pełnymi ustami.

– Fontanna?

Klejnocki skinął głową.

– Dlatego przyjąłem pańskie zaproszenie. Normalnie nie byłoby mowy, żebym się tłukł PKP cały dzień do tej krainy wiecznej mgły i marznącej mżawki.

Falk poruszył się niespokojnie, a Szacki ku swojemu zdumieniu poczuł się urażony.

– Myślałem, że wyjazd z krainy smogu, zaduchu i strasznego mieszczaństwa dobrze panu zrobi. Nawet wy chyba musicie czasami odetchnąć czymś innym niż kurz z kotar i zapach brytyjskich wymiocin.

Klejnocki spojrzał zaskoczony.

– Jedenaście jezior w samych granicach administracyjnych miasta – powiedział Szacki, nie mogąc uwierzyć, że wypowiada te słowa. – Dwa miesiące mgły to niewielka cena za mieszkanie w wakacyjnym kurorcie. Nie sądzi pan?

– Sądzę, że reumatyzm to straszliwe cierpienie. No, ale to już sam się pan przekona.

– To może przejdźmy do rzeczy – zaproponował Falk.

– Właśnie! Otóż fontanna! – Klejnocki albo nie zrozumiał, albo nie chciał zrozumieć. – Musiałem ją zobaczyć, ponieważ szukając różnych zastosowań słowa „paździerz", trafiłem na taki oto fragment z olsztyńskiej prasy, dotyczący remontu fontanny. – Wyciągnął iPada i odblokował ekran. – Proszę posłuchać: „Ani wczoraj, ani dzisiaj wodotrysków nie zobaczymy. Fontannę przykrywa bowiem obudowa z płyt paździerzowych, a pod nią schnie beton. I dojrzewał będzie jeszcze kilka dni".

Odłożył iPada.

– Słyszycie to, panowie? Niestety nie będzie wodotrysków, ponieważ pod paździerzem dojrzewa beton. Sto lat bym myślał i nie wymyślił lepszej metafory na opisanie naszej ojczyzny. A teraz *ad rem*.

Sięgnął znowu po iPada. Zwlekał z odblokowaniem wystarczająco długo, żeby mogli zobaczyć zdjęcie pulchnej brunetki w bluzce na ramiączkach. Cóż, Marlena Dietrich to nie była, ale w międleniu i trzepaniu na pewno nie miała sobie równych.

– Zapoznałem się ze wszystkimi materiałami, jakie dostałem, i mam kilka hipotez, które mogą panom pomóc. Ale muszę zadać kilka dodatkowych pytań.

Przez następne pół godziny Szacki drobiazgowo precyzował dotychczasowe ustalenia śledztwa, czasami wspierany przez Falka, który potrafił wykazać się analitycznym umysłem. Do tego stopnia, że Szacki poczuł zazdrość, że nie był tak błyskotliwy w wieku asesora.

Kiedy skończyli, Klejnocki zamyślił się i zamiast zapalić fajkę, podjadł trochę kiełków. Zajrzał do prawie pustego pudełka z miną palacza, któremu został tylko jeden papieros w paczce, i odsunął resztkę bardzo zdrowej przekąski na później.

– Moją odpowiedzią jest stos – powiedział.

Spojrzeli pytająco.

– Pan, rozumiem, pochodzi z tych nietkniętych cywilizacją okolic? – zwrócił się do Falka, a kiedy ten skinął głową, kontynuował: – To zapewne pokazywali panu mama i tata zamek w Reszlu, to raptem sześćdziesiąt kilometrów stąd w stronę Kaliningradu. Pokazywali?

Falk potwierdził.

– Otóż na tym zamku na początku dziewiętnastego wieku pruskie władze, znane ze swego oświecenia, więziły przez cztery lata w strasznych warunkach niejaką Barbarę Zdunk, podobno stręcząc ją na prawo i lewo, aby umilić sobie oczekiwanie na wyrok. Wyrok ten ostatecznie zapadł w Królewcu, gdzie najbardziej oświeceni sędziowie Prus Wschodnich skazali kobietę na spalenie na stosie. Tak, szanowny panie Warmiaku, ostatni stos w Europie zapłonął na Świętej Warmii. – Wygrzebał sobie z pudełka maleńkiego kiełka i zjadł. – Dlaczego o tym mówię? Bo uważam, że to, co się stało z waszym denatem, to dzisiejszy odpowiednik stosu. Nowoczesny stos, chemiczny, bez dymu i ognia. Jeśli przyjmiemy taką hipotezę i spojrzymy na historię stosów, możemy *per analogiam* wnioskować na temat waszego sprawcy. Nadążacie panowie?

– Tak – odparł Szacki.

– Co nie znaczy, że się zgadzamy – dodał Falk.

Klejnocki uśmiechnął się z politowaniem.

– Proszę, proszę, książę rozumu we własnej osobie. Pan pewnie wierzy w twarde dowody, analizy DNA, bezsporne zeznania i odciski palców zostawione na framudze. A moją domenę uważa za szamaństwo, bajania wariata, któremu nie chciało się pracować w szpitalu, a na prywatną praktykę jest zbyt szajbnięty i musiał sobie znaleźć jakąś niszę. Mam rację?

Falk wykonał uprzejmy gest, wyrażający, że nie ma innego wyjścia, niż zgodzić się z przedmówcą.

– Nie mam żalu, mało kto myśli inaczej. Proszę jednak pozwolić mi skończyć, skoro już podatnik zapłacił za moją podróż z Krakowa.

Szacki postanowił, że jeśli Falk jeszcze raz sprowokuje Klejnockiego do dygresyjnych wynurzeń, to wyrzuci gówniarza za drzwi.

– Niech pan to potraktuje jako ćwiczenie intelektualne – powiedział jeszcze naukowiec, trochę naburmuszony, widocznie rzadko kwestionowano jego rolę tak otwarcie. – Tylko tyle. Nie boli, a być może sprawi, że wpadniecie na trop, który okaże się ważny.

– Panie doktorze – nie wytrzymał Szacki. – Do rzeczy, proszę.

– Znalazłem kilka analogii. Pierwsza to taka, że ci, którzy podpalali stosy w Europie, byli przekonani o słuszności swojego postępowania. Oczywiście byli zaburzonymi, morderczymi świrami, tak jak wasz sprawca, to nie ulega wątpliwości. Ale w tym zaburzeniu była logika. Baza ideologiczna, prawna, proceduralna. Prokuratorzy i sędziowie szli spać w poczuciu dobrze spełnionego obowiązku, a rano cieszyli się, że pomogą społeczeństwu, oczyszczając świat z czarnoksięskich szumowin.

– Jak w *Siedem* – skomentował Falk.

– Właśnie. W tej wersji nie szukacie Hannibala Lectera i jemu podobnych, mordujących dla przyjemności zadawania cierpienia. Szukacie kogoś, kto wierzy w to, że jest jedynym sprawiedliwym. Wolałby siedzieć na działce i grillować, ale cóż zrobić, skoro świat wymaga oczyszczenia.

– To oznacza, że Najman zapłacił za jakąś swoją winę?

– Tak, lecz nie potrafimy przewidzieć skali zaburzenia „sprawiedliwego". Może denat nielegalnie zagrodził dostęp do jeziora na działce, a sprawca jest ekologicznym lewakiem? Proszę pamiętać, że cały czas poruszamy się w obrębie zaburzenia. Poważnego zaburzenia.

Klejnocki sięgnął po kiełka, zostało mu już tylko kilka.

– Druga analogia to publiczność. Nawet jeśli samo, hm, inkwizycyjne postępowanie przygotowawcze było prowadzone w lochach, to egzekucje odbywały się publicznie, ku uciesze i przestrodze tłumu. Oraz ku reklamie jej oprawców.

– To nie jest żadna analogia. – Falk wzruszył ramionami. – Najman zginął najprawdopodobniej w jakiejś głuszy, a jego szczątki ukryto w zapomnianym od dekad bunkrze. A sprawca niestety nie stoi na rynku i nie czeka na poklask.

– Uważam, że pan się myli, panie asesorze – odparł Klejnocki. – Szczątków nie ukryto, znaleźliście je po kilku dniach.

– Przypadek.

– Wierzy pan w przypadek? Pan, człowiek rozumu? Ale darujmy sobie złośliwości – dodał, widząc mordercze spojrzenie Szackiego. – Nawet na początku, kiedy wierzyliście, że szczątki należą do jednej osoby, mało prawdopodobne było, żeby ktoś je tam chciał schować. Odkąd wiecie, że szkielet został pieczołowicie spreparowany z paru osób, jest to nieprawdopodobne. Nikt nie zadaje sobie takiego trudu bezinteresownie. Ten szkielet miał być znaleziony. I to szybko. Gdyby roboty drogowe nie wypaliły, sprawca znalazłby pewnie inny sposób.

– Z tym mogę się zgodzić – skomentował chłodno Falk – ale to ciągle nie jest analogia do egzekucji. Czyn został dokonany w ukryciu i poza nami prawie nikt o nim nie wie. Myli się pan.

Szacki pod stołem zacisnął dłonie tak mocno, że paznokcie wbiły mu się boleśnie w podstawę kciuka.

– Proszę pana, jest dwudziesty pierwszy wiek, nasz epigon inkwizycji musi działać w ukryciu, bo inaczej zaraz byście go zamknęli i jak wtedy by wymierzał sprawiedliwość? A co do publicznej egzekucji, to proszę dać mu szansę. Nie trzeba wiele, żeby wszystkie media się na to rzuciły, doskonale pan o tym wie. Trudniej dziś jest sterować samochodzikiem na radio niż mediami.

– Dlaczego jeszcze tego nie zrobił? – Falk nie odpuszczał i w końcu napotkał wzrok Szackiego, ponieważ dodał do swojego patrona: – To nawet nie jest teoria, to są jakieś fantasmagorie. Boję się, że się zasugerujemy i pójdziemy tym tropem.

– Można powiedzieć, że płomień nie jest dostatecznie wysoki – kontynuował Klejnocki. – Sprawca chce, żeby jego czyn został zauważony w całej krasie. Odkryliście zwłoki. Potem dowiadujecie się, że zwłoki są świeżutkie. Potem odkryliście straszną śmierć, która stała się udziałem denata. Potem, że szczątki są „wieloosobowe". Za chwilę pewnie znajdziecie coś, co sprawi, że jego czyn będzie jeszcze bardziej spektakularny. I wtedy zobaczymy to na pasku we wszystkich telewizjach. To wariant optymistyczny.

– Optymistyczny?

– Że odkryjecie coś, co już się stało. Wariant pesymistyczny jest taki, że dorzuci wam nowego trupa albo i kilka, pójdzie w ilość, a nie w jakość. To wariat, nie zapominajmy.

Szacki pomyślał, że bardzo mu się nie podoba wywód Klejnockiego. Miał szczerą nadzieję, że barwna hipoteza nie ma nic wspólnego z rzeczywistością.

– *Tertio*: to nie jest samotny myśliwy...

– Bzdura! – wtrącił się znowu Falk. – Analizy behawioralne są jednoznaczne, seryjni mordercy zawsze działają w pojedynkę.

– Pan mnie obraża, stawiając na równi z tymi hochsztaplerami z FBI, którzy udają, że potrafią przewidzieć, w jakim krawacie będzie zatrzymany i w której dziurce od nosa będzie dłubał. – Naukowiec uniósł się. – To, co ja robię, to nie jest analiza behawioralna. To jest próba myślenia równoległego, które ma wyrzucić was z kolein, otworzyć wasze ciasne prokuratorskie umysły na coś innego niż to, co już wymyśliliście.

– Jeśli ta rozmowa kosztuje pana tyle emocji – zwrócił się Szacki lodowatym tonem do Falka – to przypominam, że nie bierze pan udziału w tym postępowaniu i pańska obecność nie jest obowiązkowa.

Falk przez chwilę wyglądał, jakby chciał wybuchnąć, ale w końcu zapiął górny guzik marynarki i skinął głową na znak przeprosin.

– *Tertio* – powtórzył Klejnocki – w tej narracji sprawca nie jest samotnym myśliwym. Stosy płonęły, bo stała za nimi potęga instytucji. Także prawo, jak wspomniałem. Rozważaliście istnienie jakiejś sekty?

Szacki pokręcił przecząco głową.

– Zdaję sobie sprawę, że to fantastyczna hipoteza. Ale żyjemy w czasach przełomu. Kryzys, nierówności społeczne, relatywizm, odwrót od wiary, szalony Putler za bliską granicą. To tradycyjnie czasy, kiedy pojawiają się różni wróże, prorocy i szamani, żeby żerować na ludzkiej niepewności. Poza tym jeśli weźmiecie pod uwagę, że sprawca nie działa w pojedynkę, wiele rzeczy z tej sprawy łatwiej wyjaśnić. Dla jednej osoby porwanie, wymyślne morderstwo, podrzucenie zwłok to ogromna praca, jak dla geniusza. Przy kilku osobach do pomocy nie potrzeba geniusza, tylko sprawnego menedżera.

– Rozumiem – powiedział Falk ze sztucznym spokojem – ale chciałbym, aby zostało odnotowane, że się z tym nie zgadzam. Zabójstwo Najmana i innych to dzieło szaleńca, nie da się dzielić szaleństwa z innymi.

– Niech pan to powie Świętej Inkwizycji i swoim mazurskim przodkom z Hitlerjugend.

– Wypraszam sobie. Jestem Warmiakiem od pokoleń.

– Tak? A jak dziadkowie w plebiscycie głosowali?

– Nie można zadawać takich pytań bez zrozumienia mentalności na tych ziemiach i ówczesnych realiów historycznych.

– Jasne. – Klejnocki uśmiechnął się złośliwie.

Szacki policzył w myślach od pięciu do zera, żeby nie wybuchnąć.

– Panowie – mówił bardzo wolno i spokojnie – jak dla mnie możecie potem dyskutować godzinami. A teraz skończmy.

– *Quatro* i ostatnio. – Klejnocki wyprostował dłoń z czterema rozcapierzonymi palcami. – Taka wersja śledcza zakłada motywację, nazwijmy to, systemową. Dla sprawcy nadrzędne jest oczyszczenie społeczeństwa i wedle takiego klucza wybiera swoje ofiary. Kieruje się przy tym jakimś kodeksem oraz znanymi nam z teorii prawa zasadami prewencji szczególnej i prewencji ogólnej. Czyli chce ukarać sprawcę oraz wysłać sygnał potencjalnym sprawcom, że on i jego kodeks czuwają i żeby mieli się na baczności, ponieważ jego metody są cokolwiek bardziej surowe niż te stosowane przez organy ścigania i wymiar sprawiedliwości. W tej wersji powinniście założyć, że motywy osobiste nie mają znaczenia. Anioł sprawiedliwości nie kieruje się tak niskimi pobudkami jak rodzinne toksyny.

– Wracamy do tej samej wątpliwości – powiedział Szacki. – Jeśli zasada prewencji ogólnej ma mieć zastosowanie, to sprawa powinna zostać nagłośniona. Jeśli społeczeństwo o niej nie wie, to działanie nie ma sensu.

– Wracamy do tej samej odpowiedzi. Może za chwilę sprawa zostanie nagłośniona. Zastanówcie się, czy nie wolicie jej nagłośnić wcześniej sami na waszych warunkach. Manewr wyprzedzający, włożenie kija w szprychy. Wariat wygląda na neurotycznie poukładanego, na takich ludzi zwykle źle działa pokrzyżowanie planów. Może zrobi jakiś błąd.

Prokurator Teodor Szacki przez chwilę rozważał tę propozycję. To miało sens. Sprawa była zbyt wyjątkowa, a ich poczynania zbyt zwyczajne i przewidywalne. Zrobienie czegoś nieoczekiwanego mogłoby przynieść pozytywny rezultat.

– Na stosach płonęły kobiety. – Falk podzielił się wynikami jakichś swoich przemyśleń. – A nasza ofiara to mężczyzna. Bardzo męski na dodatek.

– Równouprawnienie ma dwa końce. – Klejnocki wzruszył ramionami.

– A gdyby pan miał się pokusić o typowe profilowanie – powiedział Szacki. – Stworzenie portretu sprawcy, zgodnie z przedstawioną przez pana wersją śledczą. W tym wariancie jest, jak pan powiedział, neurotycznie dokładny i zaplanowany oraz przekonany o słuszności swoich poczynań. Coś jeszcze?

Psycholog zjadł ostatniego kiełka. Myślał przez chwilę.

– Blondyn z włosami do ramion – oznajmił pewnym głosem. – Dwójka dzieci, starsze z astygmatyzmem. Żona pracuje w punkcie mieszania farb. On sam cierpi na gefyrofobię, rzadkie schorzenie psychiczne, objawiające się panicznym lękiem przed przechodzeniem mostów. Dlatego wszystkie ofiary zostaną znalezione po tej samej stronie rzeki.

Szacki i Falk patrzyli na niego bez słowa.

– Żartowałem.

Nawet nie mrugnęli.

– Jezu, ale jesteście sztywni – mruknął Klejnocki. – Myślałem o dwóch rzeczach, które praktycznie musiałyby być obecne przy takim profilu sprawcy. Po pierwsze, sprawca bez wątpienia doznał osobistej krzywdy. Ale uwaga, ze strony nie tylko innego człowieka, ale też systemu, który z jakichś powodów nie zadziałał. Dlatego nasz wariat postanowił wyręczyć system. Po drugie, taka działalność wymaga wiedzy o ludziach, o ich życiu, o ich postępkach. Trzeba jakoś wyszukiwać tych, którzy zasługują na karę. Jeśli nie chodzi o grodzenie jeziora lub dymanie kogoś na boku, tylko o czyny karalne, trzeba wiedzieć na tyle dużo, żeby dobrać się do tej osoby przed organami ścigania.

– Kto ma taką wiedzę? – zapytał Falk.

– Ksiądz. Terapeuta. Policjant. Prokurator, żeby daleko nie szukać. Lekarz.

Szacki zerknął czujnie na Falka. Ten jednak patrzył gdzieś w przeciwną stronę, za okno.

– Widzę, że lekarz wam pasuje. – Klejnocki nie potrafił ukryć zadowolenia.

Nie skończył zdania, kiedy zadzwoniła komórka Falka.

– À propos lekarza – mruknął asesor, patrząc na wyświetlacz. – Przepraszam, muszę odebrać.

Wyszedł na korytarz, zamykając za sobą drzwi, ale Szacki z Klejnockim nie zdążyli zamienić słowa, kiedy wrócił. Szacki spojrzał na Falka i zrozumiał, że spotkanie dobiegło końca.

# 8

Doktor Teresa Zemsta promieniowała spokojem. W świecie ludzi podenerwowanych, nadpobudliwych, zestresowanych i spiętych wydawała się oazą naturalnego wyciszenia. Prokurator Teodor Szacki czuł się bardzo dobrze w jej towarzystwie i zastanawiał się, czy swój spokój zawdzięcza terapii, ćwiczeniom medytacyjnym, czy może po prostu tyle już widziała w życiu klinicznego psychiatry, że nawet obserwując przez okno płonącego *Hindenburga*, po prostu uśmiechnęłaby się łagodnie i wrzuciła paczkę popcornu do mikrofalówki.

– Nie wszystko rozumiem – powiedział, wysłuchawszy jej krótkiego raportu. – To w końcu nie może mówić czy nie chce?

– Ujmę to inaczej. Nie chce się z wami komunikować. Gdyby chciał, na pewno znalazłby sposób. Można użyć kartki, wystukać coś na komórce. Mogę też wstępnie stwierdzić, że brak komunikacji z jego strony jest efektem świadomej decyzji, a nie stanu chorobowego. Ale nawet gdyby chciał się z wami skomunikować, nie mógłby tego zrobić werbalnie. Ponieważ jego aparat mowy został nawet nie zlikwidowany, lecz zdewastowany.

– Jakie konkretnie elementy? – zapytał Falk.

– Konkretnie wszystkie. Trzeba będzie zrobić USG i rezonans, żeby właściwie ocenić rozmiary zniszczeń, ale nie widziałam nigdy czegoś takiego. Powybijane i pokruszone zęby, właściwie oderwany język, struny głosowe w strzępach.

– Zerwane?

– Proszę pana, no chyba prokurator powinien mieć jakąś wiedzę z anatomii. Fałdy głosowe to nie są struny, które można zerwać, tylko delikatne kawałki mięśni umocowane w krtani, trochę wyglądają jak wargi sromowe. Bardzo łatwo je zniszczyć, dlatego natura dobrze je ukryła.

Szacki spojrzał na Falka. Miał pytania, ale uznał, że występuje w roli patrona i że asesor sam powinien zadawać pytania w swoim śledztwie.

– Ma pani jakąś teorię, w jaki sposób dokonano takich obrażeń?

– Dużo jeżdżę na rowerze – powiedziała, a Szacki pomyślał, że może to ćwiczenia fizyczne są źródłem jej spokoju – i często się zatrzymuję przed pasami. Wiadomo, Olsztyn, zawsze czerwone. I żeby nie zsiadać z roweru, łapię się takiego biało-czerwonego słupka, który stoi przed pasami. I to była moja pierwsza myśl, kiedy zajrzałam do gardła tego człowieka. Że ktoś wziął taki metalowy słupek i go takim słupkiem, przepraszam za wyrażenie, oralnie zgwałcił.

Milczeli. Za oknem gabinetu Zemsty było już ciemno, za ciemną plamą parku Szacki widział światła budynku radia, w którym rano udzielał wywiadu. Poznał po charakterystycznych oknach, bardzo wąskich i wysokich.

– Czy możliwe, żeby zrobił to sam? – zapytał Falk. – Dokonał samookaleczenia, ponieważ chciał się ukarać za to, co zrobił żonie. Widziałem różne rzeczy, do których ludzi pchały wyrzuty sumienia.

– Powtarzałam sto razy różnym osobom, powtórzę i panom: domowi oprawcy nie mają wyrzutów sumienia, gdyż w ich świecie te czyny nie są złe. Oni wykorzystują swoje święte prawo do dyscyplinowania, do wychowywania, do karania, do przywoływania do porządku. Zarządzają swoimi dwunożnymi nieruchomościami w sposób, jaki uznają za właściwy. Zazwyczaj są z tego dumni, o wyrzutach sumienia nie ma mowy, o wstydzie też nie. Oczywiście niektórzy przyjmują do wiadomości, że świat zszedł na psy i można teraz mieć kłopoty za bicie żony. Ale to nic nie zmienia, po prostu biją tak, żeby nie było śladów, albo zamieniają przemoc fizyczną na psychiczną, zamiast bicia organizują seanse upokarzania. Jasne?

Potwierdzili.

– Działa tu specyficzny mechanizm dehumanizacji. Nie lubię porównywać żadnych zjawisk do nazizmu, bo to zawsze argument ostateczny, ale zarówno dyskryminacja mniejszości narodowych, jak i będący podstawą przemocy domowej seksizm noszą znamiona przemocy systemowej, dozwolonej w wyniku ideologicznej indoktrynacji.

Niemcy, mordując Żydów, nie dokonywali zabójstwa, ponieważ Żydzi nie byli ludźmi, tylko Żydami. Nauczono ich tego i zwolniono z odpowiedzialności. Sprawcy przemocy domowej też zostali nauczeni, że kobiety nie są ludźmi, lecz podgatunkiem, którego to podgatunku przedstawiciele są ich własnością. Dlatego jako psychiatra gwarantuję panom, że o żadnym samookaleczeniu nie może być mowy. Ale nawet gdybyśmy przyjęli fantastyczne założenie, że zrobił to sobie wszystko sam, to wątpliwe, żeby sam to sobie opatrzył.

– Opatrzył? Mówiła pani, że cały czas ma krwotok.

– Owszem, krwawi, krew zbiera mu się też w płucach, ale w porównaniu ze skalą obrażeń to nic, skaleczenie. Wasz klient nie wykrwawił się na śmierć, ponieważ najważniejsze naczynia zostały zszyte. Może nie na tyle profesjonalnie, żeby autora szwów zatrudnić od razu w klinice chirurgii plastycznej, ale na tyle, żeby od biedy zaliczył egzamin na studiach.

## 9

Osiemnasta.

Wszedł do domu, powiesił płaszcz i niestety w nozdrza nie uderzył go zapach ciepłego posiłku. Szacki poszedł do kuchni i wygrzebał w lodówce karton soku pomidorowego. Potrząsnął. Pełen albo prawie pełen. Cholera, nie pamiętał, czy go otwierał, czy nie.

Postawił szklankę na blacie i odkręcił zakrętkę, pod spodem kwitła puszysta biała pleśń. Czyli otwierał.

Wylał sok do zlewu, nalał sobie wody i usiadł przy stole w kuchni.

I poczuł, że jest głodny, i dopiero wtedy zrozumiał, że nie czuje zapachu ciepłego posiłku. Nauczony doświadczeniem ubiegłego tygodnia nie zaczął się drzeć, tylko sprawdził, czy nie ma żadnych sms-ów od córki, a potem zadzwonił do Żeni. Dowiedział się, że bachor nie meldował się u niej, nie usprawiedliwiał, nie prosił o wybaczenie. W ogóle nic.

Może to i lepiej, pomyślał, tym razem nie umknie karzącej ręce sprawiedliwości.

Zaczął do niej wydzwaniać, nie mogąc wyjść ze zdumienia, że mimo wszystko wczorajszy wieczór potraktowała jako zwolnienie z jedynego obowiązku domowego. Wprost się pytała, wprost zaprzeczył, a ona i tak olała sprawę. O co chodzi? To jakiś rodzaj upośledzenia? Może coś zbroiła, o czym nie wiedział, i podświadomie robi wszystko, aby zasłużyć na karę i awanturę? A może hormony sprawiają, że traci nad sobą kontrolę do tego stopnia?

Oczywiście nie odbierała. Niewiarygodne. Wysłał jej przykrego sms-a i postanowił zrobić makaron z pesto, żelazny punkt w menu wszystkich tych, którzy nie lubią gotować, ale śmierć głodowa im się nie uśmiecha.

Dziewiętnasta.

Żenia wróciła tuż przed Faktami, co przyjął z ulgą, ponieważ nie mógł sobie poradzić z narastającym niepokojem. Wcześniej w ramach czynności zastępczych trochę sprzątał, trochę zajął się gotowaniem. Znalazł w zamrażarce pęczek zielonych szparagów, ugotował je na parze, pokroił i dodał do makaronu z pesto. Do tego trochę startego bursztynu, który cenił bardziej od parmezanu, wygrzebana ze spiżarki butelka hiszpańskiego wina na czarną godzinę i *voilà*, ekskluzywna kolacja gotowa.

– Zadzwoń do niej, niech zje z nami – powiedziała Żenia, siadając do stołu.

– Są tylko dwie porcje.

– Przestań, zadzwoń.

– Nie.

– To zadzwoń, żeby przynajmniej wiedzieć, że wszystko okej.

– Dzwoniłem, nie odbiera.

Oczywiście brew powędrowała jej do góry jak na kreskówce.

– Aha. A jak myślisz: dlaczego?

Myślał przez chwilę, mieszając kluski. Mało to było światowe, ale lubił, jak się duża ilość sera rozpuszczała w makaronie.

– Czekaj, spróbuję sobie przypomnieć kilka najpopularniejszych ściem. W Warszawie zwykle nie mogła odebrać, bo akurat była w metrze, właściwie prawie zawsze była w metrze, zapewne chodziła na piechotę tunelami. Tutaj nawet tramwaju nie ma, więc odpada. Czyli że bateria jej się rozładowuje albo wyciszyła telefon, jako grzeczna uczennica, i zapomniała, albo schowała głęboko do torby, żeby jej źli olsztynianie nie napadli, nie skradli cacuszka. Często też się przytrafiają najrozmaitsze awarie. Ostatnio popularna jest metoda „na mżawkę". Coś się takiego dzieje, jak dzwoni z dworu, że się jej telefon zawiesza. Zawsze jak tego słucham, jedna rzecz mnie zastanawia.

– No?

– Czy ona nie wie, czym ja się zajmuję? Że po dwudziestu latach słuchania przeze mnie najróżniejszych złoczyńców i rzezimieszków przynajmniej z szacunku wobec ojca powinna przygotować jakieś przemyślane kłamstwo? Najbardziej mnie chyba to rani, że chce mnie okłamać na odpieprz się. Myślę wtedy, że nie szanuje mnie jako prokuratora.

Rozdzwoniła się jego leżąca obok komórka. Zerknął na wyświetlacz. Nie Hela, nikt z jego listy kontaktów, ale też nie zastrzeżony numer.

– No i proszę – powiedział, sięgając po telefon. – Dam na głośnik, żebyś słyszała, jak ściemnia, że jej się telefon rozładował, najpierw szukała ładowarki, nie znalazła i teraz dopiero od koleżanki dzwoni, wcześniej nie chciała, bo koleżanka ma tylko grosze na koncie. Zobaczysz.

Odebrał.

– Tak?

– Czy pan prokurator Szacki? – zapytał damski głos. Młody, ale nie bardzo młody.

Przełknął ślinę. Dopadła go straszna myśl, że to dzwoni ktoś z policji albo z pogotowia.

– Słucham.

– Nazywam się Natasza Kwietniewska, dzwonię z pisma „Debata". Chciałam się, po pierwsze, przedstawić, bo na pewno będziemy dużo pracować...

– Ja już nie pracuję.

– Słucham?

– Jest po siódmej. Siedzę w domu i jem kolację. Nie pracuję.

Żenia westchnęła i oparła brodę na splecionych dłoniach, uśmiechając się słodko, najwyraźniej zadowolona, że może sobie posłuchać tej rozmowy.

– No wie pan, ale my pracujemy. W mediach godziny są względne. Chciałam prosić o komentarz do dzisiejszej rozprawy pana Adamasa. Jak pan skomentuje fakt, że artysta jest prześladowany, a jego prace są cenzurowane przez funkcjonariuszy prawa pod pretekstem naruszenia przestrzeni publicznej?

Spojrzał na Żenię i wzruszył ramionami. Nie miał pojęcia, o co chodzi. Wyszeptała do niego „I-wiń-ski". Coś zaczęło mu świtać, w radiu słyszał, że ktoś przypomniał Iwińskiemu jego przeszłość w PZPR, zawieszając stosownej treści tabliczkę na biurze poselskim polityka.

Właściwie powinien poprosić o telefon nazajutrz. Właściwie.

– Proszę zrozumieć, że treść rzeczonej pracy nie ma tu nic do rzeczy, dlatego nasze działanie trudno nazwać cenzurą – powiedział poważnym tonem. – Chodzi wyłącznie o jej estetykę. Nasz urząd został zobowiązany, wynika to z dyrektyw unijnych, do ścigania osób, które swoimi działaniami oszpecają przestrzeń publiczną. Praca pana Adamasa naszym zdaniem nie była wystarczająco estetyczna.

– Ale jak pan myśli, jakie mogą być efekty restrykcyjnego stosowania takiej dyrektywy?

– Oceniamy, że w Olsztynie będzie to się wiązało z wyburzeniem około dwudziestu procent miejskiej zabudowy – powiedział i rozłączył się.

Żenia popukała się w głowę.

Dwudziesta.

Kalorie, alkohol i towarzystwo Żeni, choć może należałoby to ustawić w innej kolejności, sprawiły, że jego niepokój trochę zelżał. Jednakże Szacki nie potrafił wrócić do rutynowego zniecierpliwienia czy, jak to wczoraj ładnie ujęła jego córka, gniewu. Uznał, że zaczeka jeszcze na Helę, żeby ją opieprzyć, a potem pójdzie spać.

– Myślisz, że powinienem dać jej jakąś karę?! – krzyknął z salonu do Żeni, która wygrzewała się w wannie.

Nie usłyszała, więc wziął kieliszek z winem i poszedł do łazienki.

– Mogę?

– Nie.

– Dlaczego? Chciałem popatrzeć na ciebie na golasa.

– Wyobraź sobie, że nie zawsze jak jestem w łazience, to okładam sobie cycki pianą i czekam na mojego jurnego kochanka.

– Przecież toaleta jest osobno.

– Co ja poradzę, że lubię się czasami zesrać do wanny. Nie bądź głupi, dokonuję czynności kosmetycznych, w czasie których wyglądam bardzo nieatrakcyjnie. Żaden mężczyzna nie może mnie teraz zobaczyć.

Usiadł na podłodze koło drzwi.

– Myślisz, że powinienem dać jej jakąś karę?

– Nie mieszaj mnie do tego.

– Serio pytam.

– Nie mieszaj mnie, serio odpowiadam.

Westchnął. Karanie nie było nigdy jego mocną stroną. Zdawał sobie sprawę, jak to brzmi i że jako prokurator nie powinien mieć takiego motta wyhaftowanego nad biurkiem. Czterokrotnie jako prokurator żądał dożywocia i nawet mu powieka nie drgnęła. Ale nie miał pojęcia, jak ukarać szesnastolatkę. Ma jej dać szlaban? Wyśmieje go, będzie siedzieć w pokoju, a z komputera i telefonu poświęci się aktywności towarzyskiej. Zabrać kasę? Coś ściemni i matka jej przeleje albo Żenia jej da.

– Wymyśl coś, w końcu jesteś złą macochą.

– Ożeń się ze mną, to będę złą macochą. Na razie jestem złą konkubiną. Dżizas, jak to brzmi, jak kronika kryminalna jakaś.

– Spróbuję się jeszcze do niej dobić – mruknął, żeby uciec od tematu.

Dwudziesta pierwsza.

Wspólnie uznali, że to przestaje być zabawne. Mimo późnej pory Szacki wygrzebał numer telefonu do wychowawcy Heli, zadzwonił i dostał namiary na rodziców dzieci, których imiona podał. Wychowawca, który na wywiadówkach zrobił na Szackim dość nijakie wrażenie, okazał się bardzo kompetentny i przede wszystkim pomocny w dopasowaniu kilku ksywek do imion i nazwisk. Poprosił też o sms-a, jak już dziecko się znajdzie, bez względu na porę. Przez co Szacki obiecał sobie, że musi zmienić zdanie o tym germaniście.

Dwudziesta druga.

Podzielili się znajomymi Heli i obdzwonili wszystkich, rozmawiając najpierw z rodzicami, potem z dziećmi. Żenia martwiła się, że przez taką histeryczną akcję rówieśnicy będą się potem nabijać z biednej dziewczyny. Jak to ją ojciec prokurator śledził, przesłuchując w nocy koleżanki z klasy. Szacki z kolei czerpał z tego złośliwą satysfakcję, uznając, że narobienie wstydu to jest jednak dobra kara. Przecież wszystkie nastolatki są przeczulone na punkcie miłości własnej i pozycji w grupie.

O właśnie, myślał, czekając na kolejne połączenie, będzie też inna kara. Codziennie będę na nią czekał pod szkołą. Białe skarpetki, sandały, sweterek turecki i beret z antenką. A jak tylko stanie w drzwiach, będę krzyczał: „Hela! Hela! Tutaj". Trzy dni takiego spektaklu i przyklei sobie telefon do policzka, żeby już nigdy nie przegapić połączenia od kochanego taty.

Rozmowy ze znajomymi Heli były bezowocne. Część koleżanek kojarzyła tylko tyle, że pojawiła się w szkole. Dwie twierdziły, że po lekcjach poszły jeszcze we trójkę na mrożony jogurt (zdaniem jednej) lub na kawę (zdaniem drugiej). Co zapewne oznaczało, że siedziały gdzieś i paliły papierosy, piły browar albo narkotyzowały się w jakiś modny obecnie sposób. Przycisnął obie, ale zgodnie twierdziły, że rozstały się około siedemnastej pod ratuszem i Hela poszła w stronę poczty, czyli w kierunku domu.

Nie spodobała mu się ta informacja. Oznaczała, że zamiast ciut dłuższej, ale tłocznej i dobrze oświetlonej drogi koło Alfy, wybrała krótszą – pustawą ulicę między zapleczem centrum handlowego a czarną, zieloną dziurą. Nagle przypomniały mu się wszystkie stare sprawy, które zaczynały się od tego, że młoda śliczna brunetka szła nocą obok zapuszczonego parku. Szybko odgonił te obrazy, bo przeszkadzały mu jasno myśleć. Ale w tym momencie po raz pierwszy poczuł prawdziwy strach o Helę. Przez kilka sekund nie mógł złapać oddechu.

Obie dziewczyny przepytał też na okoliczność chłopaka, obie dość szczerze zaprzeczyły. Wbrew pozorom to nie była dobra wiadomość. Prowadzanie się gdzieś z wielbicielem, kolegą z klasy albo studentem z Kortowa oznaczałoby, że jego córka nie przychodzi do domu i nie odbiera telefonu, bo właśnie naćpana hormonami traci swoją cnotę (o ile jeszcze ją posiada) w jakimś akademiku. W tym optymistycznym wariancie uboższa o cnotę, ale bogatsza o życiowe doświadczenie wsiada potem do autobusu i wraca do domu, ewentualnie zamawia taksówkę lub dzwoni do ojca.

Z chłopcami rozmawiało się trudniej, wszyscy mieli powolne, trochę nieobecne głosy, jakby właśnie skończyli sobie walić konia i krew jeszcze nie zdążyła wrócić do mózgu. Helę kojarzyli, ale tego dnia widzieli ją tylko w szkole. O żadnych absztyfikantach i związkach nic nie wiedzieli. Ale niejaki Marcin westchnął żałośnie. Zapewne podkochiwał się w Heli.

Odfajkowali całą listę i nie dowiedzieli się absolutnie niczego.

Dwudziesta trzecia.

Godzina między dziesiątą i jedenastą była pełna napięcia. Kiedy tylko skończyli ze znajomymi Heli, sprawdzali wspólnie, czy na mieście nie wydarzyło się nic złego, w czym Hela mogła brać udział. Szacki zadzwonił do Bieruta i kazał mu wykorzystać wszystkie kanały policyjne, przede wszystkim drogówkę. Żenia uruchomiła swoje stare kontakty lekarskie i znalazła koleżankę na dyżurze w wojewódzkim. Koleżanka obiecała sprawdzić zarówno ich SOR, jak i pozostałe izby przyjęć oraz oddziały ratunkowe.

Ojciec Teodor Szacki czuł się źle. Zmuszał się, żeby myśleć rzeczowo i precyzyjnie, ale nie potrafił zapanować nad gonitwą myśli i obrazów, które wytwarzał jego pobudzony mózg. Adrenalina sprawiała, że wszystko zdawało się nader plastyczne, nie tyle myślał o wydarzeniach, co je widział. Przeklęty niech będzie zawód, z powodu którego przez całe życie oglądał obrazy, które mógł połączyć teraz z córką.

Helena Szacka potrącona przez jednego z pijanych kierowców. Leżąca w krzakach, buty osobno, połamane nogi, zgięte pod niemożliwymi kątami w miejscach, gdzie nie ma żadnych stawów. Zgnieciona czaszka, obnażona żuchwa, piana ze śliny i krwi.

Helena Szacka na SOR-ze, lekarze patrzą bezradnie po sobie, po uderzeniu w drzewo nie ma mostka, który można by uciskać, aby ją reanimować.

Helena Szacka na OIOM-ie, zaintubowana, opleciona kablami i rurkami. On siedzi przy niej, obok decyzja o przekazaniu organów do transplantacji, nie może uwierzyć, że musi podjąć decyzję o wyłączeniu aparatury. Teraz Hela żyje i może słyszy, jak jej powtarza, że jest najwspanialszą córką świata. Jeden podpis dzieli go od wypowiadania tych samych słów do jej nagrobka.

Helena Szacka i jej pogrzeb. Dziwi się, że trumna jest taka duża i dorosła, w końcu jego córka to przecież jeszcze dziecko.

Łatwiej mu było wyobrażać sobie jej śmierć niż to, że pada ofiarą gwałtu. Zawleczona do jakiegoś mieszkania, rzucona na starą wersalkę albo na designerską sofę. Pewnie przez kolegę, znajomego, który miło się uśmiechał i zaprosił do siebie na wino. Wydawałoby się, że to lepsze niż uderzenie przez rozpędzonego vana, na pewno lepsze niż śmierć. Prokurator Teodor Szacki wielokrotnie jednak prowadził sprawy o gwałty i wiedział, co się dzieje z ofiarami. Po kradzieży samochodu człowiek dochodzi do siebie i kupuje nowy. Napadnięty w ciemnej uliczce boi się potem przez chwilę spacerować po zmroku, ale życie w końcu wraca na swoje tory. Nawet ofiary usiłowania zabójstwa stawały na nogi, pomagała im wściekłość i pragnienie zemsty.

Ofiary gwałtów nie dochodziły do siebie. Znał teorię. Wiedział, że zostało to opisane jako syndrom stresu pourazowego, że często zdarza się, że trauma wyklucza kobiety z życia rodzinnego, społecznego i zawodowego. Niejednokrotnie ofiary gwałtów lądowały na oddziale psychiatrycznym, gdzie były leczone w ten sam sposób, co powracający z misji zagranicznych żołnierze, którzy widzieli, jak mina pułapka rozrywa ich kolegów na strzępy.

Nie słyszał nigdy o kobietach, które by gwałt przerobiły, które żyły potem normalnie, które zapomniały. Każde przestępstwo przeciw życiu i zdrowiu zostawia ślad, ale gwałt, ta najbrutalniejsza ingerencja w człowieka, naruszenie każdego poziomu jego prywatności i wolności, sprowadzenie do kawałka ciepłego mięsa, w który ktoś może wepchnąć swojego kutasa, to było jak wypalanie znamienia. Nie wypalenie, tylko wypalanie. Echo tego wydarzenia wracało do ofiar nie raz na jakiś czas, nie czasami, lecz bez przerwy. Ciągle ktoś trzymał kij z rozgrzanym kawałkiem żelastwa i przykładał do ich duszy. Można się przyzwyczaić, ale nie sposób nie czuć.

Pierwszy zadzwonił Bierut. Nic się nie wydarzyło. Patrol przeszedł przez czarną zieloną dziurę z kamerą termowizyjną, nic nie znalazł. Następne miały spenetrować teren po świcie.

Potem zadzwoniła znajoma Żeni. Szacki obserwował czujnie twarz partnerki.

– Nigdzie jej nie ma – powiedziała po zakończeniu rozmowy. – Ani jej, ani nikogo, kto chociaż z grubsza mógłby pasować. Baśka siedzi na SOR-ze do rana, obiecała, że będzie regularnie sprawdzać.

Pokiwał głową.

– Co teraz? – zapytała.

– Nic – odparł. – Czekamy. Jest za wcześnie, żeby zgłaszać zaginięcie, na pewno za wcześnie, by rozpoczynać poszukiwania. To nie czterolatka, tylko prawie dorosła kobieta. Statystyka jest po naszej stronie. Najpóźniej do rana Hela powinna zastukać do naszych drzwi, skacowana i skruszona, tak się zwykle kończą zaginięcia nastolatków.

– A jeśli nie?

– A jeśli nie, to rozpoczną się najlepiej skoordynowane poszukiwania zaginionej osoby w dziejach Polski – odparł spokojnie.


Północ.

Siedzieli bez słowa przy stole w kuchni. Szacki złapał się na tym, że nasłuchuje szelestu na podjeździe, cichego skrzypnięcia starej bramy, charakterystycznych kroków jego córki. Ale na zewnątrz panowała cisza.

– Czy to możliwe, żeby uciekła? – spytała Żenia.

Wzruszył ramionami. Wiedział, że wielką naiwnością rodziców jest upieranie się, że znają swoje dzieci.

– Pierwsza myśl to że wątpię, ale jak spojrzymy obiektywnie na jej sytuację, to powody ma. Jest w trudnym wieku, została zabrana z Warszawy wbrew woli, wyrwana ze środowiska. Zmuszona do życia z nową partnerką swojego ojca, do budowania od zera kontaktów rówieśniczych, szkolnych, towarzyskich. Wydawało nam się, że się trzyma, ale może to była poza. I nagle coś się stało, coś pękło.

– Czy powiedziałaby mamie?

– Nie wiem. Jeśli do ósmej się nie znajdzie, zadzwonię do niej, obdzwonię też całą rodzinę, dotrę do znajomych z Warszawy.

– Dlaczego nie teraz?

– Teraz to nie ma znaczenia. Jeśli padła ofiarą przestępstwa lub wypadku, to nikt z rodziny nic nie wie. Tyle tylko że wpadną w histerię w środku nocy. A jeśli pojechała do kogoś znajomego, to jest bezpieczna. Lepiej gadać z ludźmi za dnia niż w tej chwili.

Siedzieli dalej w ciszy. I dlatego Szacki aż podskoczył, kiedy zabrzęczał leżący na stole telefon. Spojrzał na wyświetlacz i odczuł fizyczną ulgę, jakby nagle jakiś cudowny środek rozluźnił wszystkie jego napięte do granic bólu mięśnie.

– Od Heli – powiedział.

Żenia uścisnęła go mocno za rękę, widział, że za chwilę się rozpłacze.

– Ciekawe, skąd trzeba zabrać tego bachora – mruknął, nie potrafiąc zapanować nad drżącym głosem.

Otworzył wiadomość. Żadnego tekstu, tylko zdjęcie. Dziwaczne, prawie monochromatyczne. Idealnie pośrodku kwadratowej fotografii znajdował się rdzawy okrąg. Przestrzeń poza okręgiem była szara, przestrzeń wewnątrz kompletnie czarna. Wyglądało to jak pocztówka z muzeum sztuki nowoczesnej.

– To jakiś żart? – spytała Żenia. – Jakiś wasz kod?

– Muszę iść do pracy – powiedział bardzo spokojnie.

Schował telefon do kieszeni i wstał. Zdjął marynarkę z oparcia krzesła, założył, odruchowo zapiął górny guzik.

– Teo, co jest na tym zdjęciu?

– Naprawdę nie mogę teraz. Wszystko ci potem opowiem. Będę naprzeciwko. Zaufaj mi.

Jego ukochana Żenia miała strach w oczach, ale nie mógł teraz się nią zająć.

Teodor Szacki doskonale wiedział, co przedstawia to niewyraźne, szarobure zdjęcie.

Był to wylot żeliwnej rury.

# ROZDZIAŁ 7

## środa, 4 grudnia 2013

Barbórka. Piją wszystkie Barbary, piją wszyscy górnicy. Być może piją też Jay z i Cassandra Wilson, bo obchodzą urodziny. Jarosław Gowin też obchodzi, no ale on chyba nie pije. Trwają protesty na Ukrainie. Janukowycz wyjechał do Chin i liczy na to, że sprawa rozwiąże się sama. W Chorwacji ogłaszają wyniki referendum, w którym większość obywateli wypowiedziała się za tym, żeby dodać zapis do konstytucji, że małżeństwo to „związek jedynie kobiety i mężczyzny". Polska statystyka emocjonalna: ojciec jest osobą bliską jedynie dla 16 proc. badanych; seks łączy się z bliskością dla 8 proc. badanych. Statystyka ekonomiczna: 57 proc. Polaków wydaje wszystkie pieniądze, jakie zarabia. Fakty ekonomiczne: rząd zabiera pieniądze obywateli z OFE. W Olsztynie PKP walczy z plagą kradzieży trakcji (już 8 km zginęło), a w nowym budynku szpitala klinicznego odbywa się pierwsza operacja. Naprawiano wypadnięty dysk lędźwiowy, pacjent czuje się dobrze. Dobrze czuje się też wuefista z Dźwierzut, który wygrał plebiscyt na najlepszego nauczyciela. Otrzymał tytuł i pobyt w spa. Natura nie znosi próżni, więc od razu zostaje ogłoszony plebiscyt na najzabawniejsze zdjęcie w czapce Świętego Mikołaja. Choinka przed ratuszem działa, światełka się palą. Dwa stopnie, pachnie zimą, ludzie zerkają w górę i czekają na śnieg. Za chwilę spadnie, ale na razie dzień jak co dzień: mgła i marznąca mżawka.

Pierwsza.

Paradoksalnie w końcu czuł spokój. Nie powinien, przecież właśnie się dowiedział, że jego córka może zginąć w straszny sposób, rozpuszczona przez jakiegoś świra w żeliwnej rurze za pomocą paru kubełków kreta. Ale nie dostał wiadomości ze stertą kości pływających w zasadowej brei, tylko z nieostrym ujęciem rury. Oznaczało to zaproszenie do gry, a w każdej grze można wygrać. Nawet jeśli karty są znaczone i jedna strona dyktuje reguły wedle uważania, i tak można wygrać. Dlatego teraz nie miał innego wyjścia, niż pomyśleć. A potem zwyciężyć.

To był logiczny wybór.

Uprzątnął biurko, zrobił sobie duży kubek parzonej kawy, położył przed sobą akta śledztwa w sprawie Najmana i zaczął myśleć.

Druga.

Ciężko mu było zwalczyć chęć do natychmiastowego działania. Po każdej myśli miał ochotę łapać za telefon, wyciągać z łóżka Bieruta, Falka i Frankensteina. Rozmawiać z nimi, zlecać czynności, mocnym głosem wydawać polecenia. Za każdym razem z fizycznym nieomal wysiłkiem przekonywał siebie, żeby tego nie robić, żeby sobie wszystko ułożyć w głowie, sporządzić plan, przejrzeć go cztery razy i dopiero wdrożyć. Musiał kombinować szybko, miał na to cztery, pięć godzin najwyżej.

Przede wszystkim założył, że musi napisać własne reguły gry. Oszukać, i dzięki temu zwyciężyć. Jak w tej słynnej scenie z Indianą Jonesem. Przeciwnik wywija szablą, przekonany, że za chwilę potnie archeologa na plasterki, na co tamten wyjmuje pistolet i kończy sprawę jednym strzałem. Jego sytuacja była analogiczna. Przeciwnik macha inkrustowaną szablą, kręci piruety, puszy się całą swoją zdobywaną przez lata szermierczą wiedzą, planuje, jak w kolejnych ruchach i cięciach będzie upokarzał, okazywał swoją supremację – i dostaje kulkę między oczy. Paf.

To była strategia Szackiego: paf.

Oznaczała, że musiał działać w sposób nieprzewidywalny, prawie irracjonalny. Zupełnie inny niż ten, który założył przeciwnik. Tylko w taki sposób może włożyć tamtemu kij w szprychy, zburzyć plany i zmusić do błędu.

Doszedł do tego wniosku i zrozumiał, że jeśli chce działać w ten sposób, musi podjąć najtrudniejszą decyzję swojego życia. Nie tylko zawodowego, lecz życia w ogóle. Sprawca na pewno przewidywał, że Szacki wykorzysta teraz swoją pozycję prokuratorskiej gwiazdy, żeby rozpętać akcję, która stanie się wiadomością dnia nie tylko w polskich, ale i w światowych serwisach informacyjnych. Biegli będą analizować zdjęcia rury, informatycy sprawdzać po bts-ach, skąd została nadana wiadomość. Każde nagranie z każdej kamery na trasie szkoła Heli– dom zostanie obejrzane i przeanalizowane. Funkcjonariusze z psami ruszą do akcji. Cała policja zostanie rzucona, żeby przesłuchać wszystkich, którzy mieli nieszczęście pojawić się tego dnia w centrum i mogli coś zobaczyć. Zwyczajne działanie w sprawie porwania zostanie nagłośnione do absurdu: portrety Heli na okrągło w każdej telewizji, reporterzy nadający na żywo spod jej szkoły.

Miał wielką ochotę zadziałać w ten klasyczny sposób, każdy neuron w jego głowie krzyczał, żeby właśnie tak postąpić. Każdy? Prawie każdy. Garstka broniła się, twierdząc, że sprawca musiał przewidzieć takie rutynowe działania. Więcej, zapewne ich oczekiwał. I dlatego właśnie on musiał postąpić odwrotnie. Ukryć przed światem fakt porwania, nie informować nikogo, samemu rozwiązać zagadkę i dopiero wtedy uderzyć.

Myślał o sporze Falka i Klejnockiego. Asesor twierdził, że nie można porównywać tej sytuacji do stosów, zabójstwa dokonanego w jakiejś leśnej chacie do publicznej egzekucji, która miała przyciągnąć tłumy i poinformować, co wolno, a czego nie wolno. Klejnocki argumentował, że może cała sprawa ma się stać publiczna i widoczna dopiero wtedy, kiedy sprawca uzna to za stosowne. I wygląda na to, że miał rację. Budowanie stosu przedwcześnie wzięli za egzekucję.

Płomień miał zapłonąć, kiedy publiczność będzie odpowiednio podniecona i odpowiednio przygotowana. To miało sens. Stos trzeba podpalać wtedy, kiedy tłum wypełnił rynek i nie wyjdzie, dopóki nie dostanie swojej dawki krwi i sensacji. Kto przy zdrowych zmysłach spaliłby czarownicę mimochodem i bez promocji, tak, że większość miasta byłaby przekonana, że jakiś mały pożar wybuchł w centrum, ale chyba szybko go ugasili.

Pytanie, jak się zachowa sprawca, jeśli zobaczy, że wbrew jego oczekiwaniom nie zostaje rozpętana wielka histeria w związku z zaginięciem dziecka prokuratora.

Tak, to było dobre pytanie. Szacki wstał i zaczął chodzić wokół swojego biurka. Za oknem rządziła najczarniejsza noc. W czarnej zielonej dziurze nie migały żółte światełka maszyn budowlanych, dawno wyłączono iluminację katedry. Czerń i nic więcej.

Jak się zachowa?

Na początku pewnie będzie czekał. Popijał yerba mate czy co tam popijają zaburzeni, coś zdrowego pewnie, gapił się w Polsat News, słuchał Radia Olsztyn i odświeżał co pół minuty główną stronę lokalnego portalu informacyjnego. Do południa będzie spokojny, po południu zacznie się zastanawiać, o co chodzi, a wieczorem uzna, że zachowanie Szackiego i organów ścigania musi stanowić element strategii. Jeśli ma jakieś dojścia (co podejrzewał Klejnocki) w policji albo w prokuraturze, spróbuje się dowiedzieć, jaka to strategia. Jeśli się nie dowie, poczuje niepokój.

I wtedy może uznać, że trzeba przeorganizować plan. I że lepiej zrealizować go z okrojoną publicznością, niż nie zrealizować w ogóle.

Prokurator Teodor Szacki doszedł do takiego wniosku, wrócił do biurka i usiadł ciężko.

Jego wewnętrzne przekonanie zgadzało się z wynikiem logicznego wnioskowania: jeśli chce ocalić Helę, musi to zrobić dzisiaj i musi to zrobić sam. Wtajemniczenie kogokolwiek w jego sytuację i jego zamiary jest zbyt ryzykowne.

Miał kilkanaście godzin. Może mniej, na pewno nie więcej.

Trzecia.

Wybór odpowiednich czynności wydawał się kluczowy. Mógł przypuszczać, że najbardziej oczywiste rozwiązania zostały przewidziane przez jego przeciwnika i nie przyniosą żadnego rezultatu. Czyli rzucenie się do gardła żonie Najmana i jego wspólniczce nie ma sensu. Jest nadzieja, że Bierutowi uda się znaleźć kochankę widmo, ale nie mógł sobie teraz pozwolić na nadzieję. Oczywiście to pomoże, jeśli ją znajdzie, ale teraz musi założyć, że to się nie stanie.

Co może zrobić, czego nie zrobił, a co jest na tyle nieoczywiste, że ten cholerny świr tego nie przewidział?

Dłuższą chwilę rozważał wariant, że sprawa kata z Równej i Najmana się wiążą, że faceta bez strun głosowych trzeba dopisać do listy ofiar obok samego Najmana oraz właścicieli dłoni i kosteczek słuchowych. Intuicja mu podpowiadała, że marnuje czas, tego faceta z Równej nikt nie rozpuścił, nikt nawet nie próbował rozpuścić, po prostu ktoś spuścił mu srogi wpierdol za znęcanie się nad żoną, nie pierwszy to taki przypadek i nie ostatni. Pewnie rodzina ofiary, jakiś brat albo szwagier. Ale to nie był zwykły wpierdol. Został poważnie okaleczony, a mimo to zadbano o to, żeby nie umarł.

Dlaczego?

Może dlatego, że jego żona też nie umarła.

Postukał długopisem w kartkę papieru, którą miał przed sobą.

– Okej – powiedział, jego zachrypnięty głos w pustym i idealnie cichym gabinecie zabrzmiał nieprzyjemnie. Szacki wzdrygnął się, jakby odkrył, że ktoś stoi za jego plecami. – Spróbujmy.

Postanowił rozważyć wersję, że jakiś fanatyk sprawiedliwości wymierza karę sprawcom przemocy domowej. I zamierza zaprowadzić porządek nie w sądach, ale rozpalając stosy. Chemiczne stosy, w których płomienie zastępuje wodorotlenek sodu.

Ale ponieważ jest sprawiedliwy, nie morduje ich jak popadnie, tylko wymierza sprawiedliwą karę. Dlatego faceta z Równej okalecza, dbając o to, żeby nie umarł. Cholera wie, dlaczego w taki akurat sposób okalecza, może wie coś, czego oni, jako śledczy, nie wiedzą. Przemoc psychiczna, słowne poniżanie, agresja, krzyk, wmawianie kobiecie, że jest nic niewartym niczym. Zabrano mu narząd mowy, żeby nigdy już więcej nikogo nie skrzywdził słowem.

Skrzywił się.

Wydumane.

Tyle tylko że wtedy śmierć Najmana musiałaby być karą za czyjąś śmierć. Wzruszył ramionami. Żona Najmana żyje i w miarę dobrze się miewa, dziecko tak samo, wspólniczka też. Żadna o dziwnych zdarzeniach z jego przeszłości nie wspominała, a po jego śmierci nie było powodu, żeby strach przed mężem i wspólnikiem je powstrzymywał. Najman nie figurował też w żadnej bazie danych, nie tylko nie został skazany, ale też nie oskarżono go, nie przedstawiono zarzutów w żadnej sprawie.

Nagle do głowy przyszedł mu jeden pomysł. Sięgnął na półkę, ale okazało się, że jeszcze nie ma kpk po ostatniej nowelizacji, szybko znalazł właściwy dokument w komputerze.

Tego się pan szaleniec nie spodziewa.


2


Nie ma mowy, żeby powiedziała to przy nim głośno, ale od lat nie było jej tak dobrze. Przejechała dłonią po tak bujnym, że aż komediowym zaroście na jego klatce piersiowej. Czarne włoski kręciły się mocno;

kiedy rozczesywała je palcami, prostowały się, a potem znów skręcały jak sprężynki. Kiedy tańczyli, zawsze miał gładką, wydepilowaną klatę. Dotknęła wskazującym palcem jego jabłka Adama i esowatym ruchem poprowadziła linię przez zarośnięty mostek wokół pępka (nie cierpiał, jak się go tam dotyka), przez wzgórek łonowy i wzdłuż jego ciągle ciepłego i wilgotnego od jej wnętrza członka.

Miała nadzieję, że się podda jej dotykowi, ale on zamiast tego pocałował ją na odczepnego, wstał i podszedł do okna. Chłopięcej budowy, smukły w sposób charakterystyczny dla tych, którzy w młodości intensywnie trenowali.

– Brakowało mi ciebie – powiedziała.

Edmund Falk pokiwał głową twierdząco, ale nie odwrócił się w jej stronę.

– Coś z tym zrobimy?

– W sensie?

– W sensie, że skoro mieszkamy w jednym mieście, to nie jest szczególnie trudne, żeby nam brakowało siebie mniej.

Wstała i podeszła do niego. Mieszkała na najwyższym piętrze bloku na Jarotach, ze wspaniałym widokiem na miasto. Tym bardziej wspaniałym, że nieoszpeconym blokiem, w którym się znajdowali.

– Myślałem o tym – powiedział, a z jego głosu ulotniła się miękkość wywołana seksem. – Długo myślałem. I to nie ma sensu z bardzo wielu powodów.

– Teraz w prokuraturze obowiązuje celibat? – zapytała z przekąsem, nie chcąc po sobie poznać, jak bardzo ją uraziła ta wypowiedź.

– Wiesz, że nie o to chodzi. Jestem na asesurze, jak zdam egzamin prokuratorski, to może zostanę tutaj, a może mnie wyślą na drugi koniec Polski. Robienie planów życiowych w moim wypadku byłoby nielogiczne. Wiązanie się z kimś wręcz okrutne. Poza tym to, co robię. Mam wrażenie, że to mnie zmienia. Bardziej, niż myślałem. Nie chcę, żeby zmieniało też innych, zwłaszcza ciebie.

– Pieprzenie.

– Logiczny wybór.

Nie skomentowała. Może dlatego, że wcześniej w jego głosie brzmiała determinacja, a w ostatnim zdaniu jedynie smutek.


# 3

Czwarta.

Gapił się na zakreślony kilkakrotnie napis „KOŚCI" i myślał, czy można jakoś wpasować pojedyncze kości w schemat warmińskiego inkwizytora (mediom spodobałaby się ta ksywka) i czy istnieje jakikolwiek sposób, żeby zidentyfikować te szczątki. Klucz, który pozwoliłby mu zawęzić grupę osób, których DNA trzeba porównać.

Dwie męskie dłonie. Interpretacja się narzucała. Jakiś damski bokser trafił na czarną listę inkwizytora. I szybko stracił swoje ulubione narzędzia. Tylko to czy też życie? Nie wiadomo. Do tej pory zakładali, że życie. Że bezręki umarł w ten sam sposób, co Najman, rozpuszczony żywcem w ługu, wskazywały na to ślady żelaza na palcach, dowody, że za wszelką cenę próbował się wydostać z żeliwnej rury.

Ta myśl sprawiła, że zamarł. Do tej pory cały czas udawało mu się odsuwać od siebie myśli o Heli. O tym, w jakiej sytuacji się teraz znajduje. Bał się, że wpadnie w histerię, a wtedy zacznie tracić czas. Ale teraz, kiedy pomyślał o żeliwnej rurze, nagle wyobraził sobie swoją córkę, której towarzyszył od minuty zero, zamkniętą w takim w miejscu, i momentalnie stracił oddech, łzy stanęły mu w oczach.

Chwilę trwało, zanim się uspokoił.

Histerią jej nie pomożesz, powtarzał sobie, histerią jej nie pomożesz.

Uznał, że jeśli właściciel dłoni zginął, ustalenie jego tożsamości jest praktycznie niemożliwe. Ale jeśli tylko pozbawiono go dłoni, być może wcześniej trzymając w rurze jakiś czas – to by tłumaczyło, że w paroksyzmie strachu usiłował się z niej wydostać i doprowadził swoje palce do takiego stanu. Taka wersja dawała nadzieję. Zarówno na oddziałach chirurgii, jak i u dostawców protez powinni pamiętać faceta, który nagle stracił obie dłonie.

I kosteczki słuchowe. To dopiero była zagadka. Komplet damski i komplet męski. Nie rozumiał, w jaki sposób narząd słuchu może stać się elementem przemocy. Ktoś słuchał niewystarczająco aktywnie? Był głuchy na emocjonalne problemy swojej żony? To jakaś bzdura, poza tym jeden komplet jest damski. Może chodzi o dzieci? Rodzice, którzy nie słuchali swoich dzieci, bo woleli robić grilla. Szacki nie potrafił się zmusić do podążenia tym tropem.

Musi chodzić o coś innego.

Wstał, stanął przy oknie. Idealna czerń ciągle była czarna, ale miasto powoli budziło się do życia, dawno już zauważył, że ludzie wstawali tu wcześniej, wcześniej też kończyli pracę. Zganił się za to, że mu myśli uciekają ku nieważnym sprawom.

Ktoś ginie. Bo doprowadził do czyjejś śmierci.

Ktoś traci głos, bo kogoś poniżał.

Ktoś traci dłonie, bo bił.

Wszystko jasne.

Ktoś traci słuch, bo?

Odwrócił się od okna, zaczął chodzić po gabinecie, zrobił kilka kółek wokół biurka, usiadł, nerwowo poprawił powyciągane z akt protokoły, żeby równo leżały.

I wtedy doznał olśnienia.

Sam przecież dopiero co o tym mówił w radiu. Sam dopiero co apelował do świadków przemocy, żeby pozostali czujni, żeby nie liczyli, że sprawa rozwiąże się sama. Że od ich postawy może zależeć czyjeś nawet nie szczęście, ale zdrowie i życie.

Widocznie właściciele kosteczek nie zareagowali na czas. Mleko się wylało, a warmiński inkwizytor uznał, że należy im się za to kara. Dotkliwa, ale nie bardzo dotkliwa, bo jednak stracili słuch tylko w jednym uchu.

Szacki złapał się na myśli, że jeśli jego przypuszczenia są trafne, to chyba potrafiłby zrozumieć motywy szalonego sprawcy. Ba, jego niewielka część się nawet z tymi motywami solidaryzowała. Świadkowie przemocy, którzy stali i dłubali w nosie, zamiast donieść policji, że dzieje się coś złego, byli w świetle prawa bezkarni, ciążący na nich obowiązek złożenia doniesienia był obowiązkiem moralnym, a takie zazwyczaj wszyscy mają w dupie. Szacki oczywiście chętnie włączyłby do kodeksu przynajmniej grzywny za niereagowanie, ale skoro już tych grzywien nie ma, cóż, okaleczenie może wydawać się ekstremalne, ale jeśli czyjaś bierność doprowadziła do śmierci...

Naprawdę, od biedy mógł się z tym zgodzić.

Tylko jak znaleźć kogoś, kto został pozbawiony słuchu? Wysłać kogoś, żeby obdzwonił oddziały laryngologiczne w regionie?

– Kurwa – powiedział do siebie.

Jak mogłem tego nie zauważyć, pomyślał. Starzeję się chyba.

Piąta.

Uznał, że potrzebuje sojusznika, nawet jeśli ten sojusznik nie będzie we wszystko wtajemniczony. Sam nie da rady przeprowadzić planu, który ułożył w głowie.

Chwilę się wahał, obracając w ręku telefon. W końcu podjął decyzję i zadzwonił do Jana Pawła Bieruta.


4


Przekonanie o własnej śmiertelności to nie jest rzecz wrodzona, lecz nabyta, nabywa się ją około trzydziestki, czasami wcześniej, jeśli rodzą nam się dzieci i nagle zaczynamy się bać, że nie będziemy mogli zawsze z nimi być. Bezdzietna szesnastolatka oczywiście intelektualnie pojmuje i akceptuje fakt, że wcześniej czy później będzie musiała umrzeć, ale emocjonalnie nie potrafi się tym przejąć. Może odrobinę, na tej samej zasadzie, na jakiej przejmujemy się wojną w Syrii, oglądając wiadomości. No tak, jest to straszne i w ogóle, te dzieci pozabijane i ci uchodźcy, ale trzeba sprawdzić lazanię w piekarniku, bo za chwilę przychodzą goście. Dlatego prokuratorówna Helena Szacka po początkowym etapie zdezorientowania i przerażenia z apetytem pałaszowała śniadanie, przywiezione jej z McDonalda przez porywaczy. Zwykle stroniła od takiego jedzenia, ale uznała, że tym razem jest w stu procentach rozgrzeszona. Dlatego zjadła jakieś bułkodziwolągi, które w fast foodach pojawiają się w ofercie śniadaniowej, zapiła ogromnym czekoladowym shake'iem i walnęła się na pryczę z dużym kubkiem mlecznej kawy.

Starała się myśleć logicznie. Przez całe życie słyszała od taty: „Najpierw myślimy, potem robimy". Zwykle albo o tym nie pamiętała, albo miała to w dupie, ale teraz uznała, że jeśli czyjeś rady mogą się przydać w jej sytuacji, to rady doświadczonego prokuratora.

Nie pamiętała momentu porwania. Wracała do domu koło parku nad Łyną i zapewne została w jakiś sposób pozbawiona przytomności, bo następne, co pamiętała, to przebudzenie w środku nocy w tym pomieszczeniu. Z kacem i nieprzyjemnym smakiem w ustach, co zapewne wskazywało na to, że użyto jakiegoś chemicznego środka. Nie miała żadnych ran, śladów brutalnego obchodzenia się, odcisków po więzach, siniaków. Na szczęście nikt się też do niej nie dobierał, a to była pierwsza paniczna myśl, jaka ją wypełniła po przebudzeniu.

Bilans w sumie pozytywny jak na ofiarę porwania.

Nie nosiła zegarka, telefon jej zebrali, ale od jej przebudzenia do świtu musiało upłynąć około trzech godzin. Co oznaczało, że od chwili porwania do przebudzenia upłynęło około ośmiu, dziewięciu godzin. Co oznaczało, że może być wszędzie. Pod Olsztynem, pod Ostródą albo pod Wrocławiem. Raczej w Polsce, ponieważ całe wyposażenie jej celi pochodziło z kraju lub z firm popularnych w Polsce.

Pomieszczenie znajdowało się na parterze jednorodzinnego domu, nie starego, ale też niezbyt nowego. Pachniało niezamieszkaniem.

Za zakratowanym oknem widziała kawałek zapuszczonego trawnika i ścianę mieszanego lasu. Miejsce musiało być odludne, ponieważ mogła uchylić okno, nie pozwolono by na to, gdyby krzykiem mogła wezwać sąsiadów.

Dlatego nie krzyczała. I sił szkoda, i jeszcze mogłaby kogoś zdenerwować.

Nie widziała żadnego z porywaczy. Nie miała pojęcia, czy to jedna osoba, czy cała szajka. Jedzenie dostała w ten sposób, że światełko zamka przy drzwiach zamieniło się z czerwonego na zielone. Chwilę gapiła się na to, w końcu pociągnęła za okrągłą klamkę. Za drzwiami było niewielkie pomieszczenie, jakby mały przedpokój. Masywne drzwi, tym razem bez klamek i bez światełek oddzielały jej przestrzeń od reszty domu. Domyślała się, że obie pary drzwi są sterowane z drugiej strony, czyniąc z przedpokoju rodzaj śluzy i sprawiając, że nie mogła mieć żadnego kontaktu z porywaczami. Przynajmniej dopóki oni tego nie chcieli.

Mimo tych środków ostrożności i kompletnego braku kontaktu z porywaczami podejrzewała, że została porwana przez kobietę lub że w szajce jest kobieta. Świadczyło o tym wyposażenie łazienki. Mydło, pasta do zębów, szczoteczka – na to wpadłby każdy. Tampony i podpaski wymagały już mężczyzny o nieco większej przenikliwości. A tata zawsze powtarzał, że przestępcy są debilami. W końcu jest jakiś powód, dla którego są przestępcami, a nie prezesami rad nadzorczych. Ale trudno jej było uwierzyć, że mężczyzna pomyślałby o płynie do demakijażu. Trzeba być kobietą, żeby wiedzieć, że to najważniejszy obok podpaski i szczoteczki do zębów składnik kosmetyczki.

Pomieszczenie było schludne i uprzątnięte, a jego wyposażenie bardzo skromne. Bardziej przywodzące na myśl celę klasztorną niż pokój w hotelu. Łóżko, materac i pościel z Ikei, najtańszy sort, pościel zupełnie nowa, z kwadratowymi zagnieceniami od trzymania jej w paczce. Niewielki stolik i krzesło, jedno i drugie podniszczone, z odzysku. Na stoliku mała lampka, z gatunku tych, co się w Castoramie kupuje za dziesięć złotych przy kasie. Pomyślała, że może kiedyś kazali tutaj komuś pracować, może coś pisać.

Zaskakująca była obecność telewizora, przytwierdzonego do ściany niewielkiego samsunga. Pilota nigdzie nie widziała.

W mikroskopijnej łazience sedes, umywalka i wmurowane w ścianę lustro. Żadnej wanny ani kabiny prysznicowej. Przez chwilę zastanawiała się, czy to dobry, czy zły znak. Z jednej strony dobry, ktoś, kto pamiętał o płynie do zmywania makijażu, raczej nie trzymałby jej tygodniami w pomieszczeniu bez prysznica. Tylko czy to na pewno dobry znak? Może po prostu to jakieś miejsce przerzutowe, zanim trafi na stół chirurgiczny albo do burdelu w Turcji.

Jakoś wyjątkowo nie śmieszyły jej własne żarty.

Dokładniejsza lustracja potwierdziła, że nie jest pierwszą lokatorką tej celi. Po odsunięciu łóżka znalazła tuż nad listwą podłogową wydrapany w tynku napis: „POMOCY".

Powinna się przejąć, ale tylko westchnęła ciężko, uznając, że wcześniej więziono tu idiotę. Rycie takich histerycznych bzdur nie miało żadnego sensu. Chyba że komuś przynosiło ulgę. Pomyślała chwilę nad narzędziem, w końcu oderwała uchwyt od suwaka w dżinsach i wyryła obok: „HELA 4.12.13 g. 6.00 + I".

Jeśli ktoś odnajdzie to miejsce, kiedy ją stąd zabiorą, dowie się, że była tu dziś około godziny siódmej. Miała zamiar dodawać kolejną kreskę po plus minus każdej pełnej godzinie i w ten sposób zaznaczać upływ czasu. Informacja ta może być kluczowa dla kogoś, kto będzie wyznaczał obszar poszukiwań.

Bo nie miała wątpliwości, że ktoś będzie jej szukał i że tym kimś będzie jej ojciec. Ta myśl koiła ją najbardziej – myśl, że mało która z ofiar porwań ma w nieszczęściu tyle szczęścia, aby być córką Sherlocka Holmesa prokuratury. Jak czasami w żartach nazywała ojca.

Kochała go, ale była też z niego bardzo dumna. Z tego, że stoi po dobrej stronie barykady, że jego praca polega na tym, aby zatryumfowała sprawiedliwość. I z tego, że naprawdę ma przygody książkowego detektywa, że umie rozwiązać niezwykłe zagadki i dojść do prawdy nawet wtedy, kiedy nikt inny tego nie potrafi. Nie rozmawiała z nim o tym, on sam nie opowiadał raczej o pracy, ale prokuratorówna Helena Szacka znała na wyrywki wszystkie doniesienia prasowe na temat swojego taty.

Pomyślała, że mimo wszystko istnieje szansa, może nawet duża, że nigdy go już nie zobaczy.

I po raz pierwszy od porwania zrobiło jej się autentycznie smutno.


# 5

Prokurator Teodor Szacki pomyślał, że jego zaginiona córka była chyba nadmiernie uprzejma, nazywając go „gniewnym". Gniew brzmiał szlachetnie i dostojnie, a on chyba po prostu bardzo łatwo się wkurwiał. Nie brzmiało to może tak ładnie, ale znacznie bardziej oddawało stan emocji Szackiego na przykład teraz.

Teraz prokurator był tak wkurwiony, że miał ochotę złapać za głowę siedzącego przed nim Witolda Kiwita i walić nią w oddzielający ich dębowy stół, aż krew zacznie skapywać na podłogę. Czuł, że tylko ten widok przyniósłby mu ulgę.

Dlatego na wszelki wypadek odchylił się na krześle.

– Naprawdę bardzo mi przykro, że nie mogę panu pomóc – powtórzył Kiwit po raz nasty.

Szacki pokiwał głową, jak ksiądz w konfesjonale spowiadający dzieci przed pierwszą komunią. Zerknął na wiszący nad kominkiem ozdobny zegar. Wpół do dziesiątej. Od pół godziny siedział w poniemieckim domku na Rybakach i starał się wyciągnąć z Witolda Kiwita, kto częściowo pozbawił go słuchu. Bezskutecznie. Mimo że jadąc tutaj, był kompletnie przekonany, że będzie to jedynie formalność.

Cztery godziny przed przybyciem Szackiego Witold Kiwit, lat pięćdziesiąt dwa, mył właśnie zęby, kiedy do jego drzwi zapukał Jan Paweł

Bierut. Smutny policjant z przedwojennymi wąsami nie chciał rozmawiać. Przedstawił się, poszedł do łazienki, w której ciągle paliło się światło i płynęła odkręcona woda. Tam, nie zważając na protesty Kiwita, kazał mu wypłukać dokładnie usta, a potem wacikiem na długim patyczku – który Kiwitowi bardzo nieprzyjemnie skojarzył się z wkładaniem czegoś do ucha – pogrzebał mu w ustach. I wyszedł bez słowa.

Dwadzieścia minut potem próbka DNA Kiwita była u profesora Frankensteina na Warszawskiej. Półtorej godziny później, około ósmej, naukowiec zadzwonił do Szackiego i poinformował go, że DNA Witolda Kiwita jest zgodne z DNA męskiego kompletu kosteczek słuchowych należących do ich szkieletu.

W ten oto sposób prokurator Szacki odniósł pierwsze tego dnia zwycięstwo. Potwierdził, że sprawa Kiwita, jedna z dziesiątek małych, nieistotnych spraw, prowadzonych przez prokuraturę, wiąże się z jego śledztwem. Czysty przypadek, że sprawę pozbawionego słuchu przedsiębiorcy prowadził właśnie Falk, który musiał informować go o wszystkich swoich poczynaniach. Inaczej nie miałby o niej pojęcia i nie skojarzyłby, że tajemnicze okaleczenie łączy się z równie tajemniczym pojawieniem się kosteczek słuchowych w szkielecie Najmana.

Miał punkt zaczepienia. I miał świadka, którego musiał przycisnąć. I mógł zacząć działać.

Po pierwsze umówił się z Kiwitem na rozmowę, grożąc odpowiedzialnością karną, kiedy ten zaczął protestować.

Po drugie wyposażył Bieruta w niezbędne papiery i wysłał go do sądu oraz do Stawigudy, żeby zorganizował eksperyment procesowy. Eksperyment, który miał mu dać nowe zwycięstwo i kolejny punkt zaczepienia.

Po trzecie, przez Ewę Szarejnę zażądał radiowozu. Nie miał czasu i siły ani na kierowanie samochodem, ani na stanie w korkach. Kiedy wyraziła zdziwienie, obłaskawił ją, snując plany swoich wystąpień w roli rzecznika, opowiadając, jak to przemyślał sprawę i zrozumiał, że komunikacja może być czasami najważniejszym elementem śledztwa. Gdyż zadowolone społeczeństwo to pomocne społeczeństwo. Udało mu się nie puścić pawia razem z tymi kłamstwami i bardzo był z tego małego zwycięstwa zadowolony.

W końcu, korzystając ze swojej pozycji patrona Falka, zażądał akt w sprawie Kiwita. Szybko przypomniał sobie sprawę: dwa tygodnie temu pogotowie przywiozło do szpitala Witolda Kiwita – lat pięćdziesiąt dwa, żona, dwóch synów, właściciel firmy produkującej plandeki, zamieszkały w Alei Róż. Poważne uszkodzenie słuchu wskazywało na udział osób trzecich, dlatego szpital zawiadomił policję, w prokuraturze sprawę dostał Falk. Poszkodowany wbrew zdrowemu rozsądkowi twierdził, że sam to sobie zrobił, i nie chciał wskazać osób odpowiedzialnych. Z protokołu przesłuchania nic nie wynikało, Kiwit uparcie powtarzał swoją wersję.

Jadąc na Rybaki na tylnym siedzeniu policyjnej kii, prokurator Teodor Szacki był pewien, że jako doświadczony śledczy, wyposażony na dodatek w dowody w postaci analizy DNA, bez problemu skłoni Kiwita do powiedzenia prawdy.

Po półgodzinie rozmowy miał wrażenie, że nigdy nikt nie mylił się tak jak on. Łatwiej byłoby wyciągnąć sobie jelita przez nos niż cokolwiek z Kiwita.

– Myślę, że pan się myli i na pewno potrafi pan pomóc – powiedział spokojnie – tylko nie zdaje pan sobie jeszcze z tego sprawy.

Za Kiwitem stała mieszczańska witryna z kryształowym szkłem tak czystym, że wyglądała na mytą trzy razy dziennie. Szacki przyjrzał się swojemu odbiciu i poprawił przekrzywiony lekko krawat.

– No właśnie, wie pan, to jednak jest trauma. Było ślisko, szedłem...

– Oczywiście – przerwał mu Szacki. – Słyszałem. Nie chce pan powiedzieć prawdy, okej. Odpowiedzialność społeczna do pana nie przemawia, okej. Proszę teraz posłuchać o konsekwencjach. Ja znajdę ludzi, którzy to panu zrobili. Wcześniej czy później. Ci ludzie mają więcej na sumieniu niż pańskie ucho... – Przez twarz

Kiwita przemknął cień strachu. Bliźniaczo podobny do tego, który Szacki widział dzień wcześniej w oczach kata z Równej. – ...dlatego to będzie wielka sprawa, głośna, wysokie wyroki. Przy takich śledztwach zawsze się pojawiają jakieś, jak to mówią wojskowi, straty uboczne. Obiecuję, że pan będzie taką stratą. Oficjalnie zamieszany w sprawę, w kręgu zainteresowań organów ścigania, a ja zarzucę panu zatajenie informacji o przestępstwie i będzie kilka pomniejszych paragrafów. Pewnie na zawiasach się skończy, ale wie pan, jak to jest ze skazanymi. Bank cofa kredyty, urząd skarbowy się interesuje, kontrahenci uciekają. Rok nie minie, a pan będzie bez firmy, bez perspektyw, może bez rodziny, w długach, wrzucający w siebie garściami leki na serce jak orzeszki. I może pan nawet wtedy pomyśli, że gorzej już być nie może. I to będzie pana pomyłka. Ponieważ ja się dopiero będę rozkręcał. Czyta pan gazety, bezkarni urzędnicy, którzy potrafią zniszczyć człowieka i tak dalej, czyta pan?

Kiwit przytaknął.

– Ja jestem takim urzędnikiem.

Kiwit wzruszył ramionami. Rozejrzał się po salonie, czy gdzieś obok nie kręci się żona, nachylił nad stołem i skinął delikatnie, żeby Szacki nachylił się w jego stronę. Prokurator przesunął się do przodu, od twarzy przesłuchiwanego dzieliło go kilkanaście centymetrów. To była zwyczajna twarz polskiego pięćdziesięciolatka, który nie może sobie poradzić z tuszą. Blada, lekko nalana, błyszcząca, dziobata. Świeżo ogolona, w kilku miejscach pod nosem i na brodzie, gdzie zarost jest najtwardszy, Szacki widział bordowe kropki, ślady po mikroskopijnych skaleczeniach golarką. Spojrzał w jasne oczy Kiwita i czekał.

– Chuj mnie to obchodzi – powiedział cicho przedsiębiorca, owiewając Szackiego zapachem przetrawionego mięsa i miętowej pasty do zębów. – Chuj mnie to obchodzi, ponieważ chuj mi możecie zrobić. Prędzej wezmę pana teraz za rękę, pójdę do łazienki i tam się pochlastam na pana oczach, niż powiem chociaż słowo. Czy to jasne?

Szacki otwierał usta do riposty, kiedy przerwała im żona Kiwita.

– Przestańcie dręczyć mojego męża! On już swoje przeszedł. Chcecie, żeby jakiegoś zawału dostał?

– Chętnie przestanę – powiedział spokojnie Szacki, prostując się na krześle. – Chętnie przestanę, jeśli w końcu przestanie kłamać i powie prawdę. Obiecuję, że wtedy zniknę i nigdy mnie nie zobaczycie.

Żona Kiwita, szczupła pięćdziesięciolatka o aparycji i fryzurze Danuty Wałęsowej, spojrzała na swojego męża. Raczej nie oczekiwała prawdy, spodziewała się, że jej mąż pozbędzie się intruza.

– Złożę oficjalną skargę – powiedział srogo Kiwit.

– Proszę posłuchać – zwrócił się Szacki do obojga. – Pan to na pewno wie, ale dla pani może ta informacja będzie nowością. Pani mąż został zaatakowany i okaleczony, ponieważ coś słyszał. Z ustaleń śledztwa wynika, że zapewne był świadkiem przemocy domowej. Nie zareagował, komuś stała się krzywda, i przez to jakiś wariat postanowił go ukarać. Nie byle jaki wariat. – Podniósł palec do góry. – Prawdziwy, pierwszoligowy wariat, zdolny do najpotworniejszych zbrodni. Który chodzi na wolności, gdyż pani mąż jest pierdolonym tchórzem. Który nie dość, że nie doniósł, że komuś dzieje się krzywda, to teraz utrudnia śledztwo i za to pójdzie siedzieć. Już może pani sprawdzać, jak kursują pekaesy do Barczewa. Samochód pójdzie na grzywny i prawników.

Wstał i zapiął marynarkę. Nie dawał po sobie poznać, jak bardzo jest zrozpaczony. To nie może być ślepa uliczka, niemożliwe.

Kątem oka dostrzegł ruch, cień. Rozejrzał się czujnie i zobaczył w odbiciu w witrynie, że w drzwiach do kuchni stoi chudy nastolatek, z gatunku tych, o których nauczyciele powtarzają w pokoju nauczycielskim, że może i mądry, ale z tą nadwrażliwością nie będzie mu łatwo w życiu. Chudy, wysoki, wyższy od Szackiego, blondyn o bardzo jasnych włosach. Z oczu dobrze mu patrzyło, prokurator nie miałby nic przeciwko, gdyby Hela miała takiego chłopaka.

Poczuł, jak nagle napięły mu się wszystkie mięśnie, kiedy przed oczami mu mignęło, co może stać się z Helą. Podawane narkotyki, śmierdzący materac, kolejka żołnierzy mafii do urabiania nowej, nie miał komfortu niewiedzy, prowadził kilka spraw o handel żywym towarem.

Nie mógł stąd wyjść z niczym. Bez względu na to, do czego będzie musiał się posunąć.

– Proszę nas jeszcze na chwilę zostawić samych. Obiecuję, że tylko na minutę. Potem pójdę.

Żona Kiwita spojrzała zaskoczona, ale wyszła, syn podreptał za nią. Trzasnęły drzwi.

– W pewien sposób rozumiem pana – powiedział łagodnie. – Oni udowodnili, że są zdolni do rzeczy strasznych. Ja jestem tylko urzędnikiem, uzbrojonym w pieczątki i paragrafy. Mogę narobić kłopotów, ale umówmy się, po prostu będzie pan musiał napisać parę odwołań, w końcu stanie na nogi.

Kiwit patrzył na niego czujnym wzrokiem niemającego pojęcia, dokąd zmierza przeciwnik.

– Ale poza tym, że jestem urzędnikiem, jestem też bardzo złym człowiekiem. Złym człowiekiem, który nie cofnie się przed niczym, ponieważ ma osobistą motywację. Jeśli mi pan nie pomoże, zemszczę się. Pana zostawię w spokoju. Żonę też, bo zapewne ma pan ją w dupie, żona to nie rodzina, wiadomo. Ale synom nie odpuszczę.

– Nic im pan nie może zrobić.

– Ja nie mogę. Ale inni mogą.

– Wynajmie pan jakąś mafię, żeby ich pobili? Pan jest śmieszny.

– Mógłbym. Ale znam lepsze sposoby.

Nachylił się do Kiwita i ze szczegółami opisał straszliwy los, jaki może się stać udziałem jego synów.

Przedsiębiorca popatrzył na Szackiego z obrzydzeniem.

– Niezły chuj z pana – powiedział. – Ale niech będzie. Mam zakład, który robi plandeki, ale też banery, pewnie pan wie. Na przedmieściach Barczewa. Z jednej strony jest taki zagajnik z małymi sosenkami, a z drugiej dom na dużej działce. Zwyczajny, jednorodzinny, z kolumienkami z przodu. Normalna rodzina.

To zawsze wygląda tak samo, pomyślał Szacki, czując znużenie. Wszyscy sami siebie mają za wyjątkowych i jedynych w swoim rodzaju, a jak trzeba zauważyć wyjątkowość u innych, to wtedy zawsze jest to „na pierwszy rzut oka normalna rodzina".

– I? – Szacki zerknął na zegar. Niestety czas nie stał w miejscu, przeciwnie, wskazówki wydawały się poruszać z widoczną prędkością.

– Pół roku temu był wypadek, na wiosnę. On wyszedł do pracy, ona została z dzieckiem, małym. Piecyk nawalił, tlenek węgla. Tragedia, w gazetach ciągle o tym piszą, że cichy zabójca. Potem ludzie gadali, że to nie wypadek, że tam się nie najlepiej działo.

– Szukała u pana pomocy, prawda?

Kiwit zamilkł, długo patrzył w okno, jakby w szarej mgle kryły się odpowiedzi.

– Z synem byłem starszym. – Skinął głową w stronę holu, dając do zrozumienia, że chodzi o chłopaka, którego Szacki przed chwilą widział. – On się przejął, kazałem się nie wtrącać, to są rodzinne sprawy, po co to samemu policja, prokuratura, tylko kłopoty później. Syn się nie posłuchał, poszedł tam do nich rozmówić się z facetem. Tamten go wyśmiał, a potem właśnie ten wypadek z piecykiem, zbieg okoliczności taki dziwny. – Kiwit odchrząknął. – Zwykli ludzie, żadna patologia. Na podwórku zjeżdżalnia dla dziecka, trampolina, basenik, taki nieduży. Normalny dom. Rozmawiałem z człowiekiem kilka razy przez płot, normalnie, o samochodach chyba czy o koszeniu trawy, nie pamiętam. Zupełnie normalny gość. Rozumie pan?

Szackiemu nie chciało się potakiwać. Czekał na informację, która mu pomoże, wszystkie tragedie całego świata miał w dupie.

– Kto normalnie by uwierzył, że w takiej sytuacji kobieta po prostu nie zabierze dzieciaków i drzwiami nie trzaśnie. Przepraszam, ale ja ciągle jak słyszę takie historię, to sam pan rozumie, sama była sobie winna. Na skobel w kotłowni jej nie zamykał przecież. Faktycznie, ja słyszałem czasami krzyki, jak po nocy siedziałem nad księgowością, no ale pan powie, kto się w domu nie kłóci? Jakie małżeństwo się nie kłóci!

– Wie pan, co się z nim stało?

– Podobno ma mieć proces w Suwałkach, tam teraz u matki mieszka – powiedział Kiwit. – Matka się nim opiekuje po wypadku, pijany kierowca go potrącił, siedzi na wózku, resztę życia będzie sikał do woreczka.

Powiedział to po prostu, „ot, wypadki chodzą po ludziach", a Szacki zrozumiał, że nawet nie ma sensu pytać, czy kierowcę złapali. Spojrzał pytająco.

– Panie prokuratorze – ciągnął Kiwit, nagle starszy o piętnaście lat. – Nie mam pojęcia, kto to był ani gdzie mnie trzymali. Niedługo, niecały dzień. Z nikim nie rozmawiałem, ba, nikt do mnie słowa nie powiedział.

– Gdzie?

– Dom pod lasem, miliony są takich w Polsce. Nie nowy, nie stary, po prostu dom. Nie potrafiłbym powiedzieć, czy to tutaj, czy może pod Ostrołęką albo Malborkiem. Przykro mi.

– Cechy charakterystyczne?

– Telewizor na ścianie – powiedział tak cicho, że Szacki nie był pewien, czy dosłyszał.

– Co na ścianie?

– Telewizor. I sala chirurgiczna.

Kiwit odruchowo dotknął prawego ucha.


# 6

Leżała na wznak, z rękami pod głową, ale nagle pomyślała, że być może obserwują ją przez kamery, i usiadła w pozycji ofiary porwania. Nogi podciągnięte pod brodę, kolana objęte ramionami, głowa spuszczona.

Nie chciała, żeby jakiś wariat zobaczył ją leżącą na łóżku i żeby głupie myśli zaczęły mu chodzić po głowie. Najbardziej bała się gwałtu.

Tak bardzo bała się gwałtu, że nawet nie potrafiła o tym myśleć, myśli o gwałcie nie kleiły się, nie prowadziły do wymyślonych obrazów i dźwięków, latały jej po głowie, obijając się o czaszkę, czasami któraś zahaczyła o neurony i wtedy Hela była jak sparaliżowana, niezdolna do żadnej czynności ani żadnej innej myśli.

Czytała gazety, oglądała telewizję. Widziała, że gwałt może oznaczać, że przez długi czas przez wiele osób będzie traktowana jak kawałek ciepłego mięsa. Że zrobią jej krzywdę i że nigdy nie będzie taka sama. Ze zdumieniem odkryła w sobie myśl, że łatwiej wyobrazić sobie śmierć. Śmierć stanowiła rodzaj przejścia w nieznane, bez wątpienia oznaczała koniec, ale mogła też być niespodzianką. W gwałcie niespodzianki nie było. Po prostu będzie musiała żyć dalej, może krótko, może bardzo długo, i całe to życie przeżyje jako kobieta, która zaczęła swoją dorosłość od bycia kawałkiem ciepłego mięsa.

Postanowiła, że jakby co, to spróbuje trochę wytrzymać, a potem sprowokuje ich do tego, żeby ją zabili.

7

Niewiele się pomylił. Był pewien, że Monika Najman będzie czekać na niego w holu, tymczasem ona nerwowo krążyła po chodniku. Kiedy wygramolił się z radiowozu, stała tuż przy nim. Zaczekała, aż zatrzaśnie drzwi, i wypaliła:

– Pożałuje pan tego.

Dmuchnął zimny wiatr, ale inny niż do tej pory, suchy, mroźny. Wiatr, który zwiastuje początek zimy. Zapiął płaszcz, spojrzał na Monikę Najman, spojrzał na stojący za nią szary budynek, trochę zaniedbany, taki w sam raz na ośrodek pomocy społecznej i ośrodek terapii uzależnień. I faktycznie, oba tutaj się mieściły, razem z kilkoma innymi instytucjami, których klienteli nie stanowią zdrowi, szczęśliwi i majętni.

Rozumiał wściekłość pani Najman. Nie zostawił jej wyboru, kiedy wysłał do niej Bieruta z informacją, że albo zgodzi się w trybie pilnym na przesłuchanie swojego pięcioletniego dziecka, albo Szacki przestanie brać jej zeznania za dobrą monetę. Zażąda środka zapobiegawczego, zgłosi sprawę do sądu rodzinnego, będzie się musiała tłumaczyć kuratorom, czy jako osoba podlegająca dozorowi policyjnemu jest w stanie zapewnić dziecku odpowiednie warunki. Napisał to Bierutowi na kartce, żeby jej odczytał, bał się, że policjant jest za miękki, żeby skutecznie zaszantażować matkę użyciem państwowej machiny, aby odebrać jej dziecko.

Rozumiał kobietę, ale miał ją w dupie. Musiał działać inaczej niż zwykle, to była jego jedyna szansa. A skoro nie udało się wyciągnąć niczego od Najmanowej, to wyciągnie od jej dziecka. Przedszkolakom zazwyczaj znacznie gorzej wychodzi ukrywanie prawdy niż ich matkom.

– Miała pani swoją szansę. Trzeba było mówić prawdę – powiedział.

Chwilę patrzył na nią w nadziei, że zmieni zdanie i powie mu wszystko, co wie. Czuł, że się zastanawia. Myśli zapewne, czy dziecko wie coś, co może ją pogrążyć. W końcu odsunęła się, pozwalając Szackiemu wejść do budynku.

Przeszedł ciemnym korytarzem, ozdobionym ponurymi plakatami, przestrzegającymi przed uzależnieniami, przede wszystkim alkoholowym („Bimber – przyczyna ślepoty"), ponieważ w budynku mieścił się też ośrodek terapeutyczny, myśląc, że nie tak powinna wyglądać droga do przyjaznego pokoju przesłuchań. Chyba że to celowy zabieg. Kiedy dzieciak już zejdzie z oczu ofiary bimbrownictwa, przesłuchanie będzie dla niego niczym ulubione zajęcia w przedszkolu.

Na końcu korytarza czekała kolejna kobieta, nie mniej wściekła niż poprzednia.

– Gdyby nie Żenia. – Oskarżycielsko wycelowała w niego palec. – Gdyby nie to, że spędziłam z nią w jednym akademiku kilka lat, kując anatomię...

– Też się cieszę, że cię widzę, droga Adelo – powiedział, nieudolnie udając serdeczność. Nigdy mu to nie wychodziło.

– Przynajmniej zrób mi tę przyjemność i się nie staraj – wycedziła. – Powinnam mieć dwa tygodnie na przygotowanie tego przesłuchania, a nie dwie godziny. Gdyby nie Żenia, wyśmiałabym cię, a może nawet doniosła, że w ogóle wpadłeś na taki pomysł.

Ale się zgodziłaś, bo usłyszałaś w głosie starej przyjaciółki coś, co cię przekonało, pomyślał Szacki.

– Nawet nie masz pojęcia... – zaczął jej dziękować, ale wpadła mu w słowo.

– Daruj sobie. Miejmy to za sobą. Masz jakieś pytania poza tym, co mi przekazał twój smętny przydupas?

Miał.


Przyjazny pokój przesłuchań składał się z dwóch pomieszczeń. Pierwsze stanowiło miejsce przesłuchań i urządzone było jak pokoik dla dziecka. Pastelowe kolory, mebelki, pluszaki, zabawki, kredki. Kamery i mikrofony do szczegółowej rejestracji przesłuchań zostały ukryte. Brakowało łóżka, brakowało też szafy, za to dodatkowym, niecodziennym elementem wyposażenia pokoju było zajmujące pół ściany ogromne lustro.

Za lustrem znajdowało się drugie pomieszczenie, zwane technicznym. Tam czuwano nad rejestracją przesłuchania, tam rozmowę psychologa z dzieckiem obserwowali uczestnicy postępowania. W tym wypadku podkomisarz Jan Paweł Bierut, Monika Najman, prokurator Teodor Szacki i sędzia Justyna Grabowska. Sędzia musiała być obecna, ponieważ zgodnie z najnowszymi procedurami dziecko wolno przesłuchać tylko raz, a chodziło o to, aby przesłuchanie miało moc dowodu sądowego.

Szacki na pozór obojętnie przysłuchiwał się niezobowiązującej rozmowie (chwilowo na temat bohaterów kreskówek) z Piotrusiem Najmanem. Słuchał jednym uchem jakiegoś pieprzenia o słoniu w kratkę, nie spuszczając oczu z monitora, na którym technik przełączał na podglądy z różnych kamer. Plan ogólny, oboje rozmówcy z profilu, zbliżenie na Adelę, zbliżenie na Piotrusia. Nad podglądem elektroniczny zegar odmierzał czas z dokładnością do setnych sekund, dwie ostatnie cyfry migały szybko, zlewając się w pulsujący punkt, przypominając Szackiemu o tym, że każdy błysk przybliża śmierć Heli.

11:23:42 – pulsowanie.

Tymczasem słoń w kratkę odwiedzał swoją ciocię, musiała to być zabawna historia, bo głośniki nad ich głowami zabrzmiały głośnym śmiechem Adeli i dziecka. Miał ochotę tam wejść i spacyfikować towarzystwo. Oczywiście znał teorię przesłuchania dziecka. Że trzeba wprowadzić techniki narracyjne, w miarę możliwości odprężyć dziecko i wyjaśnić sytuację, wytłumaczyć, że nie musi znać odpowiedzi na pytania i to jest okej, postawić się w roli dorosłego, który nie wie, i trzeba mu wyjaśnić. Znał teorię, a i tak szlag go trafiał, że to wszystko tyle trwa.

– Ale ja nie wiem, jak wygląda twój dom. – Adela rozłożyła komicznie ręce i mały się roześmiał. – Opowiesz mi, jak wygląda miejsce, gdzie się bawisz?

– Bawię się w moim pokoju. Tam mam zabawki i książeczki, i puzzle. I taki dywan jak ulicę, żeby się ścigać samochodami. I mam lampę, w której pływają bańki.

– Kolorowe?

– Żółte. Czyli *yellow*.

– Brawo! Znasz angielski. Jakieś inne kolory?

– *Orange*. To pomarańczowy.

Adela aż westchnęła z wrażenia, a chłopiec pokraśniał z dumy. Szacki tymczasem uznał, że mały dziedzic turystycznego biznesu bardziej jest podobny do ojca niż do matki. Fizycznie. Na tyle, na ile mógł ocenić, pamiętając zdjęcia Najmana. Szeroka twarz, ciemne oczy, ciemne włosy, mocno zarysowane brwi. Nie widział żadnego podobieństwo do matki. Może tylko wykrój ust. Gdyby powiedziała, że go adoptowała, nikt nie miałby wątpliwości.

– A lubisz bardziej się bawić zabawkami w domu czy w przedszkolu?

– W przedszkolu.

– Dlaczego, opowiedz mi.

Wszystkie pytania musiały być otwarte, nie można było zadawać pytań, na które dziecko mogło odpowiedzieć „tak" lub „nie". Nie gwarantowało to, że mały świadek zrozumiał pytanie, poza tym dzieci w sytuacjach stresowych miały tendencje, żeby potakiwać dorosłym, kiedy nie rozumiały pytania. Lub zaprzeczać, jeśli pytano je o rzeczy nieprzyjemne.

– W przedszkolu możemy przynosić swoją zabawkę, ale tylko w poniedziałek. I wtedy kłócę się z Igorem, bo chcemy się bawić swoimi zabawkami i jak krzyczymy, to dostajemy chmurę.

Jak większość małych dzieci Piotruś Najman nie potrafił podtrzymać narracji dłużej niż przez dwa, trzy zdania.

– Aha, chmurę dostaje się za karę. A co dostaje się w nagrodę?

– Słoneczko.

– A w domu są jakieś kary i nagrody?

– Nie lubię, jak mama na mnie krzyczy. I wtedy daję jej chmurę.

Najmanowa odchrząknęła w głębi ciemnego pomieszczenia.

– A tata?

– Mój tata wyjechał i nie wiadomo, kiedy wróci.

Najmanowa znowu odchrząknęła, ale tym razem się odezwała:

– Na razie nie mówiłam mu, że ojciec nie żyje, stopniowo go przygotowuję. Przecież nie wiadomo, kiedy pogrzeb, kiedy oddacie mi zwłoki męża. To jest w ogóle skandal, chciałam powiedzieć, że złożę zażalenie.

Nikt nie skomentował.

– A powiedz, jak to jest, często dajesz rodzicom chmury i słoneczka?

– Raczej chmury.

– Rozumiem, że wtedy, kiedy są niegrzeczni. A co robią mama i tata, kiedy są niegrzeczni?

– Krzyczą.

– I jak się wtedy czujesz?

– Jestem zły!

– I co robisz?

– Nie krzyczę, bo nie wolno krzyczeć. Muszę być grzeczny i muszę być cicho.

– A co się dzieje, kiedy jednak nie wytrzymujesz i nie jesteś cicho?

– Wtedy mam karę.

Piotruś posmutniał. Spuścił głowę, zszedł z krzesełka na dywan i tam zaczął malować.

– Mogę usiąść obok ciebie? – zapytała miękko Adela.

Chłopiec pokiwał głową i psycholożka usiadła na dywanie.

– Musisz zrobić nogi w kokardkę. – Pokazał jej, jak siadać po turecku.

Adela usiadła identycznie.

– Bardzo ładnie – pochwalił ją chłopiec.

– Nikt nie lubi dostawać kary, prawda?

Chłopiec pokiwał głową.

– Opowiesz mi, jakich kar nie lubisz najbardziej?

W pokoju technicznym wszyscy wstrzymali oddech.

Piotruś wziął kartkę i zaczął na niej coś rysować kredkami. Adela sięgnęła po żółtą kredkę i dorysowała słoneczko na jego obrazku.

– Nie lubię być sam – mruknął w końcu.

– A co to znaczy, że jesteś sam?

– Muszę być w swoim pokoju i mama i nie mogę wychodzić. Kiedy mam karę.

– Nie rozumiem. Chcesz mi powiedzieć, że kiedy masz karę, musisz siedzieć w pokoju razem z mamą?

Chłopiec sapnął, zniecierpliwiony, że Adela nie rozumie jego wywodu.

– Nic nie rozumiesz. Muszę siedzieć sam w pokoju, kiedy mam karę.

Szacki zacisnął pięści. Błagam, pomyślał, niech ten wątek do czegoś doprowadzi. Niech da mi przełożenie, żebym mógł przycisnąć Najmanową i wyciągnąć z niej prawdę.

– Dlatego pytam, żeby zrozumieć. Byłam ciekawa, gdzie jest wtedy mama.

– W domu. – Mały wzruszył ramionami, rysując zawzięcie.

Szacki pomyślał, że dzieci jednak są podobne. Mała Hela też zawsze nazywała ich duży pokój „domem".

– Ale jak ma karę, to też jest w swoim pokoju. Tylko ona ma w swoim pokoju telewizor, a ja nie. I nie mogę oglądać bajek, jak Franklin boi się ciemności.

– A dlaczego mama ma karę?

– Tata daje jej chmurę.

– I co się wtedy dzieje?

– Musi siedzieć w swoim pokoju, przecież mówię.

– A ty, co wtedy robisz?

– Bawię się z tatą.

– A jak bawicie się z tatą?

– Podoba ci się?

Piotruś pokazał Adeli rysunek. Zwykły dziecięcy rysunek, żadne czarne dziury czy czerwone chmury, czy mężczyźni z ogromnymi członkami lub strasznymi mordami, co zwykle rysowały ofiary pedofilii i przemocy. Rodzina na tle domu, pomarańczowe obłoczki, żółte słońce.

– Pięknie! Bardzo mi się podobają chmury w kolorze *orange*.

– To po angielsku! – Chłopiec zaśmiał się wesoło.

– No, ja też znam angielski. Potrafię powiedzieć *blue*.

– To niebieski! I też jest taka papuga blu w filmie i ona też jest niebieska.

Szacki wzniósł oczy do sufitu. Boże, daj mi siłę, żebym nie rozszarpał dygresyjnego bachora.

11:47:18 – pulsowanie.

– Znam ten film. *Rio*, prawda?

– Tak, *Rio*. Byłem z tatą w kinie.

Bo mama miała chmurę, pomyślał Szacki i zerknął na Najmanową. Nie wydawała się zaniepokojona przesłuchaniem.

– Opowiesz mi, jak jeszcze bawisz się z tatą?

– Czytamy książeczki o Elmerze.

– Słoniu w kratkę.

– I Wimburze, Wimbur ma kratkę, ale nie kolorową.

– I co jeszcze robicie?

– Ludziki z plasteliny. Albo oglądamy bajki. Ale nie mogę oglądać bajki, kiedy są wiamodości.

– A co lubisz najbardziej?

– Jak idę z tatą na basen na rowerze i tata żartuje, włącza odpalacze, i robi szybki rajd.

– A jest jakaś zabawa z tatą, której nie lubisz?

– Tata jest fajny – powiedział Piotruś z przekonaniem.

Adela zerknęła w stronę lustra. Jej wzrok mówił: marnujemy czas. Normalny chłopiec, normalna rodzina. Rodzice wprawdzie dziwnie się dogadują, ale to jeszcze nie patologia, poza tym może chłopiec mylnie odbiera ich kłótnie. I mówi, że mama ma karę, kiedy wściekła kobieta się zamyka się w pokoju.

– Mama chodzi z wami na basen?

– Mama nie lubi się moczyć.

Technik przy komputerze parsknął cicho i zaraz spojrzał na nich przepraszająco.

– A często ma karę i musi siedzieć w swoim pokoju?

– Nie wiem.

Rysował coraz bardziej zamaszyście. Szacki pamiętał, jak to jest z małymi dziećmi, i wiedział, że to nie jest oznaka stresu. Po prostu mały się dekoncentruje, nie potrafi tak długo utrzymać uwagi, nosi go.

– Już zaraz kończymy, dobrze? – Adela bezbłędnie odczytała mowę ciała chłopca. – Jeszcze tylko trzy pytania, o mamę i tatę, i możesz lecieć. Zgoda?

– Zgoda – odparł poważnie chłopiec.

– Czy mama dostaje jakieś inne kary niż siedzenie w pokoju jak ty?

– Jak jest bardzo niegrzeczna, to musi iść na strych. Tam nie ma telewizora.

Szacki i Bierut wymienili się spojrzeniami. Przeszukanie jak najszybciej.

– A jak jest na strychu?

– Śmierdzi i jest kurz.

Niedobrze, pomyślał Szacki. Gdyby było naprawdę źle, nie pozwoliliby mu tam wchodzić.

– Czy ty też masz karę na strychu?

– Nie mogę tam wchodzić. Bo od kurzu jestem chory.

– A wiesz może, dlaczego mama dostaje od taty chmury?

– Pewnie jest niegrzeczna. Trzeba być grzecznym.

Prokurator Teodor Szacki obrócił się, żeby widzieć zarówno scenę za weneckim szkłem, jak i stojącą za nimi Monikę Najman. Kobieta była zrelaksowana i odprężona, nawet lekko uśmiechnięta. I Szacki ku swemu przerażeniu zrozumiał, że zadają złe pytania. Na początku była spięta, bo wiedziała, że coś może wyjść na jaw. A teraz jest spokojna, skoro nawet nie dotknęli tematu.

Pierdolona nowelizacja kpk. Nie będzie drugiej możliwości przesłuchania. Nigdy. Zawył w myślach.

– A jak mama jest niegrzeczna, to co się wtedy dzieje?

– Nie lubię krzyczenia.

– Czy coś jeszcze się dzieje, kiedy rodzice są zdenerwowani? Coś, co ci się nie podoba?

– Krzyczenie mi się nie podoba.

– A co jeszcze ci się nie podoba?

– Gryzienie i popychanie. Maurycy mnie zawsze popycha w przedszkolu.

– A w domu ktoś cię popycha?

– Jak popycham tatę, to tata mówi, że nie wolno popychać.

– A czy mama i tata się popychają?

– No coś ty. – Chłopiec roześmiał się. – Przecież oni są duzi.

Adela spojrzała w stronę lustra. Koniec przesłuchania.

Szacki szpetnie zaklął w myślach.

– Czy mogę już zabrać dziecko, panie prokuratorze? – odezwała się do niego Monika Najman mocnym, pewnym głosem, jakże innym od tego, jaki słyszał w czasie ich pierwszego spotkania. – Czy zamierza pan wsadzić Piotrusia do aresztu na trzy miesiące, żeby wydobyć z pięciolatka cenne informacje?

11:59:48 – pulsowanie.

Technik zatrzymał rejestrację chwilę później, dokładnie z wybiciem dwunastej, i zapalił światło. Sędzia sięgnęła po swoją torebkę na znak, że czynność uważa za zakończoną. Szacki nic nie zrobił. Szczerze mówiąc, nie miał pojęcia, co mógłby zrobić. Czuł, że w powietrzu jest za mało tlenu

– Naprawdę – Najmanowa nie mogła się powstrzymać – mam szczerą nadzieję, że macie państwo jakieś inne sposoby na schwytanie zabójcy mojego męża niż prześladowanie pięcioletniego sieroty. Ma pan, panie prokuratorze?

Wejście Adeli uchroniło go od konieczności odpowiedzi. Bez słowa odwrócił się w stronę przyjaznego pokoju, gdzie mały Piotruś usiłował zaostrzyć ułamaną kredkę. Chwilę mocował się z nieprzyjaznym urządzeniem, ale w końcu mu się udało i wrócił do rysowania.

Kiedy Najmanowa zabrała chłopca, Szacki w poszukiwaniu tlenu znalazł się na korytarzu i nie mając lepszego pomysłu, wszedł do przyjaznego pokoju. W środku było duszno, pachniało zakurzoną wykładziną, potem pięciolatka i delikatnymi kwiatowymi perfumami Adeli, zbyt delikatnymi jak na jej zdecydowaną osobowość i jak na porę roku.

Zrobiło mu się słabo, naprawdę słabo, jakby miał zemdleć. Usiadł na niebieskim krzesełku i odruchowo zaczął przeglądać rysunki małego, które Adela zebrała z podłogi i położyła na stoliku.

Domek, chmurki, słoneczko, szczęśliwa rodzina. Cóż za pudło. Szczęśliwa rodzina. Coś, czego być może już nigdy nie będzie miał. Głowa mu ciążyła, łokcie oparł na stoliku, czoło położył na dłoniach. Duży facet, w szarym garniturze i czarnym płaszczu, zgarbiony tak, że prawie złamany wpół, wciśnięty w plastikowy mebelek dla przedszkolaków. Zdawał sobie sprawę, jak to wygląda, ale brakowało mu siły, żeby się podnieść.

Tuż przed nosem miał rysunek Piotrusia Najmana, dość radosny w swoich pastelowych kolorach. Słońce Adeli było ładne i symetryczne, reszta elementów nosiła cechy przedszkolnego malarstwa. Pomarańczowe chmury bardziej przypominały kałuże niż obłoczki. Drzewa składały się na równi z brązowego pnia, co zielonej korony, dwukolorowe prostokąty. Domek, szeroki i przysadzisty, do złudzenia przypominał stawigudzką nieruchomość Najmanów. Przed domkiem cała rodzina: mama, tata, synek.

I jeszcze jedna kobieta, trzymająca synka za rękę.

Wyprostował się gwałtownie.

Pięcioletni Najman potrafił już uchwycić najważniejsze cechy postaci. On sam miał brązowe oczy i brązowe włosy. I jakieś niebieskie wdzianko, być może ulubioną koszulkę. Obok niego stali rodzice. Denat Najman rozpoznawalny był po łysinie, czarnych brwiach i po tym, że jego dłoni brakowało dwóch palców. Dla dziecka to musiała być ważna cecha charakterystyczna. Najman trzymał na smyczy przedziwnego kanciastego psa bez głowy w czerwonym kolorze i Szacki chwilę wpatrywał się w monstrum, zanim zrozumiał, że to walizka na kółkach. Tata podróżnik, jasne. Mama Najmanowa była szczupła, brązowowłosa, miała na sobie zieloną sukienkę, a w dłoni trzymała bukiet kwiatów. Może lubi kwiaty? Może lubi babrać się ziemią w ogrodzie? Chłopiec uchwycił i to, że mama jest delikatnie wyższa od taty. Najmanowa i Najman nie trzymali się za ręce, choć stali obok siebie. Mama i tata. Ojciec nie trzymał za rękę stojącego obok chłopca, od syna odgradzała go zresztą czerwona walizka. Piotruś stał z drugiej strony walizki i trzymał za rękę kobietę, dorosłą, choć nie tak wysoką jak jego matka. Kobieta miała narysowane czarną kredką długie włosy i granatowe oczy, karykaturalnie wielkie, właściwie oczy zajmowały całą jej twarz. Robiło to dość upiorne wrażenie. Ubrana była w długą sukienkę w tym samym kolorze.

Szacki rozłożył na stoliku rysunki Piotrusia Najmana. Nie na każdym byli mama i tata. Ale na każdym stał mały chłopiec i trzymał za rękę czarnowłosą kobietę o ogromnych, niebieskich oczach.

Zgarnął rysunki ze stołu i rzucił się biegiem w stronę wyjścia.

Monika Najman usiłowała właśnie włączyć się do ruchu w alei Wojska Polskiego, w stronę centrum, kiedy Szacki stanął przed maską i zagrodził jej drogę.

Uchyliła okno.

– Nie przesadza pan? – warknęła. – To chyba nie Związek Radziecki, że możecie ludzi prześladować bezkarnie.

– Kim jest ta kobieta? – zapytał w odpowiedzi, pokazując jej rysunki.

Piotruś Najman spał już w foteliku, wyczerpany przygodami w świecie sprawiedliwości.

– Skąd mam wiedzieć?

– Pani syn ją namalował. To jakaś ciotka? Opiekunka? Babcia?

Mówił celowo głośno w nadziei, że obudzi małego, ten jednak spał twardo.

– Po pierwsze, niech się pan nie drze. Po drugie, nie mam pojęcia. Po trzecie, gówno mnie to obchodzi. Po ostateczne, proszę zejść mi z drogi, zanim pana rozjadę.

– Jest na każdym obrazku. Jako jedyna trzyma go za rękę. To musi coś znaczyć. Proszę mi powiedzieć, kto to jest!

Uśmiechnęła się do niego, chłodno i słodko jednocześnie.

– Miał pan swoją szansę – powiedziała. – Trzeba było zadawać odpowiednie pytania.

Ruszyła gwałtownie, ochlapując Szackiego czarnym, zimowym błotem, które zebrało się na nierównym parkingu, wyłożonym starymi płytkami chodnikowymi. Jeszcze mrugnęły mu światła stopu skody i wdowa energicznie włączyła się do ruchu tuż przed miejskim autobusem, dwie sekundy później już jej nie widział.

Stał w falującej kałuży, pokryty czarnymi kropkami błota od stóp do głów, ściskając w ręku dziecięce rysunki. Kolorowe plamy wyglądały surrealistycznie na tle Szackiego, chodnika, błota, budynku MOPS-u na drugim planie i grudniowego Olsztyna w ogóle.

Nie miał pojęcia, co zrobić. Postanowił, że pozwoli sobie na płacz. I wtedy ktoś położył mu rękę na ramieniu.

Jan Paweł Bierut. Smutny jak zawsze. To nie mogła być dobra wiadomość.

– Znaleźliśmy faceta bez dłoni – powiedział.


# 8

Światełko przy drzwiach zamieniło się na czerwone. Siedziała cicho, ale nie słyszała dźwięków z drugiej strony, trudno powiedzieć, czy ktoś zabrał jej pośniadaniowe śmieci, czy nie. Może zrobił to cicho, może drzwi były dźwiękoszczelne. Wzdrygnęła się, nie miała ochoty na wyobrażanie sobie, do czego porywacze mogą potrzebować dźwiękoszczelnych pomieszczeń.

Minęło pół godziny od postawienia kreski oznaczającej dwunastą i Hela planowała się zdrzemnąć, kiedy po raz pierwszy od dostarczenia śniadania coś się zmieniło.

Włączono telewizor.

Ciekawe, pomyślała, obserwując czarno-białe zakłócenia.

Ktoś z drugiej strony musiał wcisnąć odpowiednie guziki, bo zakłócenia zniknęły, zastąpione przez obraz pomieszczenia. Wyglądało na niewykończony parter domu jednorodzinnego, stan surowy zamknięty. Ściany z bloczków betonowych, wylewka, na suficie widoczne belki stropowe. Pomieszczenie oświetlone zostało kilkoma mocnymi lampami.

Pośrodku stała jakaś rura, gruba, chyba metalowa. Może kanalizacyjna. A może to jakaś kolumna? Kolorem i grubością przypominała kolumnę Zygmunta w Warszawie.

Do rury przystawiono malarską drabinę, taką z podestem.

Ujęcie zmieniło się i mogła zajrzeć do wnętrza rury.

Wzdrygnęła się nieprzyjemnie.

We wnętrzu rury tkwił goły facet. Może śpiący, może nieprzytomny, może martwy. Głowa opadła mu lekko na ramię, tak że widać było tylko ucho, kawałek policzka z ciemnym zarostem i lśniącą łysinę.

Patrzyła przez chwilę na ten niezwykły, niepokojący obrazek. Ale nic się nie działo. Zachciało jej się sikać, ale uznała, że lepiej się nie ruszać, żeby czegoś nie przegapić. Nic się jednak nie działo, a ona nie mogła wytrzymać, więc szybko pobiegła do toalety i wróciła, nie umywszy rąk.

Ciągle nic się nie działo.

Zaczynała podejrzewać, że jakiś szaleniec nagrał rozkładające się zwłoki, a teraz każe jej to oglądać przez dwa tygodnie, żeby wiedziała, co ją czeka. Nie potrafiła powstrzymać natrętnej myśli, że jeśli te dwa tygodnie będzie tu siedziała w pomieszczeniu dwa na dwa i żarła frykasy z McDonalda, to nie ma szans, żeby nie przytyła.

Nagle do obrazu dołączyła fonia. Nic szczególnego. Szum tła. Kroki, sygnał przychodzącego sms-a, ktoś coś postawił, ktoś coś przesunął, ktoś trzasnął drzwiami.

Ujęcie jeszcze raz zmieniło się na kilka minut na plan ogólny: bloczki betonowe, rura, lampy. Cień, jakby ktoś przeszedł za kamerą. A potem znów to zbliżenie na trupa.

Obraz był bardzo dobrej jakości. W dobrze oświetlonym pomieszczeniu wyraźnie widziała, że ucho trupa było delikatnie zdeformowane. Najpierw pomyślała, że to już rozkład, ale szybko doszła do wniosku, że to jest blizna, jakby po oparzeniu.

I w tym momencie, kiedy prawie wsadziła nos do telewizora, żeby się przyjrzeć tej bliźnie, trup się poruszył.

Hela krzyknęła i odskoczyła od telewizora.

– Jak w horrorze, kurwa, normalnie – powiedziała na głos, żeby dodać sobie otuchy i odruchowo wróciła na bezpieczne miejsce na kanapie.

„Trupowi" chwilę zajęło odzyskanie przytomności. Pokasłał, rozejrzał się, zobaczył, że nic ciekawego do oglądania w rurze nie ma, i zadarł głowę, patrząc w kamerę, a więc prosto w oczy Heli.

Dorosły mężczyzna o zwyczajnej twarzy, ani brzydkiej, ani przystojnej. Kwadratowej, męskiej w jaskiniowy sposób, który w Heli budził zawsze odrazę, miała wrażenie, że tacy mężczyźni bardziej się pocą i śmierdzą. Brwi miał grube, czarne, trochę jak sztuczne.

Oczy mężczyzny chwilę poruszały się we wszystkie strony, pewnie rozglądał się, gdzie jest, ale z punktu widzenia Heli wyglądało to komicznie, jakby oglądał sobie jej celę. Początkowe zdziwienie szybko zastąpiła wściekłość, twarz mężczyzny wykrzywiła się w złym grymasie.

– Oszalałaś kompletnie?! – krzyknął. – Co to za kretyński teatr!

Nikt mu nie odpowiedział, ale też nikt nie przerwał pracy. W tle ciągle słychać było odgłosy czegoś, o czym Hela pomyślała po raz pierwszy, jako o przygotowaniach do egzekucji. Przeszedł ją dreszcz.

Mężczyzna rzucił się gwałtownie, jakby chciał przewrócić swoje więzienie. Ręce miał związane z przodu, palcami mógł dotknąć ścianki. Oparł dłonie na płask i próbował rozbujać rurę. Bez skutku, nie drgnęła nawet o centymetr.

Zauważyła, że w jednej dłoni brakuje mu dwóch palców.

– Pożałujesz tego! – wydarł się.

Zmęczył się wierzganiem. Ucichł i próbował uspokoić oddech, na czoło wystąpiły mu krople potu.

– Pierdolona cipo, pożałujesz, możesz być pewna – mruczał do siebie. – Już ja ci to, kurwa, gwarantuję.

Na twarzy mężczyzny pojawił się cień. Najwidoczniej ktoś stanął na drabinie i zasłonił sobą światło.

Mężczyzna uśmiechnął się krzywo.

– Co ci to da? Co chcesz w ten sposób osiągnąć? Co? Utopisz mnie tutaj? Zabijesz? Pozbędziesz się? Co to zmieni?

Do środka rury szerokim strumieniem zaczęły się sypać białe granulki. Wyglądały jak pokruszony styropian. Hela podniosła brwi zdumiona. Dziwne, bardzo dziwne.

Granulki bardzo szybko sięgnęły mężczyźnie do kolan.

– Zasypiesz mnie styropianem? Naprawdę?

Pociągnął nosem, jakby poczuł nieprzyjemny zapach. Spojrzał na kulki w szybkim tempie zasypujące jego ciało. Jego oczy mówiły, że coś jest nie tak. Skrzywił się i poruszył jak człowiek, którego uciął komar albo którego zaswędziało w miejscu, gdzie nie da się podrapać.

Spojrzał w kamerę i po raz pierwszy agresję zastąpił na jego twarzy najpierw niepokój, a potem strach.

Białe granulki sięgały mu do pasa.

– Hej, kochaliśmy się przecież – powiedział łagodnie. – Możemy się jeszcze kochać. Serio, świat jest stworzony do miłości. Mamy tylko jedno życie, nie ma co go tracić na nienawiść.

– Ty już nie – odparł cicho damski głos. Tak cicho, że Hela ledwie usłyszała, może mikrofon źle zbierał dźwięk. Sypiące się plastikowe kulki zagłuszały prawie wszystko poza niskim głosem mężczyzny.

– Co ja już nie? – zapytał, krzywiąc się i ruszając gwałtownie, jakby do komarów dołączyły inne owady.

– Nie masz życia – odparł głos. Cicho, spokojnie, bez nienawiści i bez smutku. Po prostu jakby udzielał oczywistej informacji, która godzina albo czy autobus odjechał z przystanku.

Hela drgnęła. Głos wydał jej się znajomy.

Granulki zasypały mężczyznę po szyję.

– Okej, rozumiem – powiedział z trudem. – Boli, szczypie, odebrałem swoją lekcję cierpienia. O to chodzi?

Jego twarz zrobiła się czerwona, krople potu zbierały się na nosie i kapały na granulki. Hela zauważyła, że zachowywały się, jakby spadały na ciepłą patelnię, z miejsca upadku unosił się lekki dym.

Instynktownie zastygła. Zrozumiała, że cokolwiek przygotowano dla mężczyzny, musiało być straszne. Teoretycznie wiedziała, że to coś nie wyskoczy z telewizora, ale strach przejmował nad nią kontrolę. Mężczyzna krzyknął po raz pierwszy. Nie z wściekłości, lecz z bólu, krzykiem zranionego zwierzęcia. Hela zasłoniła uszy, żeby tego nie słyszeć. Ale oczu od ekranu nie mogła oderwać.

Potem wydarzyło się coś nieoczekiwanego. Więzień zaczął się rzucać na wszystkie strony, machając rozpaczliwie głową, wyglądało to, jakby wbrew logice próbował wypełznąć ze swojej rury. W czasie tej szarpaniny, dysząc i krzycząc, popełnił wielki błąd: zanurzył twarz w tajemniczych granulkach. Musiał zachłysnąć się nimi, bo nagle zaczął się krztusić i pluć, i drzeć wniebogłosy. W paroksyzmie bólu odrzucił głowę do tyłu, uderzając z hukiem o metalową rurę, a Hela zobaczyła, że jego usta są krwawą jamą, w której dymią i pienią się białe granulki, że jakaś reakcja chemiczna sprawia, że w połączeniu z wodą zamieniają się one w żrącą substancję.

Nagle krzyk ucichł. W pierwszej chwili pomyślała, że to wysiadła fonia, ale nie. Słyszała syk reakcji, szelest garnulek, w których miotał się mężczyzna, głuche uderzenia, kiedy walił głową o rurę. Zrozumiała, patrząc na jego szeroko otwarte usta, że on ciągle krzyczy. Tyle tylko że ten kwas, czy co to było, musiał przeżreć struny głosowe.

Jego krzyk stał się niemy.

Nigdy nie widziała nic bardziej przerażającego. To było gorsze niż jama w ustach. Gorsze niż krwawa obroża, która pojawiła się przy szyi, tam, dokąd sięgały białe granulki i gdzie rozpuszczały wolno jego ciało. Gorsze niż oko, do którego musiała się dostać kulka i które teraz zmętniało, krwawiło i zaczęło się zapadać, jakby wpływało do środka czaszki. Obraz zmienił się i zobaczyła inne ujęcie rury i pomieszczenia. Na podeście drabiny cały czas stała kobieta, z którą rozmawiał mężczyzna. Nisko nachylona, prawie że z głową w rurze, jakby nie chciała przeoczyć ani sekundy jego cierpienia.

Długie czarne włosy zakrywały jej twarz.


# 9

Zegar na wyświetlaczu radiowozu pokazywał prawie trzynastą, kiedy kierowca zaparkował pod piekarnią na Mickiewicza.

– To tutaj? – Szacki spytał Bieruta.

– Naprzeciwko – odparł policjant, wskazując na narożną kamienicę po drugiej stronie ulicy.

Budynek bez wątpienia był kiedyś dumą Olsztyna. Dawno, dawno temu, kiedy polska i katolicka ludność Świętej Warmii cierpiała pod niemieckim jarzmem, o czym niestety w dziewięćdziesięciu procentach zapomniała podczas plebiscytu, kiedy trzeba było wybrać sobie ojczyznę w 1920 roku. Szacki nawet ich rozumiał. Sam by wybrał cywilizację, która potrafiła ozdabiać swoje miasta tak niezwykłymi kamienicami, a nie tą, która wybudowała sobie Mławę i Ostrołękę. Cywilizację, która pewnie by o takie perły secesyjnej architektury zadbała. Pół wieku polskiego zarządzania doprowadziło do tego, że piękny miejski pałac zamienił się w komunalny slums. Tynk odpadał z budynku jak skóra z trędowatego, rynny z niewiadomych przyczyn biegły w poprzek elewacji. Trzy loggie po lewej stronie były pomalowane każda na inny, jaskrawy kolor. Trzy loggie po prawej były zabudowane każda w inny sposób. Obraz nędzy i rozpaczy, reklama nadwiślańskiej estetyki.

– Chodziłem tutaj do biblioteki dziecięcej – powiedział Bierut, kiedy przechodzili przez ulicę.

– Gdzie?

– Tam, gdzie teraz biuro poselskie Platformy. – Bierut wskazał wiszącą na kamienicy tablicę.

– O czasy, o obyczaje – skomentował Szacki, na co policjant pokiwał głową z właściwym sobie smutkiem.

– Piękny dom, prawda? – Policjant westchnął z uznaniem, zatrzymując się przed drzwiami i omiatając wzrokiem ozdobną, bogatą fasadę.

– Był – mruknął Szacki i pchnął drzwi wejściowe. Stare, oryginalne, ozdobione miękkimi secesyjnymi ornamentami, widocznymi mimo łuszczących się warstw farby. Wszedł do środka w wilgotny, piwniczny zaduch, w niedający się pomylić z niczym innym zapach gnijącego drewna. Pstryknął światło i nie mógł powstrzymać ciężkiego westchnienia.

Był kiedyś taki dowcip o tym, jak diabeł złapał Polaka, Ruska i Niemca i każdemu dał dwie metalowe kulki. I tydzień, żeby nauczyć się z nimi robić niesamowite sztuczki. Kto pokaże lepsze sztuczki, tego diabeł puści wolno. Po tygodniu Niemiec ustawiał wieże na nosie, Rusek żonglował, a Polak jedną kulę zepsuł, a drugą zgubił.

To samo wydarzyło się w tej kamienicy. Fasadę Polak zepsuł, a wnętrze zgubił. Nazwanie klatki schodowej „zaniedbaną" nie oddawało skali dewastacji, tym bardziej przykrej, że spod efektów polskiej gospodarki, spod syfu, brudu, obtłuczonego tynku i kolejnych warstw farb w tych najobrzydliwszych żółciach i brązach, wystawało jeszcze dawne piękno: stolarka poręczy i drzwi, zdobienia sufitu, ornamenty gzymsów, ozdobne szyby o miękkich liniach art déco. W połowie korytarza ściana nad lekko sklepionym otworem drzwiowym ozdobiona była delikatną, płytką płaskorzeźbą, przedstawiającą twarz kilkuletniego chłopca w obramowaniu z elementów roślinnych. Szacki drgnął, nie dość, że stiukowa blada twarz sprawiała upiorne wrażenie w tym wnętrzu, to jeszcze delikatnie uśmiechnięty chłopiec do złudzenia przypominał mu Piotrusia Najmana. Ta sama pucułowata, kwadratowa buzia, te same lekko falujące, gęste włosy.

– Które piętro? – powiedział chrapliwie, żeby wyjść ze swoich myśli.

– Trzecie niestety – odparł Bierut.

Kilkadziesiąt skrzypiących drewnianych stopni później obaj mężczyźni stali pod brązowymi drewnianymi drzwiami i czekali w nadziei, że ktoś im otworzy. Szacki zastanawiał się, jak wyglądają zamki w domu człowieka bez rąk. Czy ktoś produkuje specjalny sprzęt, dzięki któremu można otwierać zasuwki ustami?

– Kto tam? – zapytał damski głos.

– Policja – odpowiedział grobowo Bierut, przykładając do wizjera swoją blachę. – Nic poważnego, chcemy tylko zadać kilka pytań.

Szacki wiedział, że mówią tak nawet wtedy, kiedy mają zamiar do środka wrzucić gaz łzawiący, a za pukającym czeka kilkunastu komandosów z jednostki specjalnej.

Szczęknęła zasuwka. Drzwi otworzyły się i stojąca za nimi kobieta około pięćdziesiątki zaprosiła ich gestem do środka. Schludna, szczupła, stonowana. Szpakowate włosy do ramion, szary golf, czarne spodnie. Wyglądała jak nauczycielka akademicka. I to raczej taka z Sorbony niż z Warmińsko-Mazurskiego, zwanego przez złośliwych wiejsko-miejskim.

Szacki zwlekał z wejściem, ponieważ wszystko było nie tak. Spodziewał się faceta bez rąk, urzędującego na melinie w szarej z brudu podkoszulce. Zastał elegancką kobietę z kompletem kończyn, gospodynię inteligenckiego mieszkania. Już z korytarza widać było, że jeśli w tym domu czegoś brakuje, to raczej miejsca na książki niż książek jako takich.

– Prokurator Teodor Szacki – przedstawił się. – To podkomisarz Jan Paweł Bierut. Szukamy pana Artura Ganderskiego.

– Czyli mojego byłego męża – odpowiedziała spokojnie kobieta.

– Czy wie pani może, gdzie obecnie przebywa?

– Oczywiście. Poprzeczna 9B, mieszkania 21.

– Dziękujemy. – Szacki ukłonił się i odwrócił, żeby zbiec ze schodów, kiedy Bierut złapał go za ramię.

– To adres cmentarza komunalnego – powiedział.

Kobieta uśmiechnęła się i dygnęła po pensjonarsku.

– Mam nadzieję, że panowie wybaczą. Męża nie ma i szczęśliwie nie będzie, ale jeśli mogę w czymś pomóc, to zapraszam na herbatę. Tym bardziej jeśli szukacie go panowie w związku z nieoczekiwanym spadkiem na przykład. Chętnie przyjmę.

Wyprowadzili ją z błędu i przyjęli zaproszenie.

10

Herbata smakowała wybornie, przyrządzona na orientalną modłę, zagotowana razem z cukrem i świeżą miętą w mosiężnym czajniczku. Chyba najlepsza herbata, jaką Szacki kiedykolwiek pił. Jadwiga Korfel najpierw opowiedziała im historię, jak to jej mąż stracił półtora roku temu dłonie w wypadku na polowaniu i tak bardzo przeżył fakt, że nigdy się już samodzielnie nie podetrze i nigdy samodzielnie nie pociągnie za spust, że postanowił skończyć ze sobą. Z przyczyn oczywistych nie był w stanie strzelić sobie w łeb, w związku z czym utopił się po pijaku w Łynie.

Prokurator Teodor Szacki zapytał wprost, ponieważ nie miał czasu na grę wstępną, czy była ofiarą przemocy domowej. Bez wahania odpowiedziała, że była, utracone na polowaniu ręce lały ją tak często, że przez piętnaście lat małżeństwa straciła rachubę. Dopytana opowiedziała tak klasyczną, że aż podręcznikową historię. Cykl zawsze wyglądał tak samo. Najpierw rosło napięcie. Z dnia na dzień coraz więcej było w niej strachu, a w nim agresji, złośliwości, irytacji.

W końcu przepalał się pierwszy bezpiecznik i stawała się ofiarą werbalnej agresji, wyzwisk i pogróżek. Potem przepalał się drugi bezpiecznik i dostawała lanie. Mistrzowskie lanie, powiedziała z podziwem, twierdząc, że jej nieświętej pamięci małżonek nawet jeśli nie był mistrzem Polski, to na pewno województwa w tej dyscyplinie. Zdarzało mu się wypić, zdarzało mu się po pijaku jej naubliżać, ale kiedy przez kilka dni unikał nawet czekoladek z alkoholem, wiedziała, że zbliża się ten dzień. Zawsze lał ją wypoczęty i na trzeźwo, precyzyjnie, jakby brał udział w zawodach, żeby sprawić jej jak najwięcej bólu i zostawić jak najmniej śladów. Następnie znikał na dwa dni i wracał z bukietem kwiatów, złotą biżuterią, biletami na wycieczkę zagraniczną i obietnicami, że to ostatni raz. Wierzyła, przyjmowała kwiaty, jechała na wycieczkę, cieszyła się nowym szczęściem, aż któregoś dnia wracała do domu i czuła, że atmosfera jest bardziej napięta niż zwykle.

– Jak stracił ręce na polowaniu? – zapytał Szacki.

– Wypadek. Potknął się i tak nieszczęśliwie upadł, że rękami uderzył w pozostawiony przez kłusowników potrzask. Lato, miał tylko cienką koszulę. Szczupły był, chudy właściwie. Trzask-prask, potrzask i po rączkach.

Bierut z Szackim wymienili się spojrzeniami.

– A czemu nie udało się przyszyć tych dłoni? – z ciekawości zapytał Szacki.

– Zwierzęta zabrały. Wie pan, las warmiński to ciągle potrafi być dzikie miejsce.

Upiła herbaty z niewielkiej szklaneczki.

Prokurator Teodor Szacki rozejrzał się po pomieszczeniu. Książki, wszędzie książki. Dużo beletrystyki, ale przede wszystkim pozycje naukowe. Historia, archeologia, sztuka. Większość po niemiecku, reszta po polsku i po angielsku. Na jedynej ścianie bez regałów z książkami wisiała stara mapa polityczna Bliskiego Wschodu.

– Pani się zajmuje archeologią? – zapytał.

– Jak byłam piękna i młoda. Studiowałam jeszcze u profesora Michałowskiego, jeździłam z nim na wykopaliska. Teraz uczę historii i historii sztuki.

– Gdzie?

– Przede wszystkim w Kortowie, ale też w szkołach chałturzę.

Poczuł, że jest głodny. Wrzucił w siebie kilka leżących na talerzyku delicji.

– Prowadzimy śledztwo pod wielką presją czasu, dlatego pozwolę sobie na odrobinę szczerości. Wiemy wszyscy, że historia z polowaniem to niewymagająca komentarza bujda. Wiemy też wszyscy, że pani mąż został ukarany za bycie damskim bokserem. Ale tylko my wiemy, że szaleństwo sprawcy wymknęło się spod kontroli. Najpierw z fazy okaleczeń płynnie przeszedł w fazę zabójstw, a następnie z etapu mordowania damskich bokserów na wyższy poziom mordowania wszystkich, którzy nawiną mu się pod rękę. Musimy go znaleźć.

Jadwiga Korfel wypiła trochę herbaty, sama zjadła delicję, chwilę powodziła wzrokiem po wystroju mieszkania, jakby to ona znalazła się tutaj po raz pierwszy.

– Rozumiem. I proszę mi wierzyć, pomogłabym bardzo chętnie. Ale nie mam pojęcia, kim jest mój dobroczyńca. I od razu powiem, że nie musicie mi tutaj panowie udawać dobrego i złego policjanta. Niezależnie od tego, że cieszę się z tego, co spotkało mojego męża, jestem normalną osobą i normalną obywatelką. Wiem, że samosądy są złe i że działanie ponad prawem to droga do zatracenia. Powiedziałabym panom wszystko, co najwyżej potem bym się w sądzie z ciepłem wypowiadała o sprawcy, żeby dostał kilka lat mniej. Czy wyrażam się jasno?

Szacki przytaknął.

– Czy przed tym wypadkiem mówiła pani komuś o swoich kłopotach? Ktoś panią wypytywał? Odwiedzał?

Myślała przez chwilę. W końcu zaprzeczyła.

– Teraz proszę się dobrze zastanowić. Czy odwiedzała pani lekarza wówczas? Lekarza albo lekarkę, którzy mogli domyślić się, że jest pani ofiarą przemocy? Może ktoś udzielał pani pierwszej pomocy. Zwłaszcza w szpitalu miejskim?

Tym razem zaprzeczyła szybciej.

– Artur był zawodowcem. Bolało jak cholera, ale nigdy na tyle, żeby trzeba było opatrywać rany albo składać kości. Rzadko się nawet zdarzało, żebym miała siniaki. Bicie po piętach na przykład. Płakałam z bólu przy chodzeniu przez tydzień, a nawet zaczerwienienia nie było. Pięścią w brzuch, zero śladów. Kawałkiem gumy pod kolanami, tak samo. A bolało, jakbym sobie więzadła zerwała na nartach. Nie uwierzylibyście też, ile cudów może zdziałać walenie po głowie przez poduszkę i w ogóle walenie przez poduszkę. Czasami tak mnie napierdalał, że musiałam brać wolne, bo dołu od góry nie odróżniałam. A wyglądałam, jak po wizycie u kosmetyczki. Śliczna, zdrowa, zaróżowiona. *Pardon le mot*, ale to naprawdę było napierdalanie, żadne inne słowo tego nie odda.

Musiała zauważyć ich zdumiony wzrok, bo dodała:

– Proszę mnie nie brać za wariatkę. Terapeutka kazała mi się zwierzać, opowiadanie o tym stało się dla mnie naturalne. Na tyle że chyba nagle zostałam bez przyjaciół.

– Dobry lekarz mógł coś zauważyć. – Szacki postanowił nie komentować jej ostatniej kwestii. – Proszę pomyśleć. Może jakieś badanie okresowe, może rutynowa wizyta.

Westchnęła.

– Wezmę kalendarz z ubiegłego roku i sprawdzę.

Wstała i podeszła do biurka z sekretarzykiem, bardzo ładny mebel, wyjątkowo pasował do tego mieszczańskiego wnętrza. Elegancka, spokojna, pewna siebie, nieukrywająca wieku, na swój sposób atrakcyjna. Jeśli Szacki czegoś sobie nie wyobrażał, to tego, że leży na kanapie z głową nakrytą poduszką i pozwala, żeby jakiś troglodyta walił taboretem w poduszkę.

– Trzy miesiące – odchrząknęła – przed wypadkiem na polowaniu byłam u dentysty, poza tym nic. I od razu uprzedzę pańskie pytanie:

do dentysty jeżdżę do Mławy, bo tam stara przyjaciółka przyjmuje, i był to akurat okres miesiąca miodowego. Chciałam zrobić ćmiącą szóstkę przed wyjazdem do Pragi na weekend.

Zegar w przedpokoju zabił dwa razy na czternastą. Szacki zamknął oczy i wolno pokręcił głową, żeby choć trochę ulżyć napiętym do granicy bólu mięśniom szyi. Pomyślał, że opatrzność się na niego uwzięła. Za każdym razem kiedy czuł, że do czegoś dochodzi, kiedy przyspieszał, żeby wyjść na ostatnią prostą, okazywało się, że za zakrętem nie ma żadnej prostej, tylko żelbetowy mur, o który rozbija się z impetem.

– Czy zna pani kobietę o czarnych długich włosach i intensywnie niebieskich oczach? – zapytał nieoczekiwanie.

– Panie prokuratorze, ja pracuję na uczelni. Połowa moich studentek tak wygląda. To te, które były blondynkami i przefarbowały się na heban. Druga połowa to te, które Bóg pokarał ciemnymi włosami, w związku z tym przefarbowały się na blond. A soczewki koloryzujące są dziś tak modne, że prawie każda ma oczy jak bohaterka japońskiej kreskówki.

– Ale czy któraś z tych studentek jest pani bliższa? Może bardziej zdolna? Może się zaprzyjaźniłyście? Może wpadała na herbatę tutaj?

Rozłożyła ręce bezradnie. Naprawdę chciała pomóc.

– Oczywiście niektóre są bardziej zdolne, cenię je bardziej, lubię z nimi rozmawiać. Ale staram się nie przenosić tych znajomości na grunt towarzyski.

Nagle przez jej oczy przebiegł cień, na ułamek sekundy się zawiesiła, jakby jakaś myśl plusnęła w jej neuronach, niczym ryba późnym wieczorem na spokojnej tafli jeziora.

– Tak? – podchwycił bezbłędnie Szacki.

– To była taka dziwna sytuacja. – Zawiesiła na moment głos. – Odebrałam telefon, normalny, stacjonarny. I jakaś kobieta zapytała mnie, czy potrzebuję pomocy. Odpowiedziałam, że nie, nie potrzebuję nowego telefonu ani w ogóle nic nowego, przekonana, że to jakaś durna telesprzedaż. Ona odpowiedziała, że niczego nie sprzedaje, tylko martwi się o mnie i chce wiedzieć, czy nie potrzebuję pomocy. Ja na to, że to chyba pomyłka. A ona, żebym zaprzeczyła, jeśli nie potrzebuję i nie chcę pomocy.

Jadwiga Korfel przerwała. Szacki przekonany, że to pauza, nie popędzał. Ale kobieta siedziała i milczała.

– I co pani zrobiła?

– Odłożyłam słuchawkę – powiedziała.

– Od razu?

I znowu się zawiesiła. Przygryzła wargę i patrzyła na Szackiego wzrokiem mądrej, doświadczonej kobiety.

– Nie. Po chwili.

– Coś pani ten głos przypominał? Stara kobieta? Młoda kobieta? Z wadą wymowy? Zdenerwowana? Używająca charakterystycznych zwrotów?

Pokręciła głową.

– Zwykła kobieta, mówiąca ogólną polszczyzną. Przykro mi. Nie staruszka, tyle mogę powiedzieć.

Cała trójka milczała. Jadwiga Korfel, ponieważ powiedziała, co było do powiedzenia. Jan Paweł Bierut, ponieważ tak już miał. Prokurator Teodor Szacki, ponieważ myślał intensywnie. Kobieta, musiał znaleźć kobietę o długich, czarnych włosach i niebieskich oczach. Zapewne o czarnych włosach i niebieskich oczach, ponieważ dziś takie cechy można zmienić w ciągu paru godzin. Właściwie jedyny pewnik w jej rysopisie to fakt, że nie była staruszką. „Policja poszukuje kobiety w wieku do siedemdziesięciu lat". Płakać się chce. Nie miał żadnego punktu zaczepienia, żadnego. Miał porwaną córkę, która albo za chwilę zginie, albo już nie żyje, a każdy trop prowadził donikąd. Za każdym razem kiedy o tym myślał, wpadał w histerię, za każdym razem coraz większą. Myśli się rozsypywały, nie potrafił wrócić do procesu logicznego rozumowania, przez co wpadał w jeszcze większą panikę.

– Przepraszam, ale patrzę na panią i muszę zapytać – nieoczekiwanie przerwał milczenie Bierut. – Dlaczego pani na to pozwalała?

– Przecież jestem taka wykształcona, inteligentna, oczytana, obyta w świecie, prawda? – Uśmiechnęła się.

Bierut wykonał dłonią gest, mówiący, że tak właśnie myślał.

– Nazywam to wirusem. Złośliwym, nieuleczalnym wirusem. Wiecie, panowie, z badań wynika jedna rzecz: nie każda osoba, która doświadczyła przemocy jako dziecko, musi się stać ofiarą lub katem w dorosłym życiu. Ale wszyscy, którzy w dorosłym życiu zaczynają krzywdzić lub pozwalają się krzywdzić, byli ofiarami lub świadkami przemocy w dzieciństwie. Sto procent. Co oznacza, że jesteśmy nosicielami wirusa. Który nie musi się uaktywnić, ale w sprzyjającej sytuacji chętnie to zrobi. U mnie tak się stało.

Szacki starał się robić zatroskaną minę, ale kompletnie go to nie obchodziło. Czuł złość na Bieruta, że sprowokował kobietę do zwierzeń.

– I jest jeszcze coś. O czym rzadko mówię, bo się wstydzę. Wiecie panowie, każdy lubi się czasami poczuć wyjątkowy, szczególny, jedyny w swoim rodzaju. I ja tego doświadczałam w czasie miesiąca miodowego. Zwykle w małżeństwie tak nie ma. Ludzie najpierw się uwodzą, starają o siebie, potem górę bierze codzienność, zwyczajność i rutyna. A ja regularnie byłam na nowo zdobywana, uwodzona, ugłaskiwana i zasypywana pomysłowymi prezentami. Szłam ulicą i wiedziałam, że on przez cały czas myśli, jak mnie zaskoczyć, jak sprawić przyjemność, co zrobić, żebym była szczęśliwa.

– Czy może skoczyć do Ikei i zmienić model poduszki na taki, żeby można było walić gazurką dla odmiany – wtrącił Szacki tym samym egzaltowanym tonem.

Zatkało ją, przez chwilę patrzyła na Szackiego szeroko otwartymi oczami, a potem wybuchnęła śmiechem.

– Dobry pan jest. Czarny humor to mój ulubiony. Tak czy owak, jakaś część mnie cieszyła się, kiedy bił, bo to oznaczało, że niedługo będzie wspaniale. Głupie, typowe bzdety współuzależnionych. Teraz na terapii to prostuję. Wiem, że zmarnowałam życie, że może miałabym profesurę gdzieś w Niemczech, może pracowałabym w Stanach, zawsze mnie ciągnęło do archeologii rdzennych ludów Ameryki Północnej. Teraz zostało mi godne przeżycie emerytury i zaleczenie syndromu stresu pourazowego.

– Moim zdaniem doskonale pani funkcjonuje – powiedział Bierut.

– Dobrze dobrane leki. Dużo dobrze dobranych leków. Tak naprawdę powinnam być w szpitalu na oddziale otwartym. Ale dziękuję, poczytuję pańskie słowa za komplement.

Szacki wstał. Nudziły go te zwierzenia.

– Idziemy – powiedział, choć nie miał żadnego pomysłu, dokąd powinien się udać.

Bierut dopił herbatę i razem poszli w kierunku drzwi, odprowadzani przez gospodynię.

– Pan się naprawdę nazywa Jan Paweł Bierut czy to taki pseudonim sceniczny?

– Wyglądam, jakbym występował na scenie? – mruknął Bierut.

– Aha. W komedii dell'arte.

Bierut spojrzał na Szackiego, ale ten wzruszył ramionami na znak, że nic go nie obchodzi, czy Bierut się zacznie zwierzać, czy nie. Postukał tylko znacząco w tarczę zegarka. Znacząco i bezsensownie. Nawet jeśli czas uciekał, prokurator i tak nie miał pojęcia, co robić.

– Nazwiska się nie wybiera, ale ojciec nie chciał zmieniać, bo rodzina o długich tradycjach. Oczywiście niespokrewniona. Wymyślili, że jakoś zrównoważą ciężar gatunkowy, i stąd ten Jan Paweł. Urodziłem się tego samego dnia, kiedy nasz papież słynną mszę na placu Zwycięstwa odprawiał. Mam jeszcze siostrę, Faustynę Łucję.

– Może niech pan zmieni? Ja w ramach terapii wróciłam do panieńskiego. Jedna wizyta w USC i załatwione. Nie spodziewałam się, że to takie proste.

Szacki położył rękę na klamce. Chciał wyjść i jednocześnie nie chciał, ogarnęło go znużenie, chciał się poddać, wyłączyć. Położyć się gdzieś, zasnąć, obudzić w innym świecie albo w innym czasie. Hela pewnie i tak już nie żyje, nic nie ma sensu. Po raz pierwszy w jego głowie pojawiła się myśl o samobójstwie. Skończyć, sprawdzić, co jest dalej. Nie musieć żyć bez niej, nie musieć zajmować się poszukiwaniem zwłok, nie musieć iść na pogrzeb, nie musieć opowiedzieć niczego Weronice. Nie czekać na kolejny zmierzch. Nie musieć zasypiać z obrzydliwym przekonaniem, że zaraz się obudzi. Nie musieć ciągnąć tej roboty, w której ani nie zapobiegał złu, ani nie naprawiał krzywd, tylko sprzątał porozbijane skorupy.

Nie musieć w ogóle. Niczego.

– Chce pan jeszcze o coś zapytać, panie prokuratorze? – usłyszał Bieruta.

Ocknął się. Musiał tak stać, trzymając za klamkę, już dłuższą chwilę, tamci stali za nim i patrzyli wyczekująco.

– Nie. Po prostu brzydzę się wyjść na korytarz – burknął.


11


Po wyjściu ze slumsu na Mickiewicza w akcie desperacji wysłał Bieruta z nakazem przeszukania domu Najmanów, ze szczególnym uwzględnieniem strychu, ale nie spodziewał się po tym zbyt wiele. Właściwie niczego się nie spodziewał. Porozmawiał przez telefon z Żenią tylko po to, żeby się dowiedzieć, że Hela nie dała żadnego znaku życia, nie znajdowała się też w żadnym szpitalu. Zadzwonił do Weroniki, żeby opowiedzieć jej o całej sprawie. Wpadła w histerię, oskarżyła go o wszystko i pojechała na lotnisko, żeby jak najszybciej wrócić do Polski. Odebrał telefon od wychowawcy Heli, nie mieli dla siebie żadnych wiadomości. Nie odebrał telefonu od szefowej, nie odebrał też kilku połączeń od Falka. Nie wierzył, że asesor potrafi mu pomóc, nie miał ochoty też się tłumaczyć, dlaczego znienacka wybrał się przesłuchiwać Kiwita.

Nie wiedział, co robić. Pozbawiony samochodu, którym pojechał Bierut, chwilę kręcił się bez celu po mieście. Doszedł w ten sposób do ulicy Piłsudskiego, stanowiącej kręgosłup Olsztyna. Ratusz, centrum handlowe, areszt, urząd wojewódzki, hala sportowa, planetarium, nowy aquapark, stadion – wszystko przy jednej, długiej ulicy. Zatrzymał się, zastanawiając, czy iść w stronę ratusza, czy planetarium, i po długim namyśle skręcił w stronę ratusza. Miał zamiar dojść do Starego Miasta, może usiąść w „Staromiejskiej", powinien coś zjeść mimo wszystko. Przechodząc przez skrzyżowanie z Emilii Plater, zerknął w lewo, ledwie dwieście metrów dzieliło go od domu i od prokuratury. Nie skręcił, nie zwolnił nawet.

Minął centrum handlowe i zrobiło mu się tak słabo, że się złapał latarni, aby nie upaść. W uszach dudniła mu krew, nogi uginały się, pod mostkiem kłuło, dłonie mu drętwiały. Łapczywie, krótkimi oddechami wciągał powietrze, czuł, jakby jego płuca nagle się skurczyły, jakby zabrakło w nich miejsca. Oparł czoło o zimny metal latarni, żeby się pobudzić, żeby nie stracić przytomności, nie paść w kałużę przed centrum handlowym.

Udało mu się opanować na tyle, że zataczając się, pokonując dystans od latarni do latarni i od gazonu do gazonu, doczłapał do gwarnego o tej porze KFC. Kupił kawę, której nie zamierzał pić, usiadł przy oknie, wysłał sms-a do Żeni i położył głowę na blacie.

Musiał coś przegapić. Coś oczywistego. Gdzieś w tej sprawie jest choć jedna informacja, może więcej, której nie poświęcił należytej uwagi.

Kobieta z czarnymi włosami.

Podniósł głowę. Przy stoliku obok, dokładnie naprzeciwko niego, siedziała samotnie kobieta z ogromnym kubkiem koli. Młoda, pewnie studentka. Oczywiście długie, czarne włosy, oczywiście ogromne, granatowe oczy. Gapił się na swoją sąsiadkę tak natarczywie, że w końcu uśmiechnęła się do niego zalotnie. Nie odwzajemnił uśmiechu, szybko przeniósł spojrzenie za okno.

Para nastolatków trzymała się za ręce.

Kobieta z czarnymi włosami trzyma dziecko za rękę. Dziecko to lubi. Chce rysować, że trzyma ją za rękę. To bliska osoba.

Trzasnęły drzwi, przy stoliku usiadła zdyszana Żenia. Obraz znudzonej czarnowłosej sąsiadki zastąpił przed jego oczami obraz aż nadto przejętej narzeczonej. Też zresztą czarnowłosej. Narzeczona spojrzała na niego z troską i wyciągnęła z torebki lekarski aparat do mierzenia ciśnienia. Klasyczny, z gruszką, żadne elektroniczne badziewie.

– Zwariowałaś chyba, nie będziesz mnie badać w KFC.

Nachyliła się. Brew podniosła tak wysoko, że wyglądało to tak, jakby ktoś jej zgolił starą, a nową narysował na czole w niemożliwym miejscu.

– Nie będę? Oczywiście, że będę – wyszeptała. – Masz czterdzieści cztery lata, żyjesz w nieustającym napięciu, przechodzisz przez niewyobrażalny stres i czujesz się słabo. Oczywiście, że będę cię badała w KFC, skoro nie chcesz przyjść do domu.

Chciał się kłócić, ale miała rację. Jeśli tu zdechnie, nikomu to nic nie da. Co najwyżej jemu przyniesie ulgę. Zdjął marynarkę i wyciągnął rękę. Lekarski sprzęt spowodował pewne poruszenie w lokalu, kierownik zmiany patrzył czujnie zza kontuaru, podejrzewając zapewne, że to jakiś happening miłośników zdrowej żywności.

– Nawet nie masz dyplomu – mruknął Szacki.

– Ale absolutorium. Wierz mi, wystarczy, żeby zmierzyć ciśnienie.

Mówiła, nie spuszczając oczu z manometru.

– Szału nie ma – powiedziała, cytując książkę, którą ostatnio czytali – ale wstydu też nie.

Schowała sprzęt i spojrzała pytająco.

– Nic nie wiadomo. Kompletnie nic.

– Czemu jest cicho w mediach? – zapytała półgłosem. – Czy to przypadkiem nie powinna być teraz najbardziej poszukiwana nastolatka świata?

Zrobił ręką nieokreślony gest. I nie chciał, i nie mógł odpowiedzieć.

Żenia była zaskoczona.

– To nie jest zwykłe porwanie – powiedział. – Chodzi o śledztwo, które prowadzę. Ktoś porwał Helę, żeby rozegrać mnie.

Wyglądała na wstrząśniętą.

– Ale jak to? Po co? Zażądali czegoś? Okupu? Umorzenia? Podania się do dymisji?

Pokręcił przecząco głową.

– Nie powinieneś tego upublicznić?

– Chciałem być sprytniejszy. Ale tak wkrótce zrobię. Skończyły mi się inne opcje.

– Mogę ci jakoś pomóc?

– Kto jest bliski dla pięciolatka? Na tyle bliski, że woli narysować siebie z tą osobą niż z rodzicami.

Żenia spojrzała na niego wzrokiem osoby przekonanej, że najbliższa jej osoba właśnie traci zmysły.

– Poważnie pytam. Kto? Ktoś z rodziny?

Rozejrzał się po KFC, szukając rodzin. Dzieci. Kogo trzymają za rękę. O tej porze smażonego kurczaka wpieprzali najwidoczniej tylko gimnazjaliści, zbyt młodzi i głupi, żeby myśleć o układzie krążenia i wpływie rakotwórczych substancji na organizm.

W jednym kącie siedział ojciec z córką, na oko ośmioletnią. Przy kasie stał inny, z dwoma synami, bliźniakami. Jeden chłopiec drugiemu usiłował strącić czapkę z głowy, awantura wisiała w powietrzu.

Przez drzwi weszła matka z trojgiem dzieci. Ona dość otyła, najwidoczniej niestroniąca od smażonego na głębokim tłuszczu kurczaka. Dzieci za to albo oszczędzała, albo odziedziczyły metabolizm po ojcu, który wszedł za nimi. Niski, chudy jak patyk, zmęczony. Ani ona ładna, ani on przystojny, a dzieci udane. Chłopiec i dwie dziewczynki, tak na oko od pięciu do dziesięciu lat.

– Pójdę do łazienki – powiedział zmęczonym głosem mężczyzna. – Trzymajcie się mamy, dobrze?

Mężczyzna zniknął, kobieta zapatrzyła się w menu, jakby widziała je po raz pierwszy.

Żenia odpowiedziała na jego pytanie:

– Teo, przecież to jest najprostsze pytanie pod słońcem. Jesteś naprawdę niepoprawnym jedynakiem, skoro o to pytasz. Brat albo siostra.

Szacki zastygł. Patrzył na dwójkę małych dzieci stojących przy matce i zobaczył ten piękny gest, towarzyszący człowiekowi od zarania. Gest ufności, więzi, bezpieczeństwa. Wykonywany automatycznie, bez zastanowienia, jedyny w swoim rodzaju symbol przyjaźni i miłości. Gest dziecięcej ręki sięgającej po dłoń starszego rodzeństwa.

To niemożliwe, pomyślał. To niemożliwe, żebym popełnił taki błąd.

Jedyna urzędowa baza danych, jakiej nie sprawdził. Jedyna, ale w tej sprawie od początku najważniejsza, w oczywisty sposób kluczowa.

Rodzina. Brat. Siostra. Zemsta.

Spojrzał na zegarek, wyskoczył zza stolika, przewracając kubek z kawą, i wybiegł z baru.

Dochodziło wpół do czwartej. Słońce zaszło pięć minut wcześniej.


12


Za oknem zrobiło się kompletnie czarno, wewnątrz było tak samo. Czyli musi być między trzecią a czwartą. Powinna wstać i wyryć kolejną kreskę, ale nie chciała. Mogła wstać i zapalić światło, ale nie chciała. Ciemność wydawała jej się bezpieczna, ciemność ją otulała, im bardziej o tym myślała, tym bardziej odczuwała brak światła jako miękką tkaninę, którą mogła owinąć się jak kocem.

Okazało się niestety, że nie tylko ona może zapalić światło. Pokój znienacka wypełnił się jasnością, mocno zacisnęła powieki, żeby zakryć oczy, i tak leżała bez ruchu, wpatrując się w powidoki pod powiekami, wędrujące plamy w różnych odcieniach szarości.

Szczęknął zamek. Zastygła z przerażenia, oddech wstrzymany, wszystkie mięśnie napięte.

Nikt nie wszedł. Po prostu szczęknął zamek.

Odczekała jeszcze chwilę, ale nikt nie wszedł.

Podniosła głowę. Dioda przy drzwiach zmieniła kolor z czerwonego na zielony.

Odczekała chwilę, wstała, podeszła do drzwi i znalazła za nimi dużą torbę smakołyków z McDonalda.

Zastanowiła się. Zapewne umrze. To zła wiadomość. Zapewne umrze w męczarniach. To bardzo zła wiadomość. Ale (chyba) nie zostanie zgwałcona. To (chyba) dobra wiadomość.

Wszystko to nie brzmiało najlepiej, ale nie widziała powodu, aby zostać zamęczoną i niezgwałconą na głodno. Zabrała torbę do środka, wyjęła obiad, a następnie rozejrzała się po pomieszczeniu i powiedziała głośno:

– Ale jak komuś powiecie, że na ostatni posiłek Helena Szacka zjadła fishmaca, to wrócę i was zajebię, mordercze bezguścia.

Poczuła się trochę lepiej, w końcu co jej zostało oprócz wrodzonego czarnego humoru. Zaczęła od shake'a, dopóki był zimny, i pomyślała, że ofiary przestępstw mają prawo zaczynać posiłek od deseru.


## 13

Czwartego grudnia, tego samego dnia, co on, urodziło się parę znanych osób. Na przykład Rainer Maria Rilke. Za nim nie przepadał, nie dość, że umarł młodo na białaczkę, to jeszcze Hitler był jego psychofanem. Skoro o dyktatorach mowa, to tego dnia urodził się też generał Franco. Przynajmniej sobie pożył, prawie do dziewięćdziesiątki.

A dokładnie dwadzieścia lat przed jego urodzinami świat zaszczycił swoją obecnością Jarosław Kret. Zazdrościł mu tego całego podróżowania. Rok po Jarosławie urodziła się Marisa Tomei i to ją tak naprawdę Myślimir Szcząchor uważał za swoją pokrewną duszę, przede wszystkim dlatego, że była niezwykle seksowna. Serio, uważał ją za najbardziej seksowną kobietę świata i zawsze bronił, kiedy wyśmiewali się z niego, że to pięćdziesięcioletnia baba. Poza wszystkim nie była to prawda, Marisa kończyła dziś dopiero czterdzieści dziewięć lat.

Westchnął ciężko, wyjął telefon z torby i położył obok klawiatury komputera. Zadzwonił punktualnie o 15.24. Jak zwykle.

Odebrał.

– Wszystkiego najlepszego, synku! – ryknęli rodzice równocześnie do słuchawki. – Masz już trzydzieści lat. Sto lat! Sto lat!

– Dziękuję, jesteście kochani – wymamrotał, zawsze go trochę zawstydzał ich entuzjazm.

Zmyślił na poczekaniu drobnomieszczańskie marzenia urodzinowe. Że chciałby mamusiny tort szwarcwaldzki (żeby zadowolić matkę) i kindle'a (żeby ojciec wiedział, co mu kupić), i poznać dziewczynę o dobrym sercu (żeby dać obojgu nadzieję na wesele i wnuki). Ponieważ nie zrozumieliby, gdyby im wyznał, że największym marzeniem Myślimira Szcząchora jest, aby zapukała do niego prawdziwa przygoda. Przygoda przez wielkie P. Przygoda, która potrzebuje orkiestry symfonicznej i chóru, żeby nadać jej właściwą muzyczną oprawę.

Myślimir Szcząchor wierzył, że w końcu tak się stanie. Tak naprawdę przemawiał za nim fakt, że był zwyczajnym urzędnikiem Urzędu Stanu Cywilnego, a nie podróżnikiem, archeologiem czy naukowcem szukającym szczepionki na raka w amazońskiej dżungli. W końcu czyż nie o tym są wszystkie książki i filmy? Na początku ci zwykli ludzie bronią się, nie chcą, błagają, żeby zostawić ich w spokoju – ale w końcu wciąga ich wir perypetii, zwrotów akcji, miłości, przyjaźni i walki o najwyższą stawkę.

Zegar na komputerze pokazywał, że za dwie minuty będzie równo piętnasta trzydzieści, co oznaczało, że raczej nikt już dziś nie skorzysta z usług urzędu. To oznaczało też, że może zwijać majdan i wracać do domu. Albo nie, do kina pójdzie. W końcu ma urodziny.

Sam pójdzie. Mało to urodzinowe, ale też która kobieta zrozumiałaby, że trzydziestoletni facet chce świętować, oglądając kreskówkę Disneya. Uśmiechnął się sam do sobie. Oglądał praktycznie wszystko, poza polskim kinem, od którego dopadały go czarne myśli. I dawno nic nie wcisnęło go w fotel tak jak animowana bajka o przeklętej przez swój dar Królowej Śniegu. Sam nie wiedział dlaczego. Może była wspaniałym krzykiem o wolność? A może dlatego, że wyjątkowo nie chodziło w niej o romans, tylko o potęgę miłości między rodzeństwem. Oglądał, połykał łzy wzruszenia i powinien się wstydzić, ale mój Boże, cóż to była za przygoda.

Zaczął pakować torbę, jednocześnie puścił w komputerze na cały regulator piosenkę z *Krainy lodu*, żeby wprawić się w nastrój.

Liryczna ballada wypełniła salę przyjęć:

– ...i wyjść zza krat jak wolny ptak...

Myślimir, nucąc pod nosem, wlazł pod biurko, żeby odzyskać ładowarkę od telefonu

– ...mam tę moc, mam tę moc, wyjdę i zatrzasnę drzwi!

Drzwi do urzędu nagle trzasnęły, ale zagrzebany w kablach Myślimir Szcząchor tego nie zauważył.

Tak kochał fikcję. Tak kochał przygodę. Dlaczego fikcja nigdy nie przychodzi do mnie, pomyślał. Dlaczego?

– Oto ja, stanę w słońcu dnia! – zawyła wokalistka. – Co tam burzy gniew!

W czasie rozciągniętego „e" w ostatniej sylabie Myślimir wylazł spod biurka i zobaczył przed sobą upiora. Upiór był wysoki, chudy, śmiertelnie blady, siny wręcz od zmęczenia i grudniowego chłodu. Jego twarz zlewała się w jedną jasną plamę ze śnieżnobiałymi, nienaturalnie siwymi jak na jego wiek włosami. A plama kontrastowała z czarnym, długim płaszczem, ciemnografitowym garniturem i szarą, zapiętą na ostatni guzik koszulą. Prosty krawat, idealnie zawiązany, ozdobiony delikatnym srebrnym deseniem, też wpasowywał się w odcienie szarości. O ton ciemniejszy od koszuli, o ton jaśniejszy od marynarki.

– Od lat coś w objęcia chłodu mnie pcha – zakończyła wokalistka.

– Już po godzinach urzędowania – powiedział Myślimir, odrobinę przestraszony widocznym w oczach nieznajomego szaleństwem.

– To sprawa życia i śmierci – wychrypiał nieznajomy metalicznym głosem.

– Pan nie rozumie, mogę za to stracić pracę – powiedział Myślimir, z trudem ukrywając podniecenie spowodowane faktem, że może wygłaszać takie filmowe kwestie.

Prokurator postukał palcami w blat biurka. Widać było, że próbuje nad sobą panować, ale gniewne zniecierpliwienie promieniowało od niego jak ciepło od pożaru.

– Nie może pan, ponieważ ustawa obliguje Urząd Stanu Cywilnego do udzielania informacji prokuraturze. Dostanie pan ode mnie potem wszystkie kwity.

– Są procedury, ustawa o ochronie danych, z powodu antydatowanych dokumentów można mieć naprawdę poważne kłopoty – zaprotestował.

Siwy prokurator przez chwilę wyglądał, jakby przygotowywał pogróżki, mające skłonić urzędasa do współpracy, ale nagle jego napięta twarz rozluźniła się, oczy zmatowiały.

– Powiem panu prawdę – powiedział cicho Szacki – bo doszedłem w życiu do takiego etapu, że nie mam ochoty na kłamstwa. W nocy porwali mi córkę i wszystkie tropy, którymi w histerii podążam od rana, okazały się ślepe. Walę głową w mur, a gdzieś tam moja dziewczynka pewnie już nie żyje. Mógłbym szukać przepisów, które formalnie zmusiłyby pana do współpracy. Mógłbym grozić na wymyślne sposoby, w końcu kto jak kto, ale my potrafimy uprzykrzyć życie. Ale proszę pana jako człowieka: niech mi pan wrzuci te nazwiska i zobaczymy, co wyjdzie. Dobrze?

Bez słowa włączył komputer i zalogował się do bazy danych.

– Jakie to nazwisko?

– Piotr Najman.

Wstukał, program myślał przez sekundę i wyrzucił listę kilkunastu osób.

– Zna pan datę urodzenia?

– Początek lat sześćdziesiątych.

– Jest jeden taki, urodzony dziewiętnastego listopada sześćdziesiątego trzeciego.

– To ten. Jakie ma pan powiązane z nim akty?

– Akt urodzenia i dwa akty małżeństwa.

Słysząc to, siwowłosy prokurator wciągnął głęboko powietrze, podniósł głowę i ze spojrzeniem utkwionym w sufit wypuścił powietrze, uśmiechając się do opatrzności.

– Doskonale. Właśnie pomógł pan odkryć bardzo groźną i pozbawioną skrupułów zbrodniarkę. Może mi pan wynotować dane panny młodej z pierwszego aktu małżeństwa pana Najmana?

Kliknął.

– Oczywiście. Beata, nazwisko panieńskie Wiertel, urodzona w Reszlu.

– PESEL mi potrzebny.

– Sześć, osiem, zero, dwa, zero, dwa, zero, zero, jeden, osiem, pięć.

– Kiedy ślub?

– Wrzesień dziewięćdziesiąt.

– A rozwód?

– Małżeństwo ustało w listopadzie dwa tysiące trzeciego.

Zaczekał, aż prokurator skończy notować, i dodał:

– Ale nie przez rozwód.

– Słucham?

– Małżeństwo nie ustało przez rozwód, tylko z powodu zgonu małżonki.

Ta dość zwyczajna z punktu widzenia urzędnika stanu cywilnego informacja, w końcu małżeństwa i zgony to sens ich pracy, wywarła piorunujące wrażenie na prokuratorze. Zachwiał się, jakby miał zamiar stracić przytomność i spaść z krzesła.

– To niemożliwe – powiedział. – Ona musi żyć. Kobieta z czarnymi włosami musi żyć. Inaczej wszystko nie ma sensu.

– Przykro mi.

Myślimir Szcząchor po raz pierwszy poczuł strach. Wcześniej towarzyszył mu lekki niepokój, zagłuszony przez ekscytację wywołaną niecodzienną sytuacją. Ale teraz się przestraszył. Nieznajomy co prawda miał legitymację prokuratora, ale wśród prokuratorów też się mogą zdarzać świry, może nawet niebezpieczne. Kuriozalna wzmianka o kobiecie z czarnymi włosami mogła świadczyć o tym, że siwy odkleił się od rzeczywistości.

– Proszę sprawdzić jeszcze raz, to musi być jakaś literówka. Jakiś błąd. Pan musiał spojrzeć w złą rubrykę. To jest karygodna niekompetencja!

W głosie prokuratora pojawiły się histeryczne tony, ale tym razem Myślimir nie poczuł strachu, poczuł się urażony. Nikt nie będzie mu zarzucał niekompetencji.

– Proszę pana, akta stanu cywilnego to może nie fizyka kwantowa, ale też nie wydawanie pierogów leniwych. To jest w pewnym sensie fundament państwa, kontrolowanie tego, ilu obywateli przybywa, a ilu ubywa. Robimy to bardzo rzetelnie i naprawdę potrafimy czytać te informacje.

Prokurator, choć wcześniej wydawało się to niemożliwe, pobladł jeszcze bardziej.

– Proszę mi pokazać jej akt zgonu.

Wyświetlił dokument i przesunął monitor, samemu z ciekawością wpatrując się w rubryki. Pomyślał, że to on jest urzędnikiem stanu cywilnego, to on zna ich tajemnice. W tej scenie to prokurator jest głównym bohaterem, a on dziwacznym, lekko zwariowanym specjalistą, którego wiedza pozwala rozwiązać zagadkę.

– Nie wygląda jak akt zgonu.

– Nie wygląda jak to, co dostaje pan w urzędzie. Ponieważ w urzędzie dostaje pan odpis aktu zgonu, w większości wypadków skrócony. To, co pan widzi, to jest właściwy akt zgonu, oficjalny dokument państwowy.

– Dobrze, jasne. Rozszyfruje pan to dla mnie?

Szcząchor pomyślał, że prokurator jest taką fabryką zniecierpliwienia, że mógłby nadwyżki sprzedawać w słoikach i nieźle z tego żyć. Nie żeby ktoś w Polsce cierpiał na niedobory zniecierpliwienia, ale cholera wie, na głupsze rzeczy jest popyt.

– Oczywiście. – Zaczął spokojnie, dobrze wiedział, że na początku rozmowa będzie zwyczajna, nic szokującego, dopiero potem małe rewelacje, a i tak olśnienie spłynie na głównego bohatera już po wszystkim i nieoczekiwanie. Fikcja miała swoje prawa. – Tutaj są sygnatury urzędowe, nazwa urzędu, numer aktu, to pana nie interesuje. Potem dane denatki. Beata Najman, z domu Wiertel, urodzona w sześćdziesiątym ósmym roku w Reszlu, ostatnie miejsce zamieszkania Naglady.

– Gdzie to?

– Wieś pod Gietrzwałdem. Tam, gdzie Matka Boska się objawia.

Prokurator spojrzał dziwnie, ale nie skomentował.

– Zmarła w tychże Nagladach.

– Kiedy?

Myślimir Szcząchor poczuł dreszcz emocji.

– Nie wiadomo dokładnie. Ponieważ zmarła tragicznie. Proszę spojrzeć, tutaj powinna być odnotowana data i godzina zgonu, dostajemy te informacje ze szpitali lub od lekarzy stwierdzających zgon. W innym wypadku wpisuje się miejsce, datę i godzinę odnalezienia zwłok.

– I?

– I w tym wypadku zwłoki pani Najman odnaleziono trzeciego listopada dwa tysiące trzeciego roku o szóstej trzydzieści.

– Dalej.

– Dane małżonka: Piotr Najman. I dane rodziców denatki: Paweł Wiertel oraz Alicja, z domu Hertel. Na koniec dane zakładu zgłaszającego, zwykle są to szpitale, w tym wypadku informacje dostaliśmy od Komendy Miejskiej Policji.

– Jakieś okoliczności albo powód śmierci?

Pokręcił przecząco głową. Prokurator wstał i zaczął się energicznie przechadzać po urzędzie, poły płaszcza łopotały za nim jak peleryna za superbohaterem. Widać było, że myślał intensywnie.

– Wcześniej pytałem, jakie ma pan akty powiązane z Piotrem Najmanem. Powiedział pan, że akty urodzenia i dwa akty małżeństwa. Najman nie żyje, ale rozumiem, że pewnie policja jeszcze nie przysłała wam kwitów. Ile mają czasu urzędowo?

– Dwa tygodnie od identyfikacji.

– Właśnie. Ale Piotr Najman ma też pięcioletniego syna. Dlaczego jego akt nie jest powiązany z dzieckiem?

– Dziecko z punktu widzenia państwa jest osobnym obywatelem. Ma swój akt urodzenia, w którym będą zapisane odnośniki do aktu małżeństwa lub małżeństw oraz zgonu.

– Czyli że w aktach rodziców nie odnotowuje się narodzin dzieci? – Brwi prokuratora uniosły się wysoko ze zdziwienia. – Chyba pan, kurwa, żartuje? Naprawdę w tym państwie nie ma bazy danych, gdzie ktoś śledzi, co się dzieje z tymi cholernymi obywatelami?

Myślimir wzruszył ramionami.

– Prawdę mówiąc, byłem pewien, że wy macie coś takiego.

– My?

– No policja, prokuratura. Wrzucacie nazwisko i wszystko wam się wyświetla.

Prokurator usiadł ciężko.

– Się wyświetla. Możemy sprawdzić rejestr karny, gdzie są tylko prawomocnie skazani. Możemy w rejestrze pojazdów sprawdzić, czy delikwent jest właścicielem samochodu. Drogówka ma swój system, bo muszą punkty sumować.

– A PESEL?

– A jakże, istnieje, mogę sobie tam adres zameldowania sprawdzić. I numer dowodu osobistego. Pieprzone średniowiecze.

Prokurator myślał. Szcząchor czekał na przełom.

– To ogólnopolska baza?

– Nie, wojewódzka. Ogólnopolskiej nie ma, podobno ma być, ale od lat o tym słyszymy i nic. Jak u nas umrze ktoś, kto się w innej gminie urodził, to pocztą wysyłamy informację. A trochę tego jest. Wypadki, topielcy, wiadomo, wakacyjny rejon. Zawsze mamy w lato dodatkową osobę do pomocy przy zgonach.

– Może mi pan pokazać osoby o nazwisku Najman, urodzone między osiemdziesiątym ósmym a dwa tysiące trzecim?

– Dzieci pan szuka z tego małżeństwa?

Prokurator skinął głową.

Wprowadził odpowiednie zmienne, wyskoczyły trzy rekordy.

– Najpierw ten. – Prokurator wskazał na nazwisko Pawła Najmana. – Po dziadku imię.

Kliknął.

– Bingo – powiedział. – Paweł Najman, syn Piotra i Beaty z domu Wiertel, urodzony drugiego kwietnia tysiąc dziewięćset dziewięćdziesiątego ósmego.

Przez chwilę cieszył się, że udało mu się znaleźć coś ważnego, ale przeleciał wzrokiem pozycje aktu i przełknął ślinę. Nie cierpiał być posłańcem złych wieści, od dzieciństwa się z niego śmiali, że chował się i uciekał, kiedy miał do przekazania coś innego niż dobrą wiadomość.

– Niestety też nie żyje.

Na twarzy prokuratora nie drgnął ani jeden mięsień.

– Pokażę panu akt zgonu, okej?

Nie doczekawszy się odpowiedzi, otworzył odpowiedni dokument.

– Umarł siedemnastego listopada dwa tysiące trzeciego.

– Którego? – Oczy prokuratora rozszerzyły się ze zdumienia.

– Siedemnastego listopada.

– Dziesięć lat. Równo dziesięć lat – wyszeptał mężczyzna. – Więc jednak. Też zginął?

– Nie, umarł w szpitalu. Hm, to ciekawe.

– Tak?

– Zwykle dzieci u nas umierają w dziecięcym.

– A tutaj?

– Zgon zgłosiła doktor Teresa Zemsta z Wojewódzkiego Zespołu Lecznictwa Psychiatrycznego.


## 14

Rozkoszowała się tym, że jest sama. Często ludzie korzystają z tego, żeby głośno słuchać muzyki, tańczyć, oglądać telewizję na cały regulator. Ona zawsze wtedy wyłącza wszystko, co dawało się wyłączyć. Radia, telefony, telewizor, nawet piec, żeby nie słyszeć tego posykiwania i bulgotania w rurach, kiedy termostat starał się utrzymać w domu stałą temperaturę.

Żadnej pralki, żadnej zmywarki, żadnego komputera z buczącymi wentylatorami i twardymi dyskami. Wtyczka lodówki wyciągnięta z kontaktu. Kiedy pierwszy raz to robiła, nie mogła się nadziwić, ile domowych sprzętów wydaje jakieś dźwięki. Nawet jej biurowa lampka. Coś musiało być z nią nie tak, ponieważ zapalona po prostu świeciła, a wyłączona wydawała dziwaczny, niski szmer.

Teraz oczywiście była starą rutyniarą, pięć minut zajmowało jej pozbycie się z domu wszystkich dźwięków. Zawsze potem chwilę siedziała bez ruchu, słuchając własnego oddechu, pulsowania krwi, bulgotania w żołądku, wszystkich tych odgłosów ludzkiej fabryki.

Potem chodziła po domu, zauważając wszystkie dźwięki, z których istnienia zwykle nie zdajemy sobie sprawy, ponieważ są zagłuszone przez setki innych, bardziej natarczywych. Na przykład trące o siebie uda w czasie chodzenia. Ten dźwięk w spodniach lub rajstopach szybko wydał jej się sztuczny, od tamtej pory swoje misterium ciszy odbywała nago. W zależności od pory roku trące o siebie uda szeleściły cicho jak przewracane kartki książki albo wydawały lekko wilgotny dźwięk, podobny do oblizywania warg.

Bardzo to było zmysłowe.

Teraz stała nago przed ogromnym lustrem w sypialni i szczotkowała swoje długie, czarne, granatowo mieniące się włosy. Dźwięk szczotkowania świeżo umytych włosów miał w sobie coś z piszczenia, z jeżdżenia mokrym palcem po kryształowym kieliszku.

Kiedyś miała dłuższe włosy, podcięła je z wygody, lato było upalne. Teraz żałowała.

Odłożyła szczotkę, zebrała rękami włosy z obu stron, równo rozdzielone przedziałkiem, i wyprostowała ramiona.

Wyglądały teraz jak krucze skrzydła.

Rozluźniła uchwyt. Włosy z szelestem opadły delikatnie, przylgnęły do nagiego ciała.

Szkoda tych włosów. Szkoda tego ciała. Szkoda wszystkiego.


15


Urzędnik stanu cywilnego irytował go niemożebnie, ale prokurator Teodor Szacki robił wszystko, żeby nie dać tego po sobie poznać. Pucułowaty mężczyzna, mający w swojej energii coś z dziecka, choć musiał być około trzydziestki, bez przerwy albo się uśmiechał tajemniczo, albo robił porozumiewawcze miny i mrużył oczy jak aktor w prowincjonalnym teatrze, niemający pojęcia, jak zagrać dramatyczne napięcie.

Oczywiście Szacki nie spodziewał się zbyt wiele po kimś, kto słucha dziecięcych piosenek w Urzędzie Stanu Cywilnego, poza tym zdawał sobie sprawę, że jest dłużnikiem Myślimira.

Ale te miny naprawdę go drażniły.

Wizyta w USC stanowiła taką emocjonalną jazdę, że czuł każde uderzenie swojego serca i zupełnie poważnie bał się, że jednak powali go dziś zawał i nie dostanie szans, żeby wykorzystać zdobyte informacje.

Aż podskoczył, kiedy okazało się, że Najman miał żonę. Od razu zobaczył czterdziestopięciolatkę z czarnymi włosami, która mści się na swoim byłym za stare krzywdy. Teoria mocno się trzymała całe dziesięć sekund, zanim dowiedział się, że pierwsza żona Najmana jest jeszcze bardziej nieżywa niż jej małżonek.

Odczuł to jak cios poniżej pasa. Fizyczny ból.

Potem okazało się, że Najman miał syna. Syna, który być może był świadkiem śmierci swojej matki – wspaniały materiał na mściciela. Trochę młody, ale motywacja czyni cuda. Niestety, syn niewiele przeżył matkę. Znowu pudło. Ale tym razem dostał nagrodę pocieszenia – okazało się, że był pod opieką znanej już Szackiemu doktor Zemsty. Zawsze to jakiś punkt zaczepienia.

Spoglądał na Myślimira, patrzył na jego monitor i po raz pierwszy tego dnia poczuł, że coś może się udać.

Myślał o scenie w KFC. Myślał o małym chłopcu, który zobaczył, jak jego tata oddala się do łazienki, i bez zastanowienia wyciągnął rękę, nawet nie patrząc, czy ktoś tam stoi. Bo mały chłopiec wiedział, że jego łapka zostanie złapana przez starsze rodzeństwo. Tak to zawsze działało, działa i będzie działać. Ponieważ więc między rodzeństwem należy do najsilniejszych i nierozerwalnych. Małżonkowie to obcy sobie ludzie, którzy postanowili spędzić razem życie. Ważne, ale nie aż tak. Dzieci w naturalny sposób muszą oderwać się od swoich rodziców, żeby móc zostać prawdziwymi ludźmi. A rodzice muszą pozwolić im zerwać tę więź, która przecież kiedyś wydawała się fundamentem ich istnienia.

Więź między rodzeństwem nie musi zostać zerwana. Oczywiście może być silniejsza, może być słabsza. Ale spędzanie ramię w ramię tego czasu, kiedy cały świat jest nowy, sprawia, że nie może być na świecie ludzi bliższych sobie niż rodzeństwo.

Dlatego mały chłopiec tak ufnie wyciągnął rękę i dlatego natychmiast została ona złapana. Odruch. Bezwarunkowy odruch miłości.

– Proszę sprawdzić pozostałe dwa wpisy – powiedział.

– Myśli pan, że to rodzeństwo? – zapytał urzędnik.

– Nie myślę, jestem pewien – odparł, nie mogąc się doczekać, aż pozna PESEL mordercy albo morderczyni. – Mogę się założyć o cały mój majątek.

Co prawda nie był to majątek wielki i Szackiemu nie zależało na nim szczególnie, ale gdyby Myślimir przyjął zakład, prokurator straciłby dorobek swojego życia.

Ani Paulina Najman, urodzona w roku 1990, ani Albert Najman, urodzony w roku 1994, nie mieli absolutnie nic wspólnego z Piotrem Najmanem i jego żoną. Nie byli nawet rodzeństwem, oboje pochodzili z Żytkiejmów w gminie Dubeninki, co sądząc po nazwach, musiało być tuż przy granicy z Litwą.

– To niemożliwe – powiedział bez sensu. – Proszę jeszcze sprawdzić kilka lat wcześniej, może mieli dziecko przed ślubem.

Myślimir sprawdził. Znaleźli Maryję Najman (urodzona w Gietrzwałdzie) z osiemdziesiątego drugiego, ale nie była spokrewniona. Strzał też był bardzo daleki, pierwsza żona Najmana miała wtedy dopiero siedemnaście lat. Wystarczająco, ale Polska lat osiemdziesiątych to nie Anglia dwudziestego pierwszego wieku, żeby nastolatki masowo się rozmnażały.

– To niemożliwe – powtórzył, chcąc zaczarować rzeczywistość. – Nie mogę tego panu wytłumaczyć, ale musi być rodzeństwo, inaczej to nie ma żadnego sensu. Inaczej nic nie pasuje. Czy możliwe, żeby dziecko urodziło się gdzie indziej, w innym województwie?

– Możliwe – odparł Myślimir. – Szpital zawsze informuje o urodzeniu dziecka USC właściwy dla szpitala. Nawet jeśli rodzice potem zgłoszą urodzenie dziecka w swoim urzędzie, tam gdzie mieszkają, to zgłoszenie i tak zostanie przekazane tam, gdzie jest szpital, i tam będzie przechowywany akt urodzenia.

Szacki zaklął długo i soczyście. Myślimir nie skomentował, oczy błyszczały mu od ekscytacji.

– Jest jeszcze jedna możliwość – powiedział wolno.

Szacki, słysząc to, zawiesił wzrok na ustach urzędnika.

– Dziecko zostało przysposobione.

– I co wtedy?

– Wtedy, w wypadku adopcji pełnej, zostaje sporządzony nowy akt urodzenia. Data i miejsce zostają te same, ale dziecko dostaje nowe nazwisko, czasami nowe imię, nowy numer PESEL. Rodzice adopcyjni są wpisani w akcie jako rodzice biologiczni.

– A co się dzieje ze starym aktem urodzenia?

– Zostaje utajniony. Nie wyskakuje w bazach danych, tylko kierownik ma do niego dostęp.

Szacki myślał, czy to jest trop wart uwagi.

– Wątpię – powiedział na głos. – Adoptuje się przecież małe dzieci, prawda?

– Zdziwiłby się pan – odparł Szcząchor. – Z tego, co wiem, ludzie oczywiście chcieliby adoptować dzieci godzinę wcześniej wyciągnięte z macicy, ale to rzadko jest możliwe. Przecież dzieci w bardzo różnym wieku są zabierane rodzicom, potem zazwyczaj mija kilka lat, zanim zostaną odebrane prawa rodzicielskie, nim wyrok się uprawomocni. I ludzie, którzy chcą adoptować, mają wybór: albo wziąć kilkulatka, albo dalej żyć samotnie. Poza tym zdziwiłby się pan, ile osób adoptuje dzieci praktycznie dorosłe, kilkunastoletnie. To często dojrzałe pary, swoje już odchowali i chcą nie tyle kogoś wychować, co pomóc wejść w dorosłe życie. Kierowniczka sporządzała kiedyś nowy akt urodzenia dla panny, która tydzień później kończyła osiemnaście lat.

Szacki myślał. Najmanowie byli małżeństwem od osiemdziesiątego ósmego roku. Przy założeniu, że urodziła mniej więcej w tym czasie, to dziecko miało kilkanaście lat, kiedy doświadczyło śmierci matki i brata. Dziś taka osoba miałaby najwyżej dwadzieścia kilka lat. Czyli co? Nagle jego zbiór podejrzanych to wszystkie osoby przed trzydziestką? Znowu walnął głową w mur?

– Kto może obejrzeć oryginalny akt urodzenia? – spytał.

– Prawie nikt – odpowiedział Myślimir. – Sąd może zażądać wglądu, ale tylko w bardzo wyjątkowych, uzasadnionych wypadkach. Jeśli udowodni we wniosku, że to jest naprawdę niezbędne do sprawy. Oczywiście ani rodzice biologiczni, ani adopcyjni nie mogą się nawet do tego aktu zbliżyć. Właściwie jedyną osobą, która może go zobaczyć, jest dziecko, którego ten akt dotyczy. Zyskuje takie prawo z ukończeniem osiemnastego roku życia.

Nagle wszystko wskoczyło na swoje miejsce.

Potrzebował tylko jednego.

Nachylił się do Myślimira i uśmiechnął porozumiewawczo. Nie zdawał sobie sprawy z tego, jak źle wygląda i że jego rozmówcę właśnie przeszły ciarki od upiornego grymasu, który w zamierzeniu prokuratora miał być uśmiechem.

– Tylko kierownik ma wgląd do tych akt?

– Oczywiście. To z wielu różnych przyczyn powinny być najpilniej strzeżone dane osobowe.

– Rozumiem. Ale umówmy się. Ja jestem urzędnikiem, pan jest urzędnikiem. Dobrze wiemy, co to znaczy, że tylko kierownik ma do czegoś dostęp. Prawda?

– Że tylko kierownik ma do czegoś dostęp?

– Teoretycznie. Prawnie. Praktycznie nie ma kluczyka do tajnej kancelarii przypiętego kajdankami do nadgarstka. Rolą kierownika jest delegowanie zadań. Wiesza gdzieś kluczyk w szafce i kiedy się okazuje, że znowu nie może zająć się swoją pracą, bo ustawa wymaga, że „tylko on coś może", to uznaje, że zaufany pracownik jest tak samo dobry jak on.

Myślimir nie skomentował.

– Myślę, że pan jest takim zaufanym pracownikiem. I że ma pan dostęp do utajnionych aktów.

Myślimir nie skomentował. Ale westchnął. Szacki nie rozumiał, dlaczego w oczach urzędnika niepewność miesza się z dumą.

W końcu Myślimir wstał.

– Sprawa życia i śmierci, mówi pan?

## 16

Helena Szacka od dwóch godzin nie zaznaczyła upływu czasu nad listwą podłogową, ponieważ głęboko spała. Nie wyglądała na zastraszoną do granic zezwierzęcenia ofiarę porwania, nie spała z półotwartymi oczami, nie zrywała się co chwila, nie wierciła, nie zwinęła się w kłębek, pochlipując przez sen.

Ot, śpiąca nastolatka. Wygięta w dziwnej pozycji, ale w zasadzie na brzuchu, jedna ręka uwięziona pod ciałem, druga zwisająca z łóżka. Pochrapywała cicho, jak ktoś, kogoś zmorzył sen po całym dniu wyczerpującej aktywności fizycznej. Ten zdrowy sen był w stu procentach sztuczny, zaindukowany środkami, którymi bogato naszprycowano shake'a. Porywacze słusznie uznali, że nie ma takiej sytuacji, w której szesnastolatka nie wydudliłaby czekoladowego deseru.

Dawka była dobrana do jej wagi i obliczona tak, żeby dziewczyna odzyskała przytomność po paru godzinach.

To dawało wystarczająco wiele czasu na dokładne przygotowania, żeby prokurator Teodor Szacki mógł w odpowiedniej chwili i ze wszystkimi szczegółami obejrzeć śmierć swojej córki.

## 17

Kwadrans wcześniej minęła siedemnasta i doktor Teresa Zemsta powinna być od kilku minut w drodze do swojego domu pod Jonkowem, gdzie nakarmiwszy kota, czekałaby na męża, żeby jej przygotował żółte curry ze szpinakiem, które chodziło za nią od poniedziałku. Pan Zemsta, z zawodu notariusz, w przeciwieństwie do niej doskonale kucharzył i kiedy tylko mogła, skłaniała go do ulubionego hobby. Najlepiej działały pochlebstwa albo branie na litość, zwłaszcza po dyżurach. Nigdy mu się nie zwierzyła z tej sztuczki, ale wtedy zawsze zmywała makijaż przed wyjściem ze szpitala, żeby w domu wyglądać jak zombi. Od razu wtedy pytał, czy nie miałaby ochoty zjeść czegoś dobrego. Cóż, zazwyczaj miała. Sumienie ją gryzło, ale tłumaczyła sobie, że manipulowanie ludźmi to jednak sztuka, którą dobry psychiatra powinien ćwiczyć, żeby nie wyjść z wprawy.

Wysłała mężowi SMS-a, że będzie później, wyłączyła telefon, zamknęła drzwi od gabinetu, wróciła za biurko i spojrzała w stalowe oczy swojego gościa. Obraz nędzy i rozpaczy, mężczyzna był tak zmarnowany i wykończony, że jej Marcin zrobiłby mu kolację z trzech dań i zabajone na deser.

– Większość dorosłych nawet nie wie, że istnieje coś takiego jak oddziały dziecięce w szpitalach psychiatrycznych – powiedziała. – W naturalny sposób różne zaburzenia kojarzą nam się wyłącznie z dorosłymi. Kobieta nie może wstać z łóżka. Mężczyzna chodzi wokół domu, bo boi się wrócić do środka i umrzeć samotnie. Inny w fazie manii daje zaliczki na zakup codziennie innej nieruchomości. Ktoś się uważa za Chrystusa, ktoś całymi dniami liczy kafelki w łazience. Wiadomo, świry. Jak się czasami pytam ludzi, to uważają, że dziecięcy psychiatryk to tak naprawdę przechowalnia dla nastolatek, co przeżyły nieszczęśliwą miłość i się pocięły w wannie albo zaczęły rzygać po posiłkach.

Prokurator nie milczał. Wyglądał na takiego, który nie ma siły na konwersację.

– Tymczasem dziecięce mózgi nie są wolne od błędów. Depresje, nerwice, zaburzenia dwubiegunowe, psychozy. To spotyka ludzi w każdym wieku. Wyobraża pan sobie czterolatka, którego trzeba wsadzić w kaftan i przywiązać do łóżka, ponieważ dokonuje wymyślnych samookaleczeń?

Jej rozmówca nawet nie drgnął.

– Ja to widziałam. To i inne rzeczy. Kiedy robiłam specjalizację, myślałam, że pomogę dzieciom z ich różnymi problemami, pozytywistyczne brednie. Zostałam dozorcą w piekle. Nie miałam trzydziestki, kiedy dowiedziałam się, że pięcioletnia dziewczynka może wzbudzać paniczny lęk. Wchodziłam do niej z dwoma pielęgniarzami, żeby nie zrobiła mi krzywdy. Widział pan *Egzorcystę*? Były dni, kiedy marzyłam, aby moje dni w pracy wyglądały równie spokojnie, co u księdza Merrina.

– Przykro mi – odezwał się w końcu prokurator, tylko po to, żeby coś powiedzieć. – Jak to się leczy?

– Powinnam powiedzieć, że stosujemy kombinacje różnych nowoczesnych technik w zależności od wypadku, ale tak naprawdę faszerujemy dzieci lekami przeciwpsychotycznymi jak hodowlane gęsi, żeby sobie krzywdy nie zrobiły. I mamy nadzieję, że z wiekiem im przejdzie.

– Przechodzi?

– Czasami. Czasami nie.

– To był przypadek małego Najmana?

Odetchnęła głęboko. I stwierdziła z zadowoleniem, że jej leki już zadziałały. Pobiegła do kibla, żeby wziąć podwójną dawkę xanaxu, jak tylko dowiedziała się, z czym przyjeżdża do niej prokurator.

– Przypadek Pawełka Najmana mnie zniszczył. Rzuciłam psychiatrię, zostałam lekarzem rodzinnym na kilka lat. Byłam jego lekarzem prowadzącym, czułam się odpowiedzialna.

Mężczyzna naprawdę sprawiał wrażenie, jakby mówienie stanowiło wysiłek znacznie powyżej jego obecnej kondycji. Spojrzał tylko pytająco.

– Pamiętam, jakby to było wczoraj. Siedziałam na dyżurze dwudziestą drugą godzinę, dochodziła czwarta nad ranem, najgorsza psia wachta. Zadzwonił jakiś policjant, że przywiezie mi pięciolatka po tragedii. Pożar gdzieś na prowincji, matka zmarła, ojciec ranny, chłopiec wpadł w stupor. Dziesięć minut później byli u mnie na oddziale. Chłopiec pachniał spalenizną, nie dymem, tylko taką mdłą pożarową spalenizną, taki sam zapach jak wtedy, kiedy ludzie śmieciami w piecu palą. W piżamie, owinięty burym kocem, z ubłoconymi nóżkami. Wspaniały chłopiec, są takie dzieci, co wszystkie matki się za nimi na ulicy oglądają i żałują, że to nie ich. Bardzo ładny, smukły, o delikatnej buzi. Czarne włosy obcięte na pazia i bystre, bardzo inteligentne oczy. Oczy mądrego, dobrego człowieka. Takiego, który będzie miał moc zmieniania świata. Może pan się śmiać, ale to od razu widać.

Prokurator nie zaśmiał się. Nawet nie mrugnął. Słuchał.

– Zdarzają się czasami takie wyjątkowe dzieci, za wyjątkową złośliwość losu uważam to, że trafiają do przypadkowych rodzin. To znaczy znam teorię, geny. Ale nauka nie porusza zagadnienia duszy. Sama nigdy nie poruszam zagadnienia duszy, jestem ateistką. Lecz napatrzyłam się na ludzi innych od reszty, odbiegających od normy. I czasami mam wrażenie, że kiedy ten zlepek genów swoich rodziców jest już gotowy, dzieje się jakaś magia i każdy z nas dostaje coś dodatkowego. To coś może być zwyczajne, może być brzydkie i może być bardzo piękne. Ten chłopiec dostał coś bardzo pięknego, naprawdę wyjątkowego. Miał pięć lat, a gdyby nagle zaczął gromadzić wokół siebie uczniów, na pewno znalazłoby się wielu. Zobaczyłam to w nim i uznałam, że muszę mu pomóc. W końcu dla takich chwil wybrałam właśnie tę specjalizację, żeby pomagać niewinnym istotom o pięknej duszy. Wtedy byłam jeszcze na etapie pozytywistycznych bredni, stare dzieje.

– Rozumiem, że się nie udało – powiedział prokurator. Nie zimno, nie złośliwie.

– Nie, nie udało się – potwierdziła. – Chociaż robiłam, co w mojej mocy. Przez dwa tygodnie nie wyszłam ze szpitala. Dosłownie, to nie jest żadna przenośnia. Tutaj jadłam, tutaj się myłam, tutaj spałam. Mąż codziennie przywoził mi ubrania na zmianę. Chciałam być cały czas przy Pawle albo chociaż w pobliżu, żeby złapać ten moment, kiedy uda mi się do niego dotrzeć. Kiedy nagle pokaże się mała szczelina, w którą będę mogła wsunąć stopę, zanim się zatrzaśnie. Albo zauważę coś, co pozwoli mi znaleźć klucz do niego. Otworzyć go w jakiś sposób.

– Jaka była oficjalna diagnoza?

– Psychoza reaktywna. Ale wie pan, w psychiatrii nazwy mało znaczą. Kamień nerkowy to kamień nerkowy, zapalenie gardła to zapalenia gardła, fizyczne schorzenia są w sumie bardzo do siebie podobne. W wypadku chorób psychicznych pewien zbiór cech identyfikujących zaburzenie pozwala nam je nazwać, ale to bywa bardzo umowne, schizofrenii jest tak naprawdę tyle, ilu chorych.

– A jak by pani nazwała to, co mu się przydarzyło? Nie pytam o termin medyczny. Jak pani miałaby to opisać własnymi słowami?

Zastanowiła się przez chwilę. Tyle razy o tym myślała, przeżywała w kółko na nowo, analizowała pod nowym kątem, dodawała konteksty. A pytanie prokuratora zbiło ją z tropu. Nazwać coś tak po prostu? Czy nie o tym pisał Camus, że to właśnie bywa w życiu największym, najtrudniejszym wyzwaniem. Żeby nazywać rzeczy po imieniu.

– Wyłączył się – powiedziała w końcu.

– W jakim sensie? Popełnił samobójstwo?

– Raczej przestał żyć.

– Nie rozumiem.

– Człowiek to skomplikowana maszyneria. Fabryka bardziej, pracująca na trzy zmiany, bez chwili wytchnienia. Zachodzą w niej procesy chemiczne, fizyczne, energetyczne, elektryczne. Na poziomie systemów, narządów i pojedynczych komórek cały czas się coś dzieje.

Dlatego tak szybko się zużywamy. To i tak cud, że potrafimy dociągnąć do osiemdziesiątki, niech pan sobie wyobrazi jakikolwiek mechanizm funkcjonujący kilka dekad bez chwili przerwy. Nieźle już rozumiemy działanie poszczególnych podzespołów, ale jednostka zarządzająca... – popukała się w głowę – ...to nadal zagadka. I niech pan nie wierzy, jeśli mówią panu inaczej różni szarlatani. Wiemy tylko, że to jest jednostka zarządzająca i że z punktu widzenia fizjologii reszty ciała posiada nieograniczoną władzę. Pawełek Najman wcisnął odpowiednie guziki na swojej tablicy rozdzielczej, skorzystał z tej nieograniczonej władzy i wyłączył swój organizm. Przestał żyć.

– W sensie zagłodził się?

– Nie słucha mnie pan. Nie zrobił nic, co wyczerpuje definicję samobójstwa. Po prostu przestał żyć. Wyłączał kolejne podzespoły swojego ciała. Byliśmy bezradni. Oczywiście podawaliśmy mu leki psychotropowe, różne kroplówki mające wyręczyć szwankujący organizm, na koniec reanimowaliśmy. Bezskutecznie, cała nasza nauka nie potrafiła wygrać z jednym zdeterminowanym pięcioletnim mózgiem. Wstydziłam się, że to robimy. Widziałam w jego oczach, że sprawiamy mu przykrość. Nie gniewał się, ale było mu przykro.

Xanax był dobry, ale nie aż tak dobry. Ręce zrobiły jej się wilgotne, gardło suche, musiała do toalety. Czuła, że zaczyna się rozsypywać. Jeszcze moment i zacznie dygotać, znała aż za dobrze etapy swojej nerwicy. Chciała skończyć tę rozmowę i wrócić do domu.

– Nawiązała z nim pani w ogóle jakiś kontakt?

– Werbalny? Nie. Na sam koniec mi puściło. Byliśmy sami, popłakałam się przy nim. Bardzo nieprofesjonalnie błagałam go, żeby tego nie robił, żeby zaczekał jeszcze chwilę. Że przecież może mieć jeszcze wspaniałe życie, że jego tata wydobrzeje, że szkoda takiego świata. Wtedy powiedział jedno zdanie. Miałam wrażenie, do dziś mam, że zrobił to dla mnie, że było mu przykro, że jestem w takim stanie, i chciał mi jakoś pomóc.

– Co powiedział?

– Powiedział, cytuję: „Rozumiem, ale ja nie chcę żyć bez many".
Pięciolatek to trochę jak obcokrajowiec uczący się języka, co nie?
Nie ma dnia, żebym nie słyszała w uszach choć raz tego śmiesznego
przeinaczenia. „Many" zamiast „mamy".

Jej ciało nie radziło sobie z emocjami. Naprawdę musiała iść do
toalety.

– Przepraszam, ale muszę iść do łazienki. Zaczeka pan?

Pokręcił głową.

– Jestem umówiony w pobliżu, po drugiej stronie parku. Będę leciał.
Dziękuję, że mi to pani opowiedziała. Muszę przyznać, że rozumiem
pani ból, lecz... – zawiesił głos. Nie podobało jej się, że miał minę,
która sugerowała, że waha się, czy ją oszczędzić, czy nie.

– Lecz? – dopytała, trochę wbrew sobie.

– Lecz przy całej mojej sympatii do pani po raz kolejny udało wam
się udowodnić, że cała psychologia i psychiatria to odklejona od
rzeczywistości pseudonauka. Wierzycie, że wszystko uda wam się rozwiązać tutaj, w sterylnych pomieszczeniach, między kozetką a szafką
z lekami. Tymczasem zarówno odpowiedzi, jak i rozwiązania czekają
na zewnątrz, w prawdziwym życiu.

– Co pan próbuje mi powiedzieć?

– Pawełkowi nie chodziło o mamę. Kiedy mówił, że nie chce żyć „bez
many", nie przeinaczył polszczyzny, naprawdę chodziło mu o Manę,
czyli o Mariannę, jego starszą siostrę.

Dopiero co mówiła o mózgu jako wszechpotężnym ośrodku
zarządzającym. Jej własny stanowił najwidoczniej wyjątek po-
twierdzający regułę, ponieważ bardzo długo przetrawiał uzyska-
ną od siwowłosego prokuratora informację. Kiedy ją przyswoił,
doktor Teresa Zemsta pojęła jej sens i przed oczami zaczęły jej latać czarne i białe plamki. Słyszała wycie syren alarmowych i głos
z megafonu: zemdleć, zemdleć, stracić przytomność, nie myśleć
o tym!

– Chyba nie chce pan powiedzieć...

– Właśnie to chcę powiedzieć. Że gdybyście wyszli do prawdziwego świata i znaleźli siostrę Pawełka, to ocalilibyście nie tylko tego pięknego chłopca, ale też wiele innych istnień ludzkich, w tym moją córkę.

Wstał, założył czarny płaszcz i zapiął go starannie.

– Mam nadzieję, że teraz będzie pani o tym myślała codziennie – powiedział zmęczonym głosem i wyszedł.


## 18

W takich chwilach uznana olsztyńska neurochirurg Agnieszka Ziułko-Sendrowska wdzięczna była swojej świętej pamięci rodzicielce za powtarzanie w kółko, że każdy porządny dom musi być przygotowany na przyjście niespodziewanego gościa.

Teraz mogła położyć filiżanki do kawy na tacy, pokrojoną babkę, połamaną na kawałki nową czekoladę Wedla o smaku cukierków Bajecznych i zwykłą gorzką. Zerknęła jeszcze w kuchenne okno, czy dobrze wygląda na niespodziewaną wizytę. Nieźle. Znów pomagało mieszczańskie wychowanie, które nie pozwalało jej paradować w ciągu dnia w piżamie, rozczochranej i bez makijażu. Nawet kiedy nie musiała iść do pracy i nie miała nic do zrobienia.

Poprawiła jeszcze długie, czarne włosy, obciągnęła prostą, granatową sukienkę, żeby nie marszczyła się między biustem i cienkim paskiem, i poszła do salonu.

Po spotkaniu w szpitalu, kiedy przypadkiem wpadła na prokuratora Teodora Szackiego, nie mogła sobie darować, że nie zaprosiła go do nich na herbatę i nawet się nie przedstawiła. Martwiła się, że wziął ją za jakąś szajbuskę, która zaczepia obcych ludzi. A ona po prostu tyle słyszała i tyle o nim czytała, że czuła, jakby zobaczyła znajomego. Nawet obejrzała z nim filmy na Youtube, kiedy wypowiadał się na różnych konferencjach prasowych.

Wszystko przez to, że jej dziecko miało fioła na punkcie prawa i sprawiedliwości. Uśmiechnęła się do własnej myśli, zabrzmiało to naprawdę politycznie dwuznacznie. Jak coś, czego Mała raczej nie napisałaby sobie na T-shircie. „Mam fioła na punkcie prawa i sprawiedliwości".

Postawiła tacę na niskim stoliku koło narożnej sofy, gdzie stały już czajniczki z kawą i herbatą.

Uśmiechnęła się do prokuratora, myśląc, że nie wygląda on najlepiej. Jeśli taka ma być cena walki ze złem i występkiem, to naprawdę wolałaby, żeby Wiktoria nie wybrała takiej kariery.

– Bardzo dziękuję, że pan zadzwonił i jeszcze dał się zaprosić na podwieczorek – powiedziała. – Nie wiem, czy pan wie, ale dla Wiktorii bardzo wiele znaczyło, że właśnie pan wręczał jej dyplom w szkole.

– Naprawdę? – Szacki zdziwił się uprzejmie, wkładając do ust kawałek gorzkiej czekolady.

– Boże, mam nadzieję, że nie wychodzę na psychofankę. – Wiktoria zarumieniła się i zaśmiała nerwowo, a ona poczuła rodzicielską dumę. Ileż dziewczęcego uroku miała ta dziewczyna. Ileż wdzięku! – Po prostu interesuję się prawem, chciałabym studiować prawo i sprawdzam sobie różne rzeczy, o Jezu, plączę się jakoś. Na swój sposób poznałam pana na długo, zanim pan zaczął tutaj pracować. Czytałam o KSSIP-ie, czytałam o aplikacji prokuratorskiej, z głupia frant wrzuciłam w Youtube hasło „prokurator" i pan wyskoczył.

– I co? Jak wypadłem?

– Szczerze? – Wiktoria zrobiła śmieszną minę, mrużąc oczy. Dziecko, które nie jest pewne swojej dorosłości, jakby trochę zawstydzone.

– No jasne, że szczerze. Przyszła pani prokurator nie może kłamać.

– Rozwaliło mnie, jak pan wyglądał. Ten garnitur!

– Wika! – Matka postanowiła się wtrącić, nie miała ochoty na damsko-męskie podteksty.

– Mamo, uspokój się. – Dziewczyna powiedziała to tak farsowym tonem, że wszyscy się roześmiali. – W tym sensie, że na panu ten garnitur wyglądał jak mundur. Powiem więcej: jak kostium super-bohatera. Każdy superbohater ma kostium, prawda? Pelerynę czy trykot, czy coś tam.

– Wika, za chwilę zacznę się wstydzić.

– Oj, mamo, przecież ja mówię dobre rzeczy. Chodzi mi o to, że pan nie wyglądał jak urzędnik państwowy. Tylko jak ktoś więcej. Jak ktoś, kto jest po dobrej stronie.

– Myślę, że powinna pani porozmawiać z moim asesorem – zwrócił się prokurator Szacki do Wiki, Sendrowska zauważyła, że jej córce schlebia ta dorosła rozmowa, tytułowanie ją panią. – Niedawno skończył krakowską szkołę i cóż, spodoba się pani. Jest jeszcze bardziej superbohaterski niż ja. Zawsze w garniturze, zawsze sztywny, zawsze w roli. Czasami mam wrażenie, że zamiast sumienia ma kodeks karny. Nie interesują go motywacje, okoliczności łagodzące, osobiste uwikłania czy traumatyczne doświadczenia z dzieciństwa. Nie spocznie, jeśli gdzieś ktoś złamał prawo.

– Brzmi trochę zimno – wtrąciła.

– Wydaje mi się, że chłód pomaga sprawiedliwości – powiedział. – Emocje zaciemniają sprawę, nie pozwalają na obiektywną ocenę sytuacji.

– Panowie pracujecie w parach, jak policjanci? – zaciekawiła się Wiktoria.

– Oficjalnie nie, ale siedzimy w jednym urzędzie, pomagamy sobie. Na przykład z Edmundem Falkiem, tak się nazywa mój asesor, bardzo blisko współpracujemy. O wszystkim sobie opowiadamy i czasami mam wrażenie, że nie tylko wie dokładnie, nad czym pracuję, ale też zawsze wie, gdzie jestem, i zna moje myśli. – Prokurator zaśmiał się, jakby zawstydzony bliskością ze swoim kolegą. – Czasami łapię się na tym, że traktuję go nie jak asesora czy przyjaciela, jak młodszego brata. Pani ma rodzeństwo, pani Wiktorio?

Zmartwiała. W domu nigdy o tym nie rozmawiano. Zaskoczyło ją to tak dokumentnie, że nie wiedziała, jak zmienić temat, szybko odstawiła filiżankę na spodek, rozlewając trochę jasnej kawy, bardzo rozcieńczonej mlekiem. Pustka, zupełna pustka w głowie, a powinna coś powiedzieć, cisza stawała się coraz bardziej zauważalna.

– A nad czym pan teraz pracuje? – spytała w końcu Wiktoria.

– Nad sprawą porwania.

– O, to ciekawe. Trudna?

– Porwania zawsze są trudne. Nigdy nie wiemy, czy prowadzimy śledztwo jeszcze w sprawie porwania, czy już zabójstwa.

– Taka niepewność musi być straszna. Nie macie żadnego wpływu na to, co zrobią porywacze. Pewnie wyobrażacie sobie, że gdzieś tam porwana osoba jest zdana na łaskę nie wiadomo kogo. Zwłaszcza jeśli porwana jest kobietą, w grę wchodzą najczarniejsze scenariusze. I jeszcze ta świadomość, że jeden nieostrożny ruch z waszej strony może wszystko zmienić.

Prokurator Teodor Szacki z namysłem pokiwał głową, na serio zaangażowany w tę teoretyczną rozmowę. Agnieszka Ziułko-Sendrowska była dumna z tego, że jej córka, która dopiero co dostała dowód osobisty, potrafi tak dojrzale rozmawiać z doświadczonym prawnikiem. Może rzeczywiście to prawo jest jej pisane? Nawet jeśli, to wolałaby radcostwo albo notariat, tyle się mówi o przemocy w stosunku do prokuratorek. Oblewanie żrącymi substancjami, napaści, nawet nie chciała o tym myśleć.

– Ma pani rację. Naszym celem jest oczywiście, bardziej policji w tym wypadku, odnalezienie i uwolnienie pojmanej osoby. Ale jeśli zło już się dokonało, wtedy będziemy dążyć do tego, żeby z całą mocą wymierzyć sprawiedliwość.

– Udaje się?

– Prawie zawsze. Przestępcy nas nie doceniają. Oglądają za dużo filmów i myślą, że łatwo na kogoś wywrzeć nacisk, zaszantażować. A potem zniknąć, rozpłynąć się we mgle. Że wystarczy trochę sprytu i zdrowego rozsądku. Tymczasem my nie odpuszczamy. Zwłaszcza przy porwaniach. Szukamy do skutku. I znajdujemy. Tym skuteczniej, im sprawa jest dla nas ważniejsza.

– Zemsta?

– W majestacie prawa.

– A nie kusiło pana nigdy, żeby działać poza prawem?

Postanowiła zareagować.

– Wiktoria! Dziecko drogie! Przypominam, że chciałaś dziś wyjść na noc do Luizy!

Dziewczyna spłoszyła się, odwróciła głowę tak gwałtownie, że jej długi koński ogon o mało co nie chlasnął gościa po twarzy.

– No mamo, przecież nie jesteśmy w sądzie. Rozmawiamy sobie przy cieście.

– Dziecko drogie... – Odwróciła się na chwilę w stronę Szackiego. – Bardzo pana przepraszam na moment... – I wróciła do córki. – Pan prokurator jest u nas pierwszy raz i z tego co wiem, jego praca nie polega na działaniu poza prawem, wręcz przeciwnie. Więc gdybyś mogła...

– Więc gdybyś mogła nie strofować mnie przy gościu, to byłabym ci wdzięczna. – Wika wyprostowała się dumnie.

Pani Agnieszka zagryzła wargę, ale nic nie powiedziała. Wstydziła się, że właśnie teraz pomyślała o tym, że genów się nie oszuka. Że ona by się tak nie zachowała w stosunku do swojej matki. Nigdy. Że są chwile, kiedy geny Wiktorii i pierwsze lata jej wychowania, zanim trafiła do nich, odzywają się.

– Nie kłóćcie się, proszę, drogie panie. – Prokurator starał się załagodzić sytuację. – Nie wierzę w pytania zbyt trudne albo niewłaściwie. Najwyżej nie odpowiem, ale jeśli mogę o coś zaapelować, to proszę o zaniechanie walki z ciekawością tej młodej kobiety. Ciekawość i żądza poznania prawdy to dwie nogi dobrego śledczego. Bez nich daleko nie zajdzie.

Uznała porównanie za mało błyskotliwe, ale pokiwała głową, jakby to była najmądrzejsza rzecz, jaką słyszała od lat.

– Chętnie odpowiem – powiedział. – Ponieważ pani Wiktoria dotknęła największego etycznego dylematu towarzyszącego naszej pracy. Faktycznie, często jesteśmy bezsilni. Prowadzimy śledztwo, zbieramy niezbite dowody i przez jakiś drobiazg, często formalny, wszystkie nasze wysiłki idą na marne. Nie dość, że musimy puścić człowieka, o którego winie jesteśmy przekonani, ba, nawet mieliśmy na to dowody, to jeszcze musimy dostawać razy, wymierzane przez społeczeństwo.

Korzystając z dłuższej przemowy prokuratora, który w ogóle jej zdaniem wyrażał się w jakiś pretensjonalny i kwiecisty sposób, wytarła dyskretnie serwetką zalany kawą spodek. Miała ochotę wlać te kilka kropel z powrotem do filiżanki, ale bała się, że wtedy jej matka wróci z zaświatów i ją zruga przy wszystkich.

– Wtedy często pojawia się taka fantazja, żeby sprawiedliwości stało się zadość. Żeby zrobić cokolwiek. Ukarać, zaszkodzić, umówmy się, organa państwa mają dużo sposobów, żeby skrzywdzić obywatela. A żaden z tych organów nie odmówi prokuratorowi w słusznej sprawie. Problemy z podatkami, z paszportami, z wizami, z zezwoleniami, licencjami, z wykonywaniem swojej profesji, przesłuchania, ciąganie, wyjaśniania. Czasami, muszę pani powiedzieć, pani Wiktorio, taka wszechwładza może onieśmielać. Gdybym się uparł, mógłbym zaszkodzić nie tylko pani, ale też całej rodzinie do piątego stopnia pokrewieństwa tak, że nigdy by się z tego nie podnieśli.

Odchrząknęła głośno. Prokurator przerwał i spojrzał na nią, w oczach miał dziwny cień, a ona pomyślała po raz pierwszy, że Teodor Szacki nie musi być dobrym człowiekiem. Nosił w sobie coś, przez chwilę szukała właściwego słowa. Nie nienawiść, nie frustrację, nie agresję, miała to na końcu języka. Gniew, o właśnie. Śmieszne, zapomniane słowo, brzmiące jakoś biblijnie. Ale pasowało do jej gościa.

– Powiedział pan „pani”.

– Słucham?

– Przejęzyczył się pan. – Roześmiała się sztucznie. – Powiedział pan, że może zaszkodzić mojej córce.

– Naprawdę? W takim razie proszę o wybaczenie, jest późno, mam za sobą ciężki dzień. Oczywiście nie jest to żadne wytłumaczenie, ale jeszcze raz przepraszam. To chyba znak, że powinienem lecieć.

Wiktoria zerwała się gwałtownie, po dziecięcemu, i sięgnęła po swój telefon, który leżał jak zwykle między jabłkami na kredensie, podłączony do ładowarki. Ładny telefon, prezent na osiemnaste urodziny. Cieszyła się, że Wiktoria o niego dba, zawsze trzymała go we własnoręcznie wyszydełkowanym futerale z włóczki w biało-różowe pasy.

– Wyślę panu sms-a, dobrze? Cokolwiek, żeby pan miał mój numer. Chętnie się jeszcze z panem spotkam.

Uśmiechnęła się do siebie. Może była duża, może pełnoletnia, może wypowiadała się dorośle.

Ale tak naprawdę jej kochana córka to jeszcze był straszny dzieciak.


# 19

Wyjął z kieszeni telefon, czekając na przyjście wiadomości. I zastanawiał się, co dalej. Grać, jak do tej pory, wedle reguł roztropnej licealistki Wiktorii Sendrowskiej, czy przystąpić do ataku. Nawet jeśli nie był w szczytowej formie, nienawiść dodawała mu wystarczająco sił, żeby rozpierdolić głowę jednej i drugiej albo o ten mieszczański dębowy kredens, albo o zabytkowe, ceramiczne kaloryfery. Właściwie wystarczyłoby, żeby rozniósł na strzępy szanowną panią Agnieszkę Sendrowską na oczach jej adoptowanej córki. Żeby małolata widziała, jak to jest, kiedy ktoś bliski cierpi. Potem zastanowiłby się, co dalej.

Wyobraził sobie czaszkę uderzającą o kaloryfer. Wyobraził sobie pękającą skórę, kość wgniatającą się w mózg. Z rozbitej głowy leci krew, z rozbitego kaloryfera leci gorąca woda i para. Pani Agnieszka jest jeszcze przytomna, zbyt zaskoczona, żeby zareagować, nawet nie wie, co się dzieje. A on chwyta ją mocniej za czarne włosy, okręca sobie wokół nadgarstka i wali ponownie o kaloryfer. Więcej pary, więcej krwi, kawałki kości nie różnią się na podłodze od kawałków porcelanowych grzejników. Na ich tle łatwo zauważyć szarą, galaretowatą treść mózgu. Córeczka może sobie teraz zobaczyć, jak wygląda wszechpotężny aparat zarządzający jej mamusi. Chwilowo w fazie likwidacji.

Agnieszka Sendrowska uśmiechnęła się do niego znad filiżanki. Odwzajemnił uśmiech.

Gniew wypełniał go w stu procentach. Sprawiał, że każda czynność zamieniała się w wysiłek ponad siły. Starał się prowadzić normalną konwersację, ale czuł się jak sparaliżowany. Chował się za słowami, żeby nie zrobić niczego głupiego. Dlatego gadał jak upośledzony, jakby wygłaszał jakiś wykład z prawa, sam rozumiał z tego co trzecie słowo. Ale to cedzenie słów, ich dobieranie, skupienie się na odmianie, jakby mówił w obcym języku, to mu pozwalało zachować względny spokój.

Dostał wiadomość o treści: „tel no one".

Dokładnie jak powiedziała: wyślę panu cokolwiek. „Tel no one", że niby telefon numer jeden, taki dowcipasek od bystrej licealistki. Wystukała, co jej przyszło do głowy, żeby miał do niej numer.

W rzeczywistości wiadomość była jak najbardziej czytelna. *Tell no one*. W domyśle: nie mów nikomu, bo twoja córka spłonie na chemicznym stosie, usypanym przez porypaną warmińską inkwizycję.

Wstał, pożegnał się uprzejmie, pozwolił pani Agnieszce odprowadzić go do holu. Po drodze kurtuazyjnie podziwiał mieszczański dom. Szczerze. Część jego świadomości, którą udało się zmusić do prowadzenia konwersacji, autentycznie podziwiała wysiłek, jaki Sendrowscy włożyli w to, aby poniemiecka willa odzyskała swoją świetność, udanie łącząc elementy oryginalnej architektury z nowoczesnym, skandynawskim designem.

Założył płaszcz i wyszedł, nie podając nikomu ręki. Bał się, że jeśli poczuje dotyk Wiktorii, nie powstrzyma swojego gniewu i zabije ją na miejscu.

Przeszedł przez niewielki ogródek, otworzył furtkę, wyszedł na chodnik ulicy Radiowej i odetchnął głęboko. Powietrze było inne niż dotychczas. Zimne, rześkie, pachnące śniegiem. Mróz przegonił mokry zapach, rozproszył mgłę, Olsztyn wydawał się ostrzejszy niż zwykle. Szacki często miał tutaj wrażenie, że ogląda świat przez zaparowany obiektyw, że wszystko jest delikatnie rozmyte. Teraz dla odmiany wyglądało to tak, jakby przepuszczono obraz przez filtr wyostrzający.

Nie mógł jej zabić. Chwilowo nie pragnął niczego bardziej, ale nie mógł. Ponieważ na równi z gniewem wypełniała go nierozsądna nadzieja, że Hela żyje i jeszcze uda się ją uratować. Jeśli ceną jest gra wedle reguł Wiktorii Sendrowskiej, był na to gotów. Jeśli ceną ma być jego własna śmierć, też był na to gotów. Był gotów na wszystko. Dostał nową wiadomość od Wiktorii: „o h".

I wszystko jasne. Musi tam być o godzinie zero.

Nie miał najmniejszych wątpliwości gdzie.


## 20

Już bardzo długo szła górską ścieżką i naprawdę nieźle się spociła, zanim spostrzegła, że matriks się psuje. Po pierwsze, w Tatrach nigdy nie ma takiej pogody. To znaczy pewnie jest, ale ona nigdy w czasie żadnej wyprawy takiej nie widziała. Czy to z mamą na nartach, czy to z tatą na trekkingu, czy to z wycieczką szkolną na nudnych marszach – zawsze w Tatrach widziała jedynie mokre skały, mgłę i deszczową (lub śniegową) chmurę na wysokości oczu.

Tym razem szła kamienistą ścieżką po grani i widoki miała z każdej strony takie, jakby ktoś nawet powietrze wypompował, żeby nie przeszkadzało w podziwianiu świata. Nie miała pojęcia, że w tych mokrych Tatrach jest tyle gór w ogóle, nigdy ich nie widziała więcej niż sto metrów do przodu. Wspaniałe doświadczenie.

Nagle doszła do stromej ściany z wykutymi stopniami. Nie wyglądało to bezpiecznie, ale też ciągle bardziej na szlak turystyczny niż na drogę wspinaczkową. Zwłaszcza że obok stopni do skały przytwierdzony był masywny, zardzewiały stalowy łańcuch.

Pociągnęła. Trzymał się.

Złapała się zimnego żelastwa i zaczęła mozolnie wspinać pod górę. Na początku czuła się wspaniale, ale im więcej powietrza dzieliło jej tyłek od ścieżki, tym bardziej do jej myśli wkradał się niepokój i tym bardziej wyobraźnia podsuwała obrazy bezwładnego ciała spadającego w dół, obijającego się o wystające ze ściany głazy, zanim w końcu roztrzaska się o kamienie.

Z nerwów mocniej ścisnęła łańcuch. Który nieoczekiwanie ugiął się pod jej ręką, jakby został zrobiony z gumy. Zdziwiona spojrzała na ogniwo. Ścisnęła jeszcze raz. Faktycznie, zachowywało się jak gumowa zabawka.

Powąchała łańcuch. Pachniał intensywnie zardzewiałym metalem.

Potrząsnęła gwałtownie. Zamiast zagrzechotać o granit, wydał dźwięk kauczukowej piłeczki, odbijającej się o ściany.

I wtedy zrozumiała, że śni. I postanowiła wykorzystać świadomość tego faktu, zanim się obudzi. Spojrzała na świat dokoła, powtórzyła sobie trzy razy, że to wszystko jest w jej głowie, odbiła się mocno nogami od skały i poleciała. Szybko, zdecydowanie, nie jak Mary Poppins, tylko jak Robert Downey Junior.

– Juhuuu! – krzyknęła, patrząc na oddalające się w szybkim tempie góry, granitowa grań między dwiema dolinami wyglądała z tej perspektywy jak kolce wyrastające z kręgosłupa olbrzymiego zielonego dinozaura.

Zamierzała dolecieć do Krakowa, kiedy znowu poczuła intensywny zapach zardzewiałego żelastwa. Spojrzała na swoje dłonie i ze zdumieniem zauważyła, że ciągle trzyma gumowy łańcuch, który wcześniej pomagał jej we wspinaczce. Łańcuch, hen daleko przytwierdzony do gór, rozciągnięty był do granic możliwości. Jego ogniwa, wcześniej grube na palec, teraz były cieniutkie jak wędkarska żyłka.

Sam widok byłby zabawny, gdyby nie to, że nagle rozciągnięty łańcuch z wielką siłą zaczął ją ciągnąć z powrotem. Nie potrafiła go puścić, więc tak jak wcześniej pędziła w górę, tak teraz leciała w dół, coraz szybciej i szybciej, z ogromną prędkością i świstem w uszach, a góry zbliżały się do niej błyskawicznie. Widziała już stopnie wykute w ścianie, skuliła się i zacisnęła oczy przed uderzeniem.

Wtedy się obudziła. Mięśnie miała napięte i obolałe, oczy mocno zaciśnięte, ciągle czuła intensywny zapach rdzy.

Odetchnęła głęboko, zachichotała na wspomnienie snu, otworzyła oczy i chichot uwiązł jej w gardle.

Nawet przez ułamek sekundy nie miała wątpliwości, gdzie się znajduje. Światła w pomieszczeniu było wystarczająco wiele, aby mogła podziwiać fakturę zardzewiałego metalu. Zerknęła pod nogi. Na szczęście nie było tam żadnych szczątków, czego się obawiała, jakichś pływających w mazi zębów i paznokci.

Wnętrze rury było czyste i suche, aż chciałoby się powiedzieć: zadbane. Ze zdziwieniem zauważyła, że cały czas jest w butach i w ogóle we wszystkich ciuchach. W przeciwieństwie do faceta z filmu, który umierał nagi.

Umrę, ale przynajmniej mnie nie zgwałcili, pomyślała. Dobre i to.

Na wysokości jej klatki piersiowej rdza była poszarpana, pocięta pionowymi liniami. Hela zadrżała, kiedy zrozumiała, jak powstały. Ktoś szalał z bólu tak, że próbował się wydrapać z metalowej rury. Czy ona też spróbuje?

Spojrzała na swoje dłonie, związane z przodu cienką linką.

Pewnie tak. Jak tylko linka puści od tego kwasu, którym ją zasypią, będzie próbowała się przedrapać przez żeliwo, jak wszyscy przed nią.

Zmusiła się, żeby oderwać wzrok od tych śladów i spojrzała w górę. Prosto w oko kamery.

## 21

Prokurator Teodor Szacki otworzył do końca okno citroena, wpuszczając do środka mroźne powietrze, pachnące intensywnie sosnami. Droga na Ostródę meandrowała łagodnie między zalesionymi pagórkami. Szeroka, równa, w miarę nowa, w normalnych okolicznościach bardzo lubił tędy jechać.

Ruchu prawie nie było. Minął trzy jadące w stronę Olsztyna ciężarówki, w stronę Ostródy wyprzedziło go białe subaru na elbląskich blachach. Poza tym tylko on, las i wisząca w powietrzu zima.

Las się skończył po kilku kilometrach, zamieniając w pofałdowaną łąkę. Kawałek dalej po prawej widać było światła Gietrzwałdu. Po lewej między wzgórzami usadowiła się wieś Naglady. Bliżej drogi stare zabudowania, bliżej lasu nowobogackie wille. Nawet ładna osada.

Zwolnił, na skrzyżowaniu nie skręcił jednak w stronę wsi, tylko w przeciwną, gdzie nie było widać żadnych świateł, a jedynie łąkę i czarną ścianę lasu.

Droga, na początku asfaltowa, szybko zamieniła się w gruntowy, wysypany żwirem dukt. Jednak i to się skończyło, kiedy minął nowo wybudowane osiedle. Dalej już tylko zwyczajna warmińska droga, dziury i wądoły, rozdzielone pagórkiem zwiędłej trawy, o którą szorował miską olejową.

Zatrzymał się na odcinku wyglądającym na suchy i korzystając z dobrodziejstw hydropneumatycznego zawieszenia, podniósł swojego smoka o kilka centymetrów.

Raz w życiu się na coś cholerny gadżet przyda, pomyślał.

Ruszył.

Droga szybko zginęła w lesie. Gdyby nie to, że wcześniej sprawdził numer działki w bazie katastralnej, pewnie by zawrócił, przekonany, że nie da się tędy nigdzie dojechać.

Po kilkuset metrach wjechał na kolejną polankę, gdzie stały dwie nowe rudery, bliźniaczo do siebie podobne. Stan surowy zamknięty jakichś parterowych koszmarków, żywcem przeniesionych z amerykańskiego przedmieścia. Pewnie ktoś postanowił zostać deweloperem w czasach prosperity i wybudować „luksusową leśną oazę dla najbardziej wymagających". Po czym skończył jak cała reszta.

Nie zwolnił nawet, włączył tylko długie światła i zobaczył ogromny jaskrawy baner z napisem „Na sprzedaż".

Minął baner, minął domy i znowu wjechał w las. Droga osiągnęła kolejny stopień nieuczęszczania, nawet jego potwór, normalnie radzący sobie z wertepami, kołysał się na wszystkie strony niemiłosiernie, jakby chciał przewrócić się na bok.

Dwieście metrów dalej wyjechał na kolejną polankę. Zatrzymał samochód.

Zielone cyfry na tablicy rozdzielczej pokazywały dwudziestą trzecią pięćdziesiąt dwa. Uznał, że pojawienie się kilka minut wcześniej nie zostanie poczytane za afront, zgasił silnik i wysiadł.

Na początku wydawało mu się, że jest kompletnie ciemno, i w stronę domu ruszył po omacku. Jednak jego oczy szybko przyzwyczaiły się do ciemności i okazało się, że w gruncie rzeczy jest zaskakująco widno. Jak zawsze kiedy nad światem wiszą śniegowe chmury, mające niezwykłą zdolność odbijania najmniejszych nawet ilości światła z ziemi i posyłania ich z powrotem.

Zatrzymał się w miejscu, gdzie kiedyś musiała być brama. Teraz po prostu przerwa w resztkach ogrodzenia.

A więc to tutaj.

Pomyślał o Heli. Przychodziło mu to z trudem. Przez cały dzień obecna była w jego myślach bez przerwy, ale po rozmowie z Wiktorią Sendrowską coś się stało. Mózg odciął stały dopływ obrazów, jakie podsuwała mu ojcowska wyobraźnia. W ten sam sposób, w jaki odcina świadomość, kiedy fizyczny ból staje się nie do zniesienia. Rozumiał, że w środku zapewne znajdzie jej zwłoki. Ale to rozumienie było głęboko ukryte, mgliste, nierealistyczne. Jak wyobrażenie miejsca, które znamy jedynie ze słyszenia.

Przeszedł przez przerwę w ogrodzeniu.

Pomyślał o Pawełku Najmanie. Chłopcu, który postanowił przestać żyć. Pomyślał o Piotrusiu Najmanie i jego rysunkach. Pomyślał o małym chłopcu układającym puzzle przy leżącym w kałuży krwi ciele swojej matki.

Pomyślał o dziecku, które musi się chować przed tymi, których kocha. Robi wszystko to, co robią inne dzieci. Układa wieże z klocków, zderza samochodziki, prowadzi rozmowy między pluszakami i maluje domy stojące pod wyszczerzonym słońcem. Dzieciak to dzieciak. Ale strach sprawia, że wszystko wygląda inaczej. Wieże nigdy się nie przewracają. Motoryzacyjne katastrofy to bardziej stłuczki niż wypadki. Pluszaki mówią do siebie szeptem. A woda w kubeczku od farb szybko zamienia się w breję w tym wyjątkowym kolorze złej czerni. Dziecko boi się iść wymienić wodę i w końcu wszystkie akwarele umazane są breją z kubka. Każdy kolejny domek, uśmiechnięte słońce i drzewo obok domku mają ten sam kolor złej, sinej czerni.

Takim kolorem namalowany był tej nocy warmiński pejzaż.

# TERAZ

Prokurator Teodor Szacki czuł spokój, ponieważ wiedział, że tak czy owak w tym domu wszystko się skończy. Ilość możliwych wariantów była skończona i choć logika nakazywała przypuszczać, że w prawie wszystkich wariantach ginie jego córka, a także i on, i tak kurczowo trzymał się myśli, że jakoś się uda. Że coś wymyśli. Że wydarzy się coś, czego nie przewidział. Albo że wszystko okaże się koszmarnym żartem. Głupia nadzieja. Doświadczenie prokuratorskie uczyło, że w życiu nic nigdy nie okazuje się żartem, wszystko jest zazwyczaj na śmiertelnie poważnie. Sprawę pogarszał fakt, że szaloną mścicielką okazała się osiemnastolatka. Ludzie w tym wieku mają tendencję do powagi, betonowo niezmiennych przekonań i radykalizmu, który dekadę później byłby już śmieszny. Co oznacza, że niezależnie od tego, jak bardzo pokręcony morderczy plan powstał w głowie dziewczyny – albo już go zrealizowała, albo na pewno zrealizuje.

Chyba że coś się wydarzy. Zawsze przecież może się wydarzyć coś nieoczekiwanego.

Przeszedł przez obejście i stanął przy drzwiach wejściowych. Teren pomiędzy ogrodzeniem i domem, kiedyś może to było podwórko albo ogródek, przypominał eksperymentalną hodowlę chwastów, teraz zwiędłych, zgniłych i obumarłych, złowieszczo czarnych w zimową noc.

Sam dom z bliska sprawiał lepsze wrażenie. Z daleka wyglądał jak wybudowana na początku dwudziestego wieku niemiecka chałupa, leśniczówka może, która miała całe sto lat, żeby się rozsypać. Teraz Szacki widział po architekturze i użytych materiałach, że konstrukcja pochodziła z lat dziewięćdziesiątych, a jej zły stan jest efektem pożaru przed dziesięciu laty. Dało się zauważyć, że ogień szalał w prawej części domu, nie było tam stolarki okiennej, zapewne spalonej, a dach zapadł się do środka wskutek naruszenia więźby przez ogień.

Zdziwił się, że wszystkie okna były szczelnie zabezpieczone porządnymi, kutymi kratami. Ciekawe, czy założono je po pożarze i wyprowadzce, żeby zabezpieczyć nieruchomość przed złodziejami i włóczęgami, czy zamontowano je wcześniej. Raczej to drugie. Spalonej nieruchomości nie zdobi się kowalstwem artystycznym, raczej każe wypełnić ziejące otwory prętami zbrojeniowymi albo po prostu zabija się na amen dechami.

Zerknął na zegarek. Północ.

Nacisnął klamkę i wszedł do środka, mając nadzieję, że nie natknie się na zwłoki Heleny Szackiej.

Otóż nie. Przywitało go słabe światło i intensywny zapach mocnej, świeżo zaparzonej kawy. Podążył za zapachem i znalazł się w pustym pomieszczeniu, które kiedyś musiało pełnić funkcję salonu.

Prawie pustym pomieszczeniu. Na środku znajdował się stolik kempingowy z gatunku tych, które składają się w zgrabną walizeczkę. Na nim turystyczna lampa gazowa, nakręcana na niewielki kartusz, termos i dwa kubki termiczne. A po obu stronach stolika dwa turystyczne krzesła, parę kawałków zielonego płótna, rozpiętych na aluminiowym stelażu. Jedno krzesło stało puste, na drugim siedziała Wiktoria Sendrowska. Młoda, piękna i spokojna. Wyjątkowo z rozpuszczonymi włosami. Długie, czarne pasma opadały jej do pasa, w połączeniu z bladą twarzą w migotliwym świetle lampy zamieniały ją w postać z japońskiego horroru.

– Dobry wieczór, panie prokuratorze – powiedziała, wskazując mu krzesło.

Usiadł, założył nogę na nogę, poprawił kanty spodni.

– Cześć, Mana.

– Nie mów tak do mnie.

Wzruszył ramionami.

– Gdzie moja córka?

– Dowiesz się za chwilę. Obiecuję. Kawy?

Skinął głową. Rozejrzał się. Lampka dawała mało światła, kąty i ściany ginęły w ciemnościach. Ktoś mógł tam się czaić, ktoś mógł stać za drzwiami. Ktoś mógł teraz do niego celować z broni albo zaciskać ręce na metalowej rurce. Właściwie wszystko wskazywało, że to ostatnia rozmowa, jaką przeprowadza w swoim życiu. A mimo to nagle poczuł znużenie, spać mu się chciało jak jasna cholera.

Przesunęła w jego stronę kubek z kawą.

– Jakieś pytania?

Napił się kawy. Czarna, mocna i pyszna. Taką mógłby pić codziennie. Zastanowił się nad tym, co właśnie powiedziała. Przy całej swojej wyjątkowości Wiktoria Sendrowska nie była wolna od typowej dla przestępców megalomanii. Przebierała nóżkami jak przedszkolak, żądna podziwu za jej przebiegłość.

– Nie – powiedział. – Znam już wszystkie odpowiedzi. Chcę zabrać córkę i wrócić do domu.

– No proszę, jaki zdolny prokurator. I jakie to odpowiedzi?

O kurwa, ale mu się nie chciało. Zmusił się, myśląc o tym, że może, jeśli zadowoli ego nastoletniej wariatki, cała sprawa skończy się lepiej, niż teraz przypuszcza.

– Skrócona wersja, może być? Urodziłaś się jako Marianna Najman, mieszkałaś – gestem pokazał otoczenie – w tej uroczej leśniczówce grozy z rodzicami i młodszym bratem. Zapewne byłaś ofiarą przemocy domowej lub molestowania, może tylko świadkiem tego, co działo się z matką. Dziesięć lat temu zdarzył się pożar. Twoja matka zginęła, twój braciszek umarł niedługo potem w psychiatryku, a tobie coś poprzestawiało się w głowie. Zdolne, śliczne dziecko, szybko zostałaś adoptowana przez Sendrowskich, którzy nie dostrzegli albo nie chcieli dostrzec twojej skazy. Nie wiem, dlaczego twojemu ojcu odebrano prawa, nie dotarłem do akt w sądzie rodzinnym, jedynie do papierów w USC. Adoptowanemu dziecku przybrani rodzice zapewnili, z tego co widziałem i słyszałem, doskonałe warunki rozwoju, dzięki czemu wyrosłaś na mądrą i piękną kobietę. Którą to piękną i mądrą kobietę cały czas trawiła żądza zemsty. Na ojcu w szczególe, na winnych przemocy w ogóle. Doczekałaś swoich osiemnastych urodzin, bo dopiero wtedy mogłaś uzyskać wgląd w akta sprawy adopcyjnej i w akta pozbawienia twojego ojca praw rodzicielskich.

– Nie docenia mnie pan. Od trzech lat mam te akta.

Był bardzo zmęczony, ale mimo to w jego prokuratorskiej głowie zabrzęczał wykrywacz ściemy. Coś było nie tak. Nie miał pojęcia co, ale wtedy po raz pierwszy pomyślał, że źle połączył fakty. Niestety, wydrenowany i wyczerpany, nie potrafił podążyć za tą myślą.

– Czekałam do osiemnastki, bo wydawało mi się to symboliczne, poza tym obserwowałam go. Dopuszczałam do siebie myśl, że jednak się zmienił i że zapewni Piotrusiowi to, czego nie miał Pawełek.

– No właśnie, Piotruś. – Nie pozwalał jej się rozwinąć dramatycznie, bo chciał mieć to podsumowanie jak najszybciej za sobą. – Zaprzyjaźniłaś się z rodziną Najmanów, przede wszystkim z Piotrusiem, może nawet pracowałaś jako opiekunka. Wbrew pozorom bezpieczne rozwiązanie. Najman ciągle wyjeżdżał, żona potrzebowała wtedy kogoś do pomocy. Mijaliście się z ojcem, być może nawet do ostatniej chwili nie spotkaliście się twarzą w twarz.

Wiktoria potwierdziła gestem.

– Mały cię polubił. To zrozumiałe, traktowałaś go jak brata, którym w istocie był. Przypuszczam, że któregoś dnia, albo przed porwaniem, albo tuż po, opowiedziałaś Monice Najman swoją smutną historię. Uwierzyła ci i palcem nie kiwnęła w sprawie losu swojego męża. Z jednej strony być może sama już wiedziała, jakim człowiekiem jest Najman, jej dziecko opowiedziało w czasie przesłuchania o wysyłaniu jej na strych w ramach małżeńskiej kary. Z drugiej masz w sobie coś takiego, że ludzie ci wierzą, że chcą się ciebie słuchać. Najwidoczniej to cecha rodzinna. Prawda, Wiktorio?

Skinęła głową, z uśmiechem przyjmując komplement.

– Po czym rozpuściłaś pana tatę w ługu sodowym i spreparowałaś nam zgrabny rekwizyt z kości jego i innych sprawców przemocy, podrzucając go w mieście. Ciekawe, że od początku sugerowałem się tym, że podziemny tunel prowadzi do szpitala, miałem wrażenie, że tu jest rozwiązanie. Znajomość anatomii i tak dalej. Tymczasem drugi koniec prowadzi przecież do akademika.

– A cóż bardziej naturalnego niż osiemnastolatka w akademiku, co nie? – uzupełniła z uśmiechem.

– Właśnie. Niestety dopiero dziś mi się to wyświetliło ze szczegółami. I to właściwie tyle. Od kilku dni podejrzewam, że wszystko to przygotowania do czegoś naprawdę wielkiego. Ja i moja córka jesteśmy częścią tego planu, ja mam zapewne zostać ukarany jako symbol niekompetentnego i nieczułego aparatu sprawiedliwości. Przepraszam, że to mówię, rozumiem, że działasz w dobrej wierze. Ale czy słyszysz, jak bardzo jest to wszystko dziwaczne? Nie jesteś za mądra na taki wodewil?

Królewskim gestem odrzuciła włosy za plecy.

– Tak właśnie wyobrażam sobie wymiar sprawiedliwości – powiedziała. – Niby odpowiedzi prawidłowe, a wszystko suche, pozbawione emocji, nijakie.

Wzruszył ramionami. Pomyślał, że jeśli jeszcze raz wykona ten gest, to jakiegoś tiku na resztę życia dostanie. Nie żeby planował dożyć setki, chwilowo nawet czterdzieste piąte urodziny wydawały się poza zasięgiem. Ale nowe schorzenie na sam finał? Bezsensowna złośliwość losu.

– Nie byłam molestowana, nikt mnie nigdy nie uderzył. Pawełka też nie, to tak do protokołu. Matka to co innego. Była słaba, dawała z sobą robić wszystko, zastraszona wieśniaczka, niewyobrażająca sobie, że może być inaczej. Nie mam dla niej krzty litości. Natura nie powinna pozwalać się rozmnażać ludziom słabym, zbyt słabym, aby troszczyli się o młode.

Nagle zrozumiał.

– Kobiece kości w twoim rekwizycie?

– A jakże. Nie zasłużyła na to, żeby spoczywać w pokoju. Pozwalała, żeby cały dom był wypełniony strachem. Codziennym, nieustannym strachem.

– Przecież mówiłaś...

– Tak, mówiłam, że nigdy nas nie dotknął. Ale byliśmy pewni, że któregoś dnia to się zmieni. Cały czas rosnące napięcie, poczucie zagrożenia, od którego można zwariować.

– Pożar?

– Tak. Była za głupia, żeby odejść, wziąć dzieci i uciec. Zapowiedziała to z wielką pompą, a kiedy zrozumiał, że to na poważnie, zamknął ją w pokoju, gdzie ją zwykle zamykał, a potem spalił. Widział pan kratę na prawo od wejścia?

Przytaknął.

– Na tej kracie umarła. Wybiła okno, ponieważ jak już wspomniałam, była dość głupia i nie wiedziała, że dodatkowa porcja powietrza raczej wzmaga ogień, niż go gasi. Po czym zawisła na tej kracie i się na niej usmażyła. Staliśmy z Pawełkim przy bramie, patrzyliśmy na to bardzo długo. Teraz oczywiście wiem, że nie powinnam na to pozwolić, ale wtedy miałam osiem lat, sparaliżowało mnie.

Zawiesiła się na chwilę.

– Ale ja też za to zapłacę – powiedziała cicho, a przez jej piękną twarz przebiegł cień strachu i żalu. – Wiesz, Teodorze... Nie gniewasz się, że tak mówię, prawda? Super. Mojego ojca zawsze wszyscy uwielbiali. Naprawdę był takim gościem, z którym wszyscy chcieli się przyjaźnić, słuchać go, przebywać z nim. Potrafił ludzi owijać sobie wokół palca. Typ sprzedawcy. Ale w końcu robił w usługach, daleko by nie zajechał jako odstręczający nudny typek. Przez to miał bardzo dużo znajomości, wiele kontaktów. I po pożarze wszystko potoczyło się bardzo szybko. Stał się główną ofiarą tragedii, mnie nikt nie chciał słuchać. Rozdzielili nas z Pawełkiem, mnie zabrali do domu dziecka, bo on udawał zbyt pogrążonego w bólu, aby się mną zajmować. Jako córka nie liczyłam się dla niego, te wszystkie dupki gardzą kobietami w każdym wieku, mają mentalność egipskich wieśniaków. Kiedy Pawełek umarł, mnie szybko się pozbył, doprowadził przez znajomych do odebrania mu praw rodzicielskich, poszło naprawdę szybko. Uwierzysz, że o śmierci brata dowiedziałam się miesiąc po pogrzebie? Wtedy postanowiłam, że się zemszczę. Że sprawię, że będzie cierpiał bardziej niż matka, bardziej niż Pawełek, bardziej niż ja.

Zawiesiła się na chwilę, spojrzała w bok, w ciemność.

– Z tym ługiem niezłe, co nie?

Zgodził się, zresztą, co miał zrobić.

– Tak, wiem, nie akceptujesz samosądów i tak dalej, masz przecież kodeks i garnitur, bla, bla, bla, nudy. – Oczy jej się zaświeciły. – Tyle byłam od jego twarzy, jak umierał, wiesz? – Wyciągnęła dłoń przed siebie. – Aż słabo mi się zrobiło od tych oparów, gardło mnie potem szczypało przez kilka dni. Lecz nie mogłam sobie darować ani sekundy. Bałam się, że straci szybko przytomność, ale on się rozpuszczał przez dobry kwadrans. Widziałam już zęby przez policzki, a jeszcze wierzgał. Nie darł się niestety, bo się nałykał tego świństwa za szybko. Ale to tylko wzmagało dramaturgię.

Wiedział, że zachęcanie ją do wynurzeń to błąd, niezależnie od swoich niewyobrażalnych krzywd i strat, była osobą szaloną, ale jedna kwestia naprawdę go ciekawiła.

– Ilu was jest?

Spojrzała niepewnie. Powinien wtedy prawidłowo odczytać ten gest. Jako gest osoby, którą nagle ktoś wytrąca z roli i która zaczyna się gubić. Ale był tak zmęczony. I tyle rzeczy zrobił tego wieczoru nieprawidłowo.

– Cóż, oczywiście nie zdołałabym zrobić wszystkiego sama. Wiedziałam od początku, że potrzebuję sojuszników. Sojuszników z misją. Niektórych... – Zawahała się, jakby pewnych rzeczy nie wolno jej było zdradzić. – ...niektórych znałam od dawna. Niektórych znalazłam. Nie uwierzyłbyś, jak łatwo znaleźć ludzi z odpowiednią motywacją. Jakie zło jest powszechne, jakie codzienne, jak wszechobecne.

Zawiesiła się na moment.

– Szybko doszłam do wniosku, że zemsta niczego nie załatwia, potem człowiek zostaje z pustką, pan Dumas to opisał ze szczegółami. A że potrzebowałam ludzi, postanowiłam dać im cel: naprawę świata. Zawsze podejrzewałam, że wszystkie te chujki są tchórzami. I tak faktycznie jest. Nie chcę cię, jako prokuratora, pozbawiać złudzeń co do efektów twojej pracy, ale prawda jest taka, że jeden wpierdol jest wart sto razy więcej niż trzy lata w zawiasach, niż grzywna, niż wsadzenie kogoś na jakiś czas. Zresztą widziałeś efekty naszej pracy. Dosłownie srali po gaciach. Myślę, że bali ci się potem podać PESEL.

Potwierdził. Poczuł smutek. Niezależnie od wszystkiego żal mu było tej szalonej, skrzywdzonej dziewczyny.

– My też widzieliśmy te efekty i to nas utwierdzało w przekonaniu, że postępujemy słusznie, że naprawdę zmieniamy świat na lepsze. Od organów państwowych reagujemy szybciej, mocniej i staramy się to zrobić, zanim wydarzy się tragedia.

– My, czyli kto?

Zawahała się.

– Różni ludzie.

Pomyślał o tym, co słyszał kilka godzin wcześniej od szczęśliwej wdowy na Mickiewicza. Wirus. Wszyscy, którzy w dorosłym życiu zostają ofiarami albo katami, doświadczyli przemocy w dzieciństwie. Sto procent. A kim jest Wiktoria Sendrowska? Kim są jej przyjaciele? Bez wątpienia nie ofiarami, to pewne. Ale czy można postawić ich na równi z katami? W pewien sposób tak, przecież pozwolili się uaktywnić wirusowi, który zmusza ich do wywoływania w innych strachu. Tylko tym razem terror nie został skierowany w najsłabszych, tylko w krzywdzicieli. Trochę jak filmowi superbohaterowie, którzy muszą wybrać, czy swoją skazę wykorzystają dla dobrej lub złej sprawy. Prawnie sprawa jest oczywista: ci ludzie są przestępcami i należałoby ich wsadzić, zanim upiją się swoją potęgą i zaczną obcinać nogi ludziom, którzy ciężko zgrzeszyli, przechodząc na czerwonym świetle.

– Sama ich zgromadziłaś?

– Mam coś takiego, że ludzie chcą mnie słuchać.

– Wspaniały dar. – Nie potrafił ukryć złośliwości. – A co ja w tym wszystkim robię? I przede wszystkim, jaką rolę odgrywa moja córka?

– Jak się zapewne domyślasz, w historii tej ważną rolę odegrał pewien prokurator. Pani prokurator, ściśle rzecz biorąc. Pierwsza osoba, u której moja matka postanowiła poszukać pomocy. Na pewno już wiesz, jaki będzie ciąg dalszy, opisują to często w gazetach. Ta się specjalnie nie różniła. Niby pani prokurator była życzliwa, ale zamiast wdrożyć procedury, namawiała matkę, żeby porozumieć się z mężem, dogadać poza salą sądową. Matka wpadła w histerię, na co ta głupia cipa z prawniczym dyplomem zaczęła ją straszyć, że mogą zlecić badania psychiatryczne. Oczywiście miała na myśli matkę, nie ojca. Żeby sprawdzić, czy nie konfabuluje, czy jest normalna. Moja matka była głupia, ale nie aż tak, żeby nie wiedzieć, że takie badania w czasie sprawy rozwodowej będą świadczyły przeciwko niej. Wycofała się. Wytrzymała rok, ze śladami pobicia wylądowała u tej samej prokuratorki. Ta nie wysłała jej na obdukcję, kazała się umyć i wmawiała, że jest agresywna i nie potrafi opanować emocji, skoro prowokuje awantury w domu. A potem umorzyła sprawę, bo ojciec zeznał, że walnął ją, ponieważ się bronił, gdy matka uderzyła go żelazkiem.

– I co się stało z panią prokurator?

Znowu zawahanie.

– Zginęła w wypadku. O mało nie uwierzyłam w siłę wyższą, jak się dowiedziałam.

Stary nawyk śledczego kazał Szackiemu zanotować w myślach, że Sendrowska musi mieć wejścia w organach ścigania. W policji albo prokuraturze.

– Ale to nie była tylko ona. Niedawno przejrzałam akta mojej matki dzięki jednemu z przyjaciół. Jeszcze dwie prokuratorki, kilkoro policjantów. W sumie kilkanaście razy szukała pomocy, wierząc, że system jej pomoże. A system jej powiedział, żeby spierdalała.

Nagle zrozumiał, co Wiktoria mówi mu między wierszami, i nie mógł w to uwierzyć.

– I co? I ja mam być jakąś ofiarą zastępczą? Zapłacić za błędy niekompetentnego i nieczułego wymiaru sprawiedliwości? Czy ty zwariowałaś, dziewczyno, do reszty?

Nie odpowiedziała. W ogóle nie zareagowała. Patrzyła tylko na niego w milczeniu, smutna. Może gdyby nie był taki wyczerpany, i wydrenowany emocjonalnie, być może odczułby fałsz tej sceny i całej sytuacji. Przynajmniej tak sobie to wytłumaczył później. Był jednak bardzo zmęczony. Instynkt, który normalnie w tej sytuacji by go kopnął, tylko ledwo go ukłuł, Szacki poczuł jedynie ukąszenie komara i zlekceważył.

Niestety.

– Na pierwszy rzut oka wydajesz się wyjątkowa – powiedział chłodno. – Ale w gruncie rzeczy nie różnisz się od tych wszystkich pojebów, których przesłuchuję od dwudziestu lat. Lubisz śmierć, ból i cierpienie, bo w twoim mózgu coś nie kontaktuje. I dorabiasz do tego ideologię, dzięki której w swoich oczach zamieniasz się w demonicznego geniusza, mściciela z filmu klasy B. A jesteś po prostu złą, zepsutą pannicą, która spędzi resztę życia w Grudziądzu. I już po tygodniu zrozumie, że żadnego romantyzmu w tym nie ma. Jest ciasnota, smród i kiepskie jedzenie. A przede wszystkim niewyobrażalna, niekończąca się nuda.

Ziewnął ostentacyjnie.

– W przeciwieństwie do ciebie ja wymierzam sprawiedliwość – warknęła, w jej oczach zapaliły się ogniki.

– Oczywiście. A czy są tu jacyś dorośli, z którymi mógłbym porozmawiać?

– W moich rękach jest życie twojej córki. Zdajesz sobie z tego sprawę?

– Zdaję. Ale właśnie zrozumiałem, że nie mam wpływu na to, co zrobisz w swoim szaleństwie. Przykro mi, ale jesteś za daleko od normy, żeby zwykły człowiek mógł się z tobą dogadać. Kończmy tę szopkę. Moja propozycja jest prosta. Jeśli moja córka żyje, puść ją wolno, możesz sobie wtedy zatrzymać mnie i rozpuszczać do woli. Jeśli nie żyje, to się do tego przyznaj.

– I co wtedy?

– Wtedy cię zabiję.

Zdziwił się, jak łatwo te słowa przeszły mu przez gardło. Nie dlatego, że kłamał, tylko dlatego, że zdradził swoje najgłębsze emocje. Był stuprocentowo pewien, że jeśli Hela nie żyje, zatłucze Sendrowską gołymi rękami i nawet mu powieka nie drgnie. Po raz pierwszy zrozumiał, co mieli na myśli przesłuchiwani przez niego sprawcy, kiedy w kółko powtarzali, że w tamtym momencie byli pewni, że nie mają innego wyjścia. Zawsze uważał, że to głupie kłamstwo. Teraz wiedział, że mówili najszczerszą prawdę.

– Proszę, proszę, zupełnie jakbym ojca słyszała.

– Cóż, raz niegrzeczna gówniara, zawsze niegrzeczna gówniara.

Światło w pokoju, do tej pory ciepłe i żółte, uległo zmianie. Rozejrzał się. Z prawej strony rozjarzył się telewizyjny ekran, do tej pory niewidoczny. Przez chwilę Szacki oglądał zakłócenia, potem zobaczył czubek głowy swojej córki, wsadzonej do wnętrza żeliwnej rury. Obraz był tak dobrej jakości, że widział na jej czarnym golfie plamki łupieżu, z którym nie mogła sobie ku swojej nastoletniej rozpaczy poradzić.

Wtedy powinien był zrozumieć wszystko. Ale był taki zmęczony. Szacki wstał i zrobił kilka kroków w stronę ekranu. Hela zadarła głowę. Piękne oczy rozszerzone strachem, ale bez śladu łez i paniki. Za to z wyrazem pogodzenia.

Do obrazu dołączył dźwięk. Słyszał jej przyspieszony oddech.

Zacisnął pięści. Poczuł za sobą ruch i odwrócił się. Wiktoria stała tuż za nim. Posągowo piękna bogini zemsty, porcelanowa twarz o klasycznych rysach, obramowana czarnymi włosami.

– Masz ostatnią szansę, żeby przerwać to szaleństwo – wychrypiał.

– Cały dzień siedziała w jednym miejscu, łatwym do znalezienia, pilnowana przez jedną osobę. Mogłeś uratować córkę. Dałam ci szansę, której nie wykorzystałeś, ponieważ jesteś niekompetentny, jak wy wszyscy. I teraz poczujesz, jaki ból potrafi sprawić niekompetentny wymiar sprawiedliwości. Patrz.

Z telewizora dobiegł szelest.

Szacki obejrzał się, zobaczył cień na twarzy swojej córki, ktoś zasłonił źródło światła. Wszystkie jej mięśnie się napięły w grymasie przerażenia, przez co jej śliczne rysy na moment straciły człowieczeństwo, stały się mordką zwierzątka, które wie na pewno, że zginie, wie, że nie może temu zapobiec, i nic już w nim nie ma. Oprócz strachu. Nigdy nie widział takiego grymasu na twarzy żywego człowieka. Pamiętał za to zwłoki, które znajdywano z takim właśnie wyrazem twarzy.

Nie zemdlał, ale stało się z nim coś dziwnego, jakby odkleił się od siebie. Następne kilka sekund czuł się widzem tej sceny, a nie jej bohaterem. Tak to zapamiętał.

Patrzy z boku. Z lewej stolik z termosem i lampką. Potem Wiktoria, smukła, dumna, wyprostowana, z rękami założonymi na piersiach i rozrzuconymi czarnymi włosami. Potem on, plama czarnego płaszcza na tle czarnej ściany, tak naprawdę biały punkt twarzy i włosów lewitujący w powietrzu. Z prawej strony duży telewizor, skurczona twarz Heli, wypełniająca cały kadr.

A potem nieprzyjemny szelest, strumień białych kulek wsypujących się do żeliwnej rury i straszny, zwierzęcy krzyk jego córki, połączony z odgłosami głuchych uderzeń, kiedy jej ciało w rozpaczy, panice i bólu zaczyna konwulsyjnie się bronić.

Białe granulki wodorotlenku sodu błyskawicznie wypełniły wnętrze rury, zasypały Helę po szyję i wyżej, robi wszystko, żeby ich nie łykać, wyciąga szyję i przechyla głowę do góry, szybko oddychając przez nos, widział, jak poruszają jej się płatki nozdrzy. Widział przerażone, nieludzkie oczy. Widział, jak wbrew sobie otwiera usta, jak dziki krzyk zamienia się w kaszel, kiedy do jej gardła wpadają pierwsze rozpuszczające ciało kulki.

W tej samej chwili odwrócił się i zacisnął dłonie na gardle Wiktorii Sendrowskiej.

# CHWILĘ PÓŹNIEJ

Przy furtce odwrócił się i spojrzał na dom zły. Jego kontury rozpływały się w ciemnościach, potworny nokturn namalowany odcieniami czerni. Ciemnoczarny dom z czarnymi otworami okien, na tle szaroczarnej ściany lasu. Nagle coś zakłóciło ten festiwal czerni, coś mignęło w polu widzenia. Drgnął, przekonany, że przyszli po niego. Że on będzie następnym, trzecim już bytem, który w ciągu kwadransa przekroczy granicę między życiem a śmiercią.

Nie miał nic przeciwko. Wręcz przeciwnie. Chciał nie żyć. Niczego teraz nie pragnął tak bardzo jak tego, żeby nie żyć.

Ale za mignięciem nie stała postać, światło latarki, eksplozja wystrzału ani błysk klingi. Za chwilę kolejne mignięcia pojawiły się w czerni wokół i zrozumiał, że to pierwszy śnieg. Coraz większe płatki coraz śmielej spadały z nieba, osiadając na zamarzniętej, błotnistej ziemi, na domu złym i na czarnym płaszczu Szackiego.

Dotknął dużego płatka na kołnierzu, jakby chciał go obejrzeć dokładniej, ale ten rozpuścił się w okamgnieniu, zamienił w kroplę zimnej wody.

Patrzył na tę kroplę i w jego głowie pojawiła się dziwna myśl. Zrazu bardziej cień, miraż, prawie nieuchwytny. Stało się w nim coś dziwnego, co biegli psychiatrzy nazwaliby fazą szoku. Czuł, że on to on, wiedział, gdzie jest i co się wydarzyło, rozumiał, że musi wsiąść do samochodu i odjechać, ale z drugiej strony wszystkie jego myśli i emocje kłębiły się za ścianą z przydymionego szkła. Coś tam się działo, słyszał stłumione głosy, krzyki, widział słabe, niewyraźne obrazy – ale wszystko to poza nim, w bezpiecznej odległości, bez dostępu do jego świadomości.

Poza tą jedną, natrętną myślą, która w jednym miejscu waliła w szybę i krzyczała w kółko to samo, żądając uwagi i wysłuchania.

– To niemożliwe – powiedział cicho na głos, kiedy w końcu zrozumiał sens tej myśli. – To niemożliwe.

Nie wiedział, kiedy to się stało, ale gdy wstał znad zwłok dziewczyny, telewizor był wyłączony. Nie pamiętał, kiedy został wyłączony, ale ani razu nic nie odwróciło jego uwagi w czasie szamotaniny. To raz. Dwa, że nie miało absolutnie żadnego sensu, poza przyzwoitością, wkładanie Heli do rury w ubraniu. Im bardziej pozwalał tej myśli do siebie dotrzeć, tym bardziej rozumiał, że w momencie kiedy zobaczył łupież na golfie Heli, wszystko powinno stać się dla niego jasne. Tyle tylko że wtedy prawda byłaby jeszcze bardziej nieprawdopodobna niż całe to szaleństwo.

Ale po co? W jakim celu? Dlaczego?

W pierwszej chwili wziął ruch po swojej lewej za zadymkę, płatki śniegu tańczące na wietrze. Ale kiedy spojrzał w tamtą stronę, zobaczył, że część ciemności przesuwa się w jego stronę, płatki śniegu układały się tam na ludzkim kształcie.

Zaczął iść w tamtą stronę, zrazu wolniej, potem coraz szybciej. I po chwili stał przed swoją córką. Zziębniętą, przerażoną, ale jak najbardziej żywą.

Chwycił ją za ramiona, żeby sprawdzić, czy to nie halucynacja.

– Au – powiedziała halucynacja. – Błagam, powiedz, że jesteś samochodem.

Pokiwał głową, nie będąc w stanie wykrztusić słowa.

– Super. To wsiadajmy do tego grata i uciekajmy stąd. Nie masz pojęcia, co mi się przydarzyło.

Pogłaskał ją po włosach, jego ręka była mokra od płatków śniegu. Spojrzał na dłoń i zobaczył, że jeden z płatków nie rozpuścił się, tkwił w zagłębieniu pomiędzy linią życia i linią rozumu, jakby był ciepłoodporny. Nowy rodzaj śnieżnych płatków, importowanych z Chin, żeby centra handlowe łatwiej mogły sterować magią Bożego Narodzenia?

Spojrzał na włosy swojej córki, która tymczasem odzyskiwała pomału swój wyjściowy, lekko skrzywiony wyraz twarzy, mówiący: „Okej, ale o co chodzi?". Miała we włosach więcej sztucznych płatków śniegu. Miała je też na swoim czarnym golfie. Wziął jeden z nich, chwycił między kciuk i palec wskazujący, ścisnął.

I zrozumiał.

– Tato? Wszystko okej? Bo ja naprawdę bym chętnie usiadła w cieple.

Kulka styropianu.

Rzucił ją na ziemię i poszedł z Helą w stronę samochodu, nie oglądając się za siebie.

# PÓŹNIEJ

# ROZDZIAŁ 8

## czwartek, 5 grudnia 2013

Międzynarodowy Dzień Wolontariusza. Urodziny obchodzą Józef Piłsudski (146), Walt Disney (112) i Dworzec Centralny (38). W wieku 95 lat umiera Nelson Mandela. Inny legendarny światowy przywódca Lech Wałęsa tryska zdrowiem. Uczestniczy w premierze filmu o sobie na Kapitolu w Waszyngtonie, a po projekcji komentuje, że nie może się doczekać, jak jego życie pokażą inni filmowcy. Komisja Europejska blokuje budowę nowego gazociągu, który przez Morze Czarne miał omijać Ukrainę. Watykan powołuje komisję do zwalczania pedofilii wśród księży. Tymczasem w Polsce ciekawie. Sąd najwyższy uchyla rejestrację Stowarzyszenia Osób Narodowości Śląskiej, tłumacząc w uzasadnieniu, że nie ma takiego narodu. W Poznaniu uniwersytecka dyskusja o gender kończy się awanturą i interwencją funkcjonariuszy policji. Pomorze atakuje przybyły z Niemiec orkan „Ksawery". Warmia i Mazury pod śniegiem. W Olsztynie pierwszy dzień zimy. Całe miasto stoi w korkach. Raz, że śnieg. Dwa, że znienacka remont newralgicznego punktu przy placu Bema postanowiono przesunąć na godziny szczytu. Kierowcy mdleją z wściekłości, a prezydent mówi o centrum zarządzania transportem publicznym, zapowiadając, że kiedy nastanie złota era tramwaju, specjalne kamery będą sterować światłami. Cieszą się pasażerowie, cieszą się też studenci, bo uniwersytet zapowiada, że na kampusowej górce powstanie wyciąg narciarski.

# 1

Polska jest brzydka. Oczywiście nie cała, żadne miejsce nie jest całkowicie brzydkie. Ale jak wyciągnąć średnią, to Polska jest brzydsza niż jakikolwiek kraj w Europie. Nasze piękne góry nie są ładniejsze od czeskich czy słowackich, o Alpach nie wspominając. Nasze pojezierza to daleki cień skandynawskich. Plaże lodowatego Bałtyku rozśmieszają każdego, kto odwiedził kiedykolwiek te nad Morzem Śródziemnym. Rzeki nie przyciągają podróżujących jak Ren, Sekwana czy Loara. Reszta to nudny, płaski teren, częściowo zalesiony, ale też żadne puszcze Śródziemia to to nie są, w porównaniu z dzikimi ostępami Norwegii czy krajów alpejskich wypadamy blado.

Nie ma cudów natury, które zdobiłyby okładki międzynarodowych albumów podróżniczych. Niczyja to wina, po prostu osiedliliśmy się na nudnych, rolniczo obiecujących terenach i tyle. Co wyglądało sensownie w epoce trójpolówki, w czasach międzynarodowej turystyki już takie oczywiste nie jest.

Nie ma też miast ładnych w całości. Nie ma Sieny, Brugii, Besançon, Bazylei czy chociażby Pardubic. Są miasta, w których jak dobrze spojrzeć i za bardzo nie obracać głowy, a już broń Boże nie iść przecznicę dalej, można zobaczyć ładny fragment.

Niczyja to wina. Tak jest i tyle.

Ale są chwile, kiedy Polska jest najpiękniejszym miejscem na świecie. To majowe dni po burzy, kiedy zieleń jest soczysta i świeża, chodniki lśnią wilgocią, a my wszyscy zdjęliśmy po raz pierwszy od pół roku płaszcze i czujemy, że udziela nam się potęga sił natury.

To sierpniowe wieczory, rozkosznie rześkie po całym dniu żaru, kiedy zapełniamy ulice i ogrody, żeby zaczerpnąć powietrza, złapać końcówkę lata i czekać na spadające gwiazdy.

Ale przede wszystkim to pierwszy prawdziwy zimowy poranek, kiedy wstajemy razem z dniem po całonocnej śnieżycy i widzimy, że świat za oknem zamienił się w bajkową scenerię. Wszystkie mniejsze defekty zostały zakryte, te większe ciut przysłonięte, a najgorsze brzydactwa zyskały szlachetną w swojej prostocie, białą, lśniącą oprawę. Jan Paweł Bierut siedział na ławeczce w kwaterze dziecięcej cmentarza komunalnego przy ulicy Poprzecznej. Oddychał głęboko mroźnym powietrzem i rozkoszował się zimowym porankiem, który zamienił ponurą nekropolię w fantastyczny pejzaż, krzyże wystawały z niepokalanego białego puchu jak maszty statków żeglujących po obłokach.

Nie chciał psuć tej kompozycji, dlatego zmiótł z małego nagrobka tylko tyle śniegu, żeby można było przeczytać nazwisko dwuletniej niespełna Olgi Dymeckiej. Zapalił lampkę, przeżegnał się, zmówił modlitwę za zmarłych i dodał parę słów od siebie, prosząc jak zwykle moce niebieskie, aby nie zapomniały o placu zabaw jak należy. Jeśli te brzdące po śmierci nie rosną, to pewnie nudzi im się w towarzystwie rozmodlonych dorosłych, a wypasiona zjeżdżalnia i karuzela nie powinny chyba obrazić boskiego majestatu.

Policjant nie był spokrewniony z małą Olgą, nie była ona mu też w inny sposób bliska. Podobnie jak kilkanaścioro innych dzieci, do których regularnie przychodził w rocznicę ich śmierci.

Wiedział, że ludzie albo się śmiali z niego, albo dziwili temu, że absolutnie nic na nim nie robiło wrażenia. Zwykle żółtodzioby w dochodzeniówce rzygały jak koty przy pierwszych wzdętych utopcach czy wtopionych w tapczan staruszkach, odnalezionych po trzech tygodniach rozkładu w upalnym lipcu. Zdarzały się zwłoki, kiedy nawet doświadczeni dochodzeniowcy robili się bladzi i wychodzili na papierosa. Bierut nie. On potrafił funkcjonować na miejscu odnalezienia zwłok tak samo jak w miejscu kradzieży telefonu komórkowego. Po prostu trzeba wykonać określone czynności i on je wykonywał. Nawet mroczna historia o roztopieniu żywcem Piotra Najmana nie poruszyła w nim żadnej struny. Rozumiał, że to wyjątkowo ponura zbrodnia, ale nie przeżywał tego tygodniami, apetytu nie stracił, nie miał przyspieszonego tętna.

Jan Paweł Bierut pracował bowiem dziesięć lat w drogówce i wiedział, że nigdy nie zobaczy nic gorszego niż to, czego musiał się naoglądać na polskich drogach. Widział pięcioosobowe rodziny jadące na wakacje, wymieszane razem z zabawkami, prowiantem i materacami do pływania, jakby ktoś to wszystko wrzucił do blendera. Pamiętał rowerową wycieczkę ojca i dwójki synów, wszyscy rozwleczeni na trzystu metrach drogi, dwa dni zbierali ich szczątki. Obserwował kubełkowe foteliki, w których zostały tylko części pasażera. Zdarzyło mu się wziąć odciętą przez źle zamontowane pasy dziecięcą głowę za piłkę do gry. Widział, jak śmierć zrównuje pasażerów używanych skód i nowych bmw. Ta sama krew, te same białe kości, w ten sam sposób przebijające poduszki powietrzne.

Wychowany na wierzącego katolika i nawet praktykujący, po swoim pierwszym letnim sezonie w drogówce stracił wiarę kompletnie. Świat dopuszczający do takich wydarzeń nie mógł mieć żadnego gospodarza, nigdy żadna prawda nie była dla Bieruta tak oczywista. Bez żalu i bez wyrzutów sumienia odwrócił się od Boga i od Kościoła, z zimną pewnością kogoś, kto wie.

Po kilku latach nieoczekiwanie się nawrócił. Może nie tyle na katolicyzm, co uwierzył w istnienie siły wyższej. Uznał, że scenariusze tragedii drogowych są zbyt wydumane, aby mogły dziać się tak po prostu. Rzeczywistość odbiegała trochę od medialnego obrazu: brawura plus alkohol plus prędkość niedostosowana do warunków jazdy. Zdarzały się bowiem śmierci dziwne i niewytłumaczalne.

Trupy w dochodzeniówce miały w sobie więcej sensu. Ktoś się napił, kogoś szlag trafił, ktoś chwycił za nóż. Jakiejś kochance w drodze do szczęścia przeszkadzała żona kochanka, a jakiejś żonie kochanka męża. Zdarzenia te cechowały się wypaczoną i morderczą, ale jednak logiką.

Na drodze tej logiki brakowało. Dwa samochody jadą naprzeciwko siebie latem po suchej drodze z rozsądną prędkością i zderzają się czołowo. Ci, co przeżyli, nie potrafią tego wytłumaczyć, świadkowie też. Wszyscy trzeźwi, wypoczęci, odpowiedzialni. Siła wyższa.

Przeczytane w dzisiejszej gazecie: para jedzie samochodem, wpada w poślizg, zjeżdża do rowu. Spokój, tylko karoseria ucierpiała. Ona wychodzi na pobocze, żeby zadzwonić po pomoc, i uderza w nią inny samochód. Śmierć na miejscu. Siła wyższa.

Przeczytane kilka dni temu: kierowca zabiera autostopowicza, kilkaset metrów dalej zjeżdża z drogi i uderza w drzewo. Kierowcy nic się nie dzieje, autostopowicz ginie na miejscu. Siła wyższa.

Przeczytane jakiś czas temu: kierowca zauważa klęczącego na środku drogi mężczyznę. Zatrzymuje się, włącza awaryjne, wychodzi sprawdzić, co się dzieje. Nadjeżdża drugi samochód, próbuje ich wyminąć, potrąca troskliwego kierowcę. Śmierć na miejscu. Klęczący klęczy dalej. Siła wyższa.

Przez lata służby Jana Pawła Bieruta w drogówce tyle się tych zdarzeń zebrało, że w końcu uwierzył w siłę wyższą. Jednym z efektów nawrócenia stały się wizyty na grobach dzieci, z których śmiercią zetknął się na służbie. Ze zdziwieniem stwierdził, że wiele z nich zostało tutaj, w Olsztynie. Jakby rodzice albo rodzina odtrącili je po śmierci, nie chcieli zabierać do siebie, do grobów rodzinnych. I dlatego małe mogiły odwiedzano jedynie na Wszystkich Świętych, a czasami i to nie. Były zaniedbane, tylko czasami ktoś z litości zapalił lampkę. Jan Paweł Bierut pielęgnował pamięć tych małych ofiar w sposób systematyczny. W kalendarzu miał zanotowane daty, dzień wcześniej zaglądał do notatek, przypominał sobie zdarzenia, wyobrażał, jak losy tego dziecka mogły się potoczyć. I dopiero wtedy szedł na cmentarz.

Olga Dymecka w szóstą rocznicę śmierci miałaby prawie osiem lat, chodziłaby czwarty miesiąc do drugiej klasy podstawówki w Zwoleniu i pewnie żyłaby już nachodzącą Gwiazdką, próbując zgadnąć, co jej przyniesie Mikołaj. Czy ośmioletnie dzieci wierzą w Mikołaja? Bierut nie miał pojęcia, sam był jedynakiem z rodziny jedynaków, własnych dzieci nie miał i mieć nie zamierzał. Bał się siły wyższej. Doskonale pamiętał dzień, kiedy pojechał pod Purdę, żeby znaleźć tam owiniętego wokół drzewa passata i małą Olgę Dymecką.

Dlatego nic nie robiło na nim wrażenia. Dlatego kiedy na cmentarzu odebrał telefon i usłyszał, że w domu pod Gietrzwałdem znaleziono zwłoki licealistki, nawet nie drgnęła mu powieka.

Przeżegnał się i wrócił po własnych śladach do zaparkowanego pod bramą cmentarza samochodu, ciesząc się, że spadł śnieg, że nie zdążono go odgarnąć i że jest ślisko jak cholera. Wszyscy wtedy jeżdżą ostrożnie, wloką się jak żółwie, łatwo o stłuczki, ale nie o ofiary śmiertelne.

Przynajmniej dopóki nie zadziała siła wyższa.

## 2

Trzy kwadranse zajęło mu dotarcie do wylotówki na Ostródę, zwolnił, wjeżdżając do lasu, żeby rozkoszować się widokiem obsypanych śniegiem choinek. Warmia była tego przedpołudnia wyjątkowo piękna.

Upewnił się jeszcze przez radio, jak dojechać do miejsca zdarzenia, i zaraz przed Gietrzwałdem, widząc górującą nad wsią wieżę sanktuarium maryjnego, skręcił w stronę lasu, za którym znajdowało się Jezioro Rentyńskie. Po drodze zabrał kolegów techników, którzy niestety nie mieli nissana patrola i zakopali się w śniegu i błocie, jak tylko skończyła się w miarę przyzwoita droga.

Mimo to komuś przed nim udało się przejechać, białą przestrzeń przecinały czarne ślady. Pewnie po samochodzie terenowym, wysokim, skoro śnieg między śladami kół pozostał nietknięty.

Zdziwił się, kiedy dojechał na miejsce i stwierdził, że z zimowymi warunkami poradził sobie antyczny wehikuł Szackiego.

– Kurwa, nie wierzę – zdumiał się szef techników. – Moja terenowa kia nie dała rady, a ten szmelc przejechał?

– Może dlatego, że twoja kia taka terenowa jak moja astra latająca – mruknął niejaki Lopez, technik odpowiedzialny za zbieranie śladów biologicznych i zapachowych.

Bierut milczał. Na szczęście jego sława ponuraka szaleńca sprawiała, że nie musiał brać udziału w aktywnościach towarzyskich. Bardzo sobie cenił ten stan.

Zaparkował obok citroena. Wszyscy wysiedli i powoli ruszyli w stronę zrujnowanej chałupy, nikomu nie spieszyło się do trupa. Tylko Bierut szybko podążył za dwoma parami śladów wiodących do domu, myśląc, że cokolwiek tam zaszło w nocy, musiało się wydarzyć, zanim napadało śniegu. Wiedział, że koledzy za nim wymieniają się porozumiewawczymi spojrzeniami.

Otworzył drzwi. W środku panował taki sam ziąb jak na zewnątrz. W domu nie było żadnych sprzętów, podłogi się wypaczyły, ściany podeszły grzybem, ze ścian wystawały końcówki kabli w miejscach, gdzie złodzieje wymontowali gniazdka i kontakty. Nikt tutaj nie mieszkał co najmniej kilka lat.

Przeszedł przez przedpokój i znalazł się w obszernym salonie, z dużym oknem wychodzącym na las. Przez okno wpadało wystarczająco dużo światła, żeby obejrzeć miejsce zbrodni, jeszcze zanim chłopcy rozstawią lampy.

Wiele do oglądania nie było, pomieszczenie można by zinwentaryzować na serwetce: jeden stolik turystyczny, dwa krzesła turystyczne, jeden trup i dwóch prokuratorów.

Edmund Falk kucał przy zwłokach dziewczyny, w stosownej odległości, żeby nie zostawić śladów. Teodor Szacki stał tyłem do nich, z rękami założonymi na plecach, i gapił się na pustą ścianę z takim namaszczeniem, jakby puszczali tam ciekawy program w telewizji.

– Który z panów prowadzi śledztwo? – rzucił w przestrzeń Bierut.

– Prokurator Falk – odparł spokojnie Szacki. – Pod moim nadzorem oczywiście. Techników pan gdzieś nie spotkał po drodze w zaspie, komisarzu?

Bierut nie musiał odpowiadać, w tej samej chwili trzasnęły drzwi i do środka weszła ekipa.

– Premierównę chyba stuknęli, że cała prokuratura przyjechała – rzucił Lopez, stawiając na podłodze torbę ze sprzętem. – I to kto? Sam król ciemności i książę mroku we własnej osobie.

Szacki i Falk odwrócili się w jego stronę. Ich nieruchome miny nad idealnie zawiązanymi krawatami wyrażały tę samą pełną rezerwy dezaprobatę. Bierut wiedział, że każdego innego zgasiliby jak ogarek, ale Lopez był zwyczajnie za dobry. Ważniejsi pozwalali mu na więcej. Spojrzał pytająco na Falka.

– Miła odmiana po tym, czym zajmowaliśmy się ostatnio – powiedział asesor. – To znaczy szkoda dziewczyny, ale tym razem bez zagadek. Wiktoria Sendrowska, lat osiemnaście, uczennica liceum na Mickiewicza. Zwyczajnie i klasycznie uduszona. Czy coś jeszcze, to pokażą oględziny.

– Widziałem ją wczoraj, odwiedziłem jej rodzinę około osiemnastej na Radiowej. – Szacki odwrócił się od ściany, która wzbudzała w nim takie zainteresowanie. – Złożę zeznanie, w skrócie chodziło o to, że dziewczyna wygrała konkurs na esej o zwalczaniu przestępczości, w ramach, że tak powiem, nagrody chciała mnie wypytać o pracę prokuratora.

– No i proszę. – Lopez zaśmiał się, klękając nad zwłokami. – Pierwszy podejrzany już jest.

– Z jej rozmowy z matką wynikało, że wybiera się do koleżanki, Luizy, i tam zanocuje. – Szacki zignorował zaczepkę.

– To pierwszy kierunek – powiedział Falk. – Czy faktycznie była umówiona z Luizą, czy z kimś innym. Kiedy wyszła, czy dotarła do koleżanki, co koleżanka wie, co wiedzą rodzice. Plus oględziny miejsca plus oględziny zwłok. Śnieg nas niestety pozbawił śladów na zewnątrz.

Bierut pokiwał głową, lustrując wzrokiem miejsce zbrodni. Coś mu nie pasowało.

– Dziwne – powiedział. – Głowę bym dał, że tutaj pachnie kawą.

Z tyłu jeden z techników parsknął śmiechem. Bierut wariat. Kawą mu na miejscu zbrodni pachnie.

Skończono rozstawiać lampy, na zewnątrz zamruczał niewielki generator i pomieszczenie zalało jaskrawe, białe światło. Nagle wszystko stało się niewygodnie widoczne, przede wszystkim młodość i piękno leżących na podłodze zwłok. Gdyby nie wybroczyny na szyi, mieniące się odcieniami granatu i bordo, dziewczyna wyglądałaby jak ofiara choroby, a nie zabójstwa. Spokojna, porcelanowa twarz, zamknięte oczy, czarne włosy rozsypane na podłodze, elegancki brązowy płaszczyk.

Lopez wyciągnął ze swojej walizeczki coś, co wyglądało jak niewielki modelarski pistolet do farb, i zaczął rozpylać jakąś substancję nad szyją denatki. Bierut nagle poczuł się żółtodziobem. Nie pamiętał wykładów z daktyloskopii aż tak dobrze. Czy można zdjąć odciski z ciała? Chyba tak, w nielicznych przypadkach, chyba właśnie za pomocą specjalnej żywicy epoksydowej. Wstydził się zapytać.

– Drugi kierunek to ten dom zły – mruknął Lopez, nachylając się nad twarzą ofiary, jakby chciał zacząć ją reanimować. – Byłem tu dziesięć lat temu, też zimą, może późną jesienią. Jak z korytarza skręcicie w lewo, to macie spalone pomieszczenie. W tym pomieszczeniu jest okno z kratą. Zamontowana dla bezpieczeństwa pewnie. Pożar był, przez tę kratę kobieta się spaliła, nie miała jak uciec. Nie zapomnę tego, żeśmy ją z tych prętów zeskrobywali, jak spalonego kotleta od grilla. Dom zły, mówię wam.

Nikt się nie odezwał. Stali w ciszy, słuchając syku rozpylacza i pomruku generatora. Drgnęli, kiedy tuż obok rozległ się głośny, przejmujący krzyk.


# 3


Falk ruszył w stronę drzwi, ale Szacki dał mu znak, żeby został. Ktoś musiał pilnować techników i nadzorować śledztwo. Domyślił się, kto krzyczał, i rozumiał, że jego obowiązkiem jest porozmawianie z rodzicami Wiktorii.

Spojrzał na zwłoki i dłonie mu się spociły, wróciło wspomnienie minionej nocy. Schował szybko ręce do kieszeni, wytarł je o podszewkę. Bezsensowny ruch, jakby ktoś mógł zobaczyć z daleka, czy mu się dłonie spociły. Ze zdumieniem zauważył u siebie typowe dla sprawców zbrodni zachowania. Zawsze uważał, że przestępcy są słabi, mało inteligentni, wręcz nierozgarnięci. Stąd wszystkie ich histeryczne, nielogiczne ruchy, które pchały ich prosto do więziennych cel, dla oskarżenia warte równie wiele, co przyznanie się do winy.

No i proszę, koniec końców okazuje się, że on sam niczym się nie różni.

Wyszedł przed dom i zmrużył oczy. Słońce co prawda nie wyszło zza chmur, ale było jasno, odbite od śniegu światło oślepiało oczy, przyzwyczajane od wielu tygodni do półmroku.

Przy bramie klęczała w śniegu Agnieszka Sendrowska, schylony mąż obejmował ją niezręcznie, jakby pomagał jej się podnieść. Kobieta patrzyła w kierunku Szackiego nie z bólem, ale z wyrzutem. Zrobił kilka kroków w jej stronę i zrozumiał, że jej nieruchomy wzrok nie był utkwiony w nim, lecz w ruinie za jego plecami.

– To niemożliwe – powiedziała. – To nie mogło wydarzyć się tutaj. Co to jest za klątwa. Przecież on nie żyje, to nie ma żadnego sensu. To nie jest Wika, to musi być pomyłka.

– Przykro mi – powiedział.

Dopiero teraz spojrzała na niego i na jej twarzy pojawił się grymas rozpaczy. Zrozumiała, że jeśli on był w środku, niepodobna, że to pomyłka.

– Czy wiecie, co się wydarzyło? – zapytał jej mąż głucho.

Szacki widział, że próbuje sprawiać wrażenie tego silniejszego, ale to w jego oczach była niepokojąca pustka kogoś gotowego skończyć ze sobą. Zobaczył to i pojął, że Wiktoria nie musi być wcale ostatnią ofiarą. Była to świadomość straszna, zachwiał się i prawie ukląkł obok Sendrowskiej. Chwycił się przekrzywionego metalowego słupka, pozostałości po ogrodzeniu.

Pomyślał, że więź ojca z adoptowanym dzieckiem może być silniejsza niż u matki. Macierzyństwo wykuwa się od dnia zero, kiedy zmęczona seksem para pada na poduszki. I jest to relacja bardzo biologiczna, pradawna, trochę pasożytnicza, pisana krwią, niedostępna dla mężczyzn i przez to wyjątkowa i tajemnicza. Dla ojca z kolei każde dziecko jest na swój sposób adoptowane, obce. Niezależnie od tego, czy widział, jak żona wypycha z siebie stworzenie, które wedle deklaracji ukochanej zawiera trochę jego genów, czy też wyszedł z domu dziecka, trzymając za rękę małą dziewczynkę, musi włożyć wysiłek w to, aby obcą istotę pokochać.

W oczach Sendrowskiego zobaczył to samo, co sam czuł wczoraj, widząc umierającą Helenę Szacką. Mężczyzna stracił swoją dziewczynkę i został z niczym. Bezcelowo funkcjonujący organizm, w którym komórki z przyzwyczajenia robią swoje, chociaż nikt tego od nich nie oczekuje.

– Nie wiemy – odpowiedział w końcu Szacki, mając wrażenie, że mówi to ktoś inny. – Kolega prowadzi śledztwo. Przepraszam, wiem, że to brzmi strasznie, ale musi z państwem porozmawiać jak najszybciej.

Sendrowski pokiwał głową, po czym utkwił w Szackim martwy wzrok. Prokurator włożył całą siłę woli w to, aby nie cofnąć się przed tym spojrzeniem.

– Ona jaśniała, wie pan? – powiedział. – Trudno to inaczej ująć. Ja wiem, że każdy rodzic powtarza, że jego dzieci są niezwykłe i jedyne w swoim rodzaju, ale umówmy się, mało które jest. Ona naprawdę była niezwykła, każdy to powie. Jakim trzeba być człowiekiem, jakim diabłem, żeby zgasić to światło? Jak to możliwe, żeby tyle zła zgromadziło się w jednym człowieku?

Szacki nie odpowiedział.

– Niech pan go złapie, dobrze? Nie po to, żeby wymierzyć sprawiedliwość, sprawiedliwość w tej sytuacji to puste słowo. Ale po to, żebym mógł spojrzeć mu w oczy i przekonać się, jak wygląda zło.

Szacki tylko pokiwał głową.

Udało mu się dotrzeć do głównej drogi, tam zawahał się chwilę i w końcu zamiast skręcić w lewo w stronę Olsztyna, skręcił w prawo, na Gietrzwałd i Ostródę. Przebył kilkaset metrów i korzystając z małego ruchu, złamał przepisy, przeciął podwójną ciągłą i zajechał na stację po przeciwnej stronie szosy.

Zaparkował przy reklamie nowych bawarskich hot dogów, zrobił sobie największą kawę w samoobsługowym ekspresie, zapłacił i wyszedł na zewnątrz. Za budynkiem stały dwa drewniane stoły z ławami, odgarnął rękawem śnieg i usiadł. Papierowy kubek postawił po prostu na zaśnieżonym blacie, śnieg wokół kubka szybko się stopił, wyglądało to jak animacja.

Szacki wszystko zauważał bardziej, każdy detal. Jakby chciał się nasycić, zanim pożegna się ze światem małych, śmiesznych rzeczy, których normalnie nie zauważamy, bo jesteśmy zbyt zaaferowani, zbyt poirytowani albo zbyt odkładający na później.

Musiał się przyznać, to nie ulegało wątpliwości. Rozwiązanie eleganckie, oczywiste, uwalniające go od wszystkich rozterek. Zbudował swoje życie na poszanowaniu prawa, to wymagało, żeby wyznał swoją winę. Proste rzeczy są proste.

Westchnął. Nie dlatego, że straci wolność. Kara za popełnione przestępstwo wydawała mu się najnaturalniejszą sprawą na świecie. Westchnął, ponieważ prowadził w życiu setki śledztw, a teraz musiał skończyć karierę akurat w momencie, kiedy pojawiło się to jedno jedyne śledztwo, dla którego poświęciłby wszystko: śledztwo w sprawie popieprzonej sekty, której udało się doprowadzić do tego, aby Teodor Szacki popełnił morderstwo.

Nigdy nie odczuwał żadnego powieściowego szacunku ani podziwu dla wyjątkowo sprytnych przestępców, ale tym razem nie potrafił powstrzymać pewnego rodzaju uznania dla osób odpowiedzialnych za wczorajsze wydarzenia. Wymagały przygotowań, wymagały planowania w najdrobniejszych szczegółach, wymagały zadbania o to, aby detale nie zdradziły teatralności dekoracji. Tysiące rzeczy mogły pójść nie tak, a jednak się udało.

Efekt? Kimkolwiek byli, osiągnęli wszystko, co chcieli.

Wnioski poukładał sobie w nocy, po tym jak wysłuchał opowieści Heli. Zgodnie z przewidywaniami jej porwanie było wymierzone w niego. Traktowano ją jak więźnia i pokazano film z rozpuszczania Najmana, żeby w kluczowej chwili przekonująco wypadł jej strach przed potworną śmiercią. Jednak Hela powiedziała, że ten lęk trwał sekundy. Kiedy pierwsze granulki wpadły jej do ust i zaczęła nimi pluć, mało nie umarła z przerażenia, ale już chwilę później zrozumiała, że to – z braku lepszego słowa – żart. Kulki były leciutkie, pachniały jak styropian i szeleściły jak styropian.

„Nagle zaczęłam się śmiać jak szalona. Jak histeryczka. Nie mogłam przestać chyba przez dziesięć minut, aż zaczęłam się bać, że od tego śmiechu coś mi się stanie", opowiadała mu Hela w drodze do domu.

Co oznaczało, że gdyby wytrzymał kilka sekund, gdyby nie zacisnął od razu rąk na szyi Wiktorii Sendrowskiej, cały ich brawurowy plan wziąłby w łeb.

Ale nie wziął.

Chwilę potem porywacze założyli jego córce worek na głowę i wsadzili do samochodu. Tam spędziła wedle jej rozeznania około dwóch godzin, co oznacza, że Szacki nie widział transmisji na żywo, jedynie przygotowane specjalnie dla niego nagranie. Przez cały czas samochód był w ruchu, ale czy to oznacza, że miejsce przetrzymywania Heli i zabójstwa Najmana znajdowało się dwie godziny drogi stąd, czy po prostu porywacze jeździli w kółko dla zmyłki – tego nie wiadomo. W końcu wyrzucili ją z samochodu, przecięli więzy i odjechali. Kiedy zdjęła worek, zorientowała się, że jest na leśnej drodze, sama, w środku nocy. Poszła drogą przed siebie, bo nie miała żadnego innego pomysłu.

I chwilę później znalazła swojego ojca.

W głowie Szacki miał kilka hipotez, wyjaśniających całość inscenizacji, wszystkie gdzieś do siebie podobne. Wyglądało na to, że oni
naprawdę chcieli naprawiać świat, wymierzać sprawiedliwość, karać
domowych katów. Wiktoria stojąca na ich czele to ordynarna ściema,
teraz to rozumiał. Tylko że teraz nie miało to już żadnego znaczenia.
Szacki przypuszczał, że Klejnocki miał rację w swoich rozważaniach
o stosie. Roztopienie Najmana, sfilmowanie jego śmierci, podrzucenie szkieletu – wszystko to miało zmierzać do wielkiego finału, do
wielkiej kulminacji. Do tego, żeby każdy kat domowy dowiedział się,
kto na niego poluje.

W którym momencie ten plan zamienił się w polowanie na Szackiego?

Moment właściwie był nieistotny. Istotny był fakt, że dzięki temu oni
zapewnili sobie bezpieczeństwo. Szacki mógł nie lubić przestępców,
ale ktokolwiek to wymyślił, musiał być geniuszem zbrodni. Po prostu.

W sumie wszystko to miało małe znaczenie, podobnie jak tyleż
interesujące, co nieistotne w tej sytuacji pytanie, czy ktoś ze znanych
mu osób jest w to zamieszany. Nieistotne, ponieważ i tak za chwilę
z każdą ze znanych mu osób się rozstanie.

Kluczowy był jeden jedyny fakt: on, prokurator Teodor Szacki, jest
winny zabójstwa. Oczywiście oni zrobili wszystko, aby go do tego sprowokować, ale umówmy się – każdy przesłuchiwany przez niego zabójca uderzał w tę samą śpiewkę: „Panie prokuratorze, postawiła mnie
pod ścianą, taka czerwona zasłona na oczy mi opadła, no naprawdę,
co mogłem zrobić".

Zawsze patrzył wówczas z politowaniem, tak też spoglądał teraz na
siebie. Człowiek ma wolny wybór, on też. Mógł się opanować, zadzwonić po Bieruta, wezwać ludzi, ogłosić przełom w śledztwie, zamknąć
Wiktorię, wyłapać resztę szajki obłąkańców i skazać wszystkich. Miał
wolny wybór. I wybrał zabójstwo.

Nie zabił w obronie koniecznej, nie zabił, aby ocalić kogokolwiek,
nawet trudno było tutaj mówić o silnym wzburzeniu spowodowanym

okoliczościami. Zabił, bo chciał. W akcie zemsty i samosądu. I jako zabójca musi ponieść karę.

Ktokolwiek za tym wszystkim stoi, pewnie teraz przygląda się, co Szacki zamierza. Czy wykorzysta swoją pozycję śledczego, aby tak namotać, że nawet jak sprawa wyjdzie na jaw, to się wywinie? Czy zacznie kombinować jak typowy przestępca, próbując umknąć sprawiedliwości? Czy z uporem będzie próbował na własną rękę rozwiązać tę sprawę?

Ostatnia wersja brzmiała nawet kusząco, ale wiedział, że to pułapka. Już dotychczasowa zwłoka jest naganna, a przeciąganie, odwlekanie w nieskończoność momentu przyznania się – w żaden sposób nie da rady usprawiedliwić tego inaczej, jak tylko tchórzostwem. Musiał przyznać się jak najszybciej, żeby zakończyć potworną grę, a także dlatego, że inaczej narazi wszystkich swoich bliskich. Hela już raz została skrzywdzona, cholera wie, co jeszcze mogą wymyślić.

Westchnął ciężko.

Wstydził się tego, ale już dawno postanowił, że o ile okoliczności go nie zmuszą, przyzna się dopiero w poniedziałek. Przez to niestety Falk z Bierutem i resztą będą musieli ciągnąć tę szopkę cały weekend, podczas kiedy on ze szczegółami zna temat obu morderstw i ofiar, zarówno Najmana, jak i Wiktorii. Czuł się winny, a jakże.

Jednak takie rozwiązanie jako jedyne gwarantowało, że będzie mógł spędzić ostatni weekend ze swoją szesnastoletnią córką, Heleną Szacką. Zwyczajny weekend. Pójdą do kina, na kołduny do „Staromiejskiej", cholera, może nawet się uda pojeździć chwilę w Rusi na nartach, jeśli śnieg się utrzyma. Wieczorem pooglądają telewizję albo ona pójdzie do znajomych, a on przyjedzie po nią po północy i będzie udawał, że bierze jej starannie artykułowaną mowę za dobrą monetę. W niedzielę zagoni dziewczynę do lekcji, żeby nadrobiła dni nieobecności. Zwyczajny weekend ojca i dorastającej córki.

W poniedziałek się przyzna, zostanie aresztowany, potem trafi do więzienia na długie lata i jego życie się skończy. Nawet jeśli on, jako

Teodor Szacki przetrwa, to ten dzień stanowić będzie koniec prokuratora, a przede wszystkim koniec ojca. Nie pozwoli się odwiedzać, nie pozwoli myśleć o starym w pudle. Każe jej zmienić nazwisko i ułożyć sobie życie. Może odwiedzi ją po wyjściu, on w wieku emerytalnym, ona będzie dojrzałą kobietą po trzydziestce. Zjedzą razem obiad, nie mając sobie zbyt wiele do powiedzenia, i tyle.

Z Żenią sprawa była prostsza. Znali się krótko, nie łączyły ich żadne oficjalne więzy, nie mieli dzieci. Jej również zakaże odwiedzin. Zapomni o nim szybciej. Kochał ją, cieszył się na swój sposób, że stało się to na tak wczesnym etapie ich znajomości, że będzie mogła się otrząsnąć i pójść dalej.

Upił kawy. Jego ulubiona, ogromna, z dużą ilością mleka i podwójną porcją syropu waniliowego. Kiedy następny raz taką wypije, będzie miał sześćdziesiątkę. Jak dobrze pójdzie. Pewnie więcej, bo nie zamierzał stosować żadnych sztuczek, żeby obniżyć wymiar kary. Śmieszne, półtorej dekady to w dzisiejszym świecie szmat czasu. Czy potem będzie jeszcze jakiś Statoil w Polsce? Czy były prokurator będzie potrafił obsłużyć futurystyczny ekspres?

Myśl o więzieniu nie przerażała go. Znał realia polskich zakładów karnych, wbrew obiegowej opinii nie były to placówki jak z Trzeciego Świata czy znane z amerykańskich filmów mordownie, gdzie szajki czarnych ustawiają się w kolejce, żeby gwałcić nowego w gotyckiej piwnicy. Ot, przymusowy akademik dla śmierdzących potem mężczyzn w kapciach. Pewnie trochę go pomęczą jako prokuratora, ale bardziej prawdopodobne, że zrobi furorę jako znawca procedur. W końcu kto miałby pisać kolegom zażalenia na decyzje prokuratorów, jak nie on.

Na tę myśl parsknął śmiechem. Jeszcze ciuchów nie odebrał na bramie, a już pisze scenariusze jak z *Shawshank*. Ech, stary, siwy dziad, i jeszcze mitoman.

Przynajmniej lektury nadrobię, Manna w końcu całego przeczytam, pomyślał. Dopił kawę do końca, delektując się osiadłym na dnie słodkim syropem, i wrzucił kubek do kosza.

Słońce wyjrzało nieśmiało. Śnieg rozjarzył się jak operowa dekoracja, przygotowana przez scenografa z maleńkich diamentów. Rozejrzał się, spojrzał na przecięty drogą krajową pagórkowaty krajobraz Warmii. Na strzelistą wieżę kościoła w Gietrzwałdzie, na las na horyzoncie, na wystające gdzieniegdzie znad śniegu czerwone dachówki domów w Nagladach.

Ładnie nawet, pomyślał.

# ROZDZIAŁ 9

## poniedziałek, 9 grudnia 2013

Międzynarodowy Dzień Przeciwdziałania Korupcji. Urodziny obchodzą Kirk Douglas, John Malkovich i Joanna Jabłczyńska. Po niedzielnym obaleniu przez protestujących pomnika Lenina w Kijowie władza zaczyna przebąkiwać o okrągłym stole, ale jednocześnie milicja poczyna sobie coraz śmielej. W USA internetowe potęgi piszą wspólny list do prezydenta, żeby wywiad zaprzestał totalnej inwigilacji obywateli. Na Marsie odkryto kałużę, w której 3,5 miliarda lat temu mogło kwitnąć życie. W Polsce politycy wszystkich opcji paradują z białą wstążką w klapie na znak walki z przemocą wobec kobiet, ale jednocześnie nikt się nie spieszy, żeby ratyfikować europejską konwencję, która wprowadza prawne rozwiązania umożliwiające skuteczną walkę z przemocą. W Szczytnie do aresztu trafia kobieta, która znęcała się nad 93-letnią matką. Jeden wyrok za takie przestępstwo już ma. W Olsztynie marszałek (po awanturze) rezygnuje ze swojego nazwiska na nowym dzwonie do katedry. Prezydent (też po awanturze) znajduje więcej pieniędzy na olsztyńską kulturę. Znać, że idą święta, wszyscy szykują się na nadchodzący wielkimi krokami jarmark bożonarodzeniowy, choć zimowa magia nie trwała długo. Wszędzie topniejące zaspy po całym weekendzie opadów śniegu. Pochmurno, wstrętnie, odwilżowo, breja przejęła władzę w Olsztynie. Plus trzy stopnie.

Prokurator Teodor Szacki zjawił się w pracy przed wszystkimi, nie było jeszcze szóstej. Wcześniej przeszedł się po śpiącym mieście, korzystając z ostatnich chwil wolności. Już po trzech krokach buty i spodnie przemokły mu od pośniegowego błota, zalegającego wszędzie, ale nie dbał o to. Cieszył się breją, złą pogodą i mokrymi skarpetkami, ślizgającymi się w pantoflach. Uważał, że to wspaniałe uczucie.

Chciał tylko złapać świeżego powietrza, ale zamyślił się i w końcu wyszedł mu bardzo długi spacer. Doszedł do Niepodległości, potem do głównego skrzyżowania koło straży, zaszedł na stację po kawę na wynos i egzemplarz „Gazety Olsztyńskiej". Wrócił inną trasą, między starym miastem i neogotyckim budynkiem Poczty Głównej, a potem nadłożył jeszcze drogi i zamiast skrajem czarnej zielonej dziury, wybrał spacer koło ratusza i centrum handlowego. Przy centrum zatrzymał się i zapatrzył na budynek aresztu po drugiej stronie ulicy. Na osiemdziesiąt procent dziś trafi właśnie tam, wtedy będą go mieli blisko, przynajmniej na początku, zdziwi się, jeśli śledztwa nie przejmie inna okręgowa, najpewniej w Gdańsku.

Budynek z przełomu wieku, oczywiście z czerwonej cegły, powstał właściwie w centrum, ponieważ Olsztyn był w czasach pruskich miastem garnizonowym. Chodziło o efekt psychologiczny: żeby szwendający się na przepustkach wojacy widzieli, gdzie mogą trafić, jeśli im coś głupiego strzeli do głowy.

No i proszę, efekt psychologiczny ciągle działał. Oto stał w sercu Olsztyna, na wyciągnięcie ręki po lewej stronie miał ratusz, rzut kamieniem dalej stare miasto, za jego plecami pysznił się symbol olsztyńskiego architektonicznego bezguścia, czyli centrum handlowe, a przed sobą widział więzienie, właściwie tuż przy ulicy, oddzielone od niej wysokim murem, obklejonym plakatami. Najbliższy obiecywał „najdelikatniejszą metodę liposukcji". Bez wątpienia skierowany był raczej do klientów centrum handlowego niż do mieszkańców mamra.

Areszt zwracał też uwagę ciekawym detalem. Otóż okna cel zasłonięte były żaluzjami, składającymi się z szeregu poprzecznych blaszek, ustawionych pod kątem czterdziestu pięciu stopni. W ten sposób, że aresztanci mogli spojrzeć w niebo, na chmury i na słońce, ale nie mogli w dół, na życie i na ulicę.

Zrobiło mu się przykro. Fajnie byłoby patrzeć, jak zmieniają się premiery w Heliosie i Empiku, jak nowe kolekcje w KappAhlu zwiastują zmianę trendów i pory roku.

Uśmiechnął się smutno i poszedł do roboty. Wolność wolnością, ale już go trzęsło od tych mokrych nóg.

W biurze zdjął buty, rozwiesił skarpetki na kaloryferze i rozsiadł się za biurkiem, kończąc mocno letnią już kawę i przeglądając gazetę. Jak mógł, odwlekał moment, kiedy będzie musiał uporządkować swoje sprawy i zostawić solidne notatki dla tych, którzy go zastąpią. Nie ma sensu kolegom dodatkowo utrudniać. Po ujawnieniu całej sprawy i tak wszystkich tutaj zaleje rzeka gówna. Sensacja, media, czarny PR. Może trochę im pomoże fakt, że cały ten Szacki obcy i z Warszawy na dodatek.

Na pierwszej stronie „Gazety Olsztyńskiej" oczywiście zima, jakże by inaczej. We właściwym dla mediów minorowym tonie. Drogowcy zostali zaskoczeni, stłuczka za stłuczką, chodniki nieodśnieżone, a w ogóle to bójcie się, ludzie, bo od środy nie dość, że będzie padał śnieg, to z marznącą mżawką.

On nie narzekał, dla niego ten pierwszy zimowy weekend był jednym z najwspanialszych. W piątek spotkał się z Weroniką, która cała w nerwach przyleciała z drugiego końca świata, chcąc ratować swoją córeczkę. To dało mu szansę, by pożegnać się z najważniejszą kobietą jego życia. Jako jedynej opowiedział jej całą prawdę o ostatnich wydarzeniach. Musiała je znać, bo Hela, pozornie niestraumatyzowana, mogła się rozsypać po tym, jak jej ojciec wyląduje w więzieniu. Albo mogła się rozsypać w dowolnie innym momencie, kiedy wrócą do niej emocje. I ważne, żeby wtedy znalazł się przy niej ktoś, kto zna całą prawdę i kto rozumie. Niestety nie mógł to być on. Zdołał przekonać byłą żonę, żeby zostawiła mu dziecko na weekend, bo chce się z córką pożegnać.

Weronika spłakała się, a on najpierw się bronił, wreszcie sam się popłakał beznadziejnie. Tylko raz jest się młodym, tylko raz się przeżywa wszystko po raz pierwszy. Zakochanie, dziecko, rozczarowanie, jatka, rozstanie. Dla niego Weronika była i pozostanie tymi pierwszymi, najważniejszymi razami. Niezależnie od tego, jak się jego życie ułożyło, nawet gdyby nie miał skończyć go za kratkami.

Weekend spędził z Helą. Spacerowali po zimowym, magicznym jak nigdy, pokrytym śniegiem Olsztynie. Oczywiście zjedli kołduny w „Staromiejskiej". I tort Pavlowej w „SiSi". Ale nieoczekiwanym gwoździem programu stały się stareńkie *Gwiezdne wojny*. W olsztyńskim planetarium odbywała się mikołajkowa impreza i obejrzeli wszystkie sześć części na ogromnym ekranie głównej sali audytorium, w przerwach przechadzając się w kuluarach między żołnierzami Imperium, modelami statków kosmicznych (reklamowanymi jako „największe w Polsce tego typu") i rozwrzeszczanymi dzieciakami. Bawili się jak nigdy. Szacki drgnął tylko raz, kiedy w *Imperium kontratakuje* Han Solo został zrzucony do czegoś w rodzaju metalowej rury i tam zamrożony.

Ale na Heli nie zrobiło to wrażenia.

Pomyślał o córce, pomyślał o tym, jak dziś rano po raz ostatni wszedł do jej pokoju, żeby pocałować śpiące czoło, tak jak to robił, odkąd miała jeden dzień, i łzy stanęły mu w oczach.

Przekartkował gazetę, żeby skierować myśli na inny tor. Nuda, jak to w „Olsztyńskiej". Nuda, która nagle mu się wydała atrakcyjna. Plebiscyt na człowieka roku z obowiązkowym lizaniem dupska marszałkowi i prezydentowi, nadesłane do redakcji zdjęcia czytelników w stroju Mikołaja, wójt Dubeninek alarmuje o kolejnych atakach wilków, pełna namiętności dyskusja na temat obwodnicy pod tytułem „Węzeł się zakorkuje".

Przynajmniej wasze wieśniackie problemy komunikacyjne mam raz na zawsze z głowy, pomyślał i dokładnie w tej chwili ktoś zapukał i zaraz potem wszedł do jego gabinetu. Szacki szybko schował nogi pod biurko, żeby nie było widać, że jest na bosaka.

Mężczyzna pod sześćdziesiątkę, o wyglądzie urzędnika z magistratu, przywitał się, przedstawił i usiadł naprzeciwko biurka.

– Szanowny panie – powiedział do Szackiego. – Nazywam się Tadeusz Smaczek, jestem zastępcą dyrektora Miejskiego Zarządu Dróg i Mostów, odpowiedzialnym za komunikację w mieście Olsztyn. I chciałbym złożyć zawiadomienie o popełnieniu przestępstwa z artykułu dwieście dwanaście kodeksu karnego.

Prokurator Teodor Szacki zamarł. Pierwszą jego myślą było to, że przecież i tak zaraz pójdzie siedzieć za jedno zabójstwo. Czy drugie zrobiłoby aż tak wielką różnicę? Miał go, miał go tuż przed sobą, sam na sam, niczego niepodejrzewającego, bezbronnego. Miał też już pewną wprawę w duszeniu.

– A czyje dobra osobiste pan naruszył? – spytał.

– Słucham?

– Artykuł dwieście dwanaście kodeksu karnego penalizuje naruszenie dóbr osobistych, inaczej mówiąc obrażanie. Kogo pan obraził?

– Pan żartuje. To mnie obrażono.

Prokurator Teodor Szacki uśmiechnął się. Nie wyobrażał sobie obelgi tak wyrafinowanej, żeby faktycznie mogła ona obrazić dyrektora Smaczka.

– Jak? – zapytał, nie potrafiąc ukryć ciekawości.

Mężczyzna wyciągnął z aktówki papierową teczkę, na której dużymi literami wykaligrafowano słowo „Proces", tak starannie, jakby chodziło co najmniej o rękopis powieści Franza Kafki.

– Otóż mój szef, pan prezydent, otrzymał list od pewnego obywatela, szczęśliwie podpisany z imienia i nazwiska, co powinno ułatwić panu pracę. List w całości przedkładam, pozwolę sobie zacytować co bardziej obraźliwe fragmenty dotyczące mojej osoby.

Smaczek spojrzał na niego pytająco znad okularów. Szacki wykonał zachęcający gest dłonią, nie mogąc uwierzyć, że to wszystko dzieje się naprawdę. A więc tak żegna się z urzędem po dwudziestu latach pracy, niesamowite.

– Cytuję: widzę, że zatrudnia pan na tym stanowisku, czyli moim – wtrącił Smaczek – ignoranta, i dlatego sugeruję, aby powołać jakiegoś rozsądnego człowieka, który by trochę usprawnił ruch na drogach naszego miasta.

Szacki był pod wrażeniem.

W życiu by nie wymyślił, że można list w tej sprawie napisać w sposób tak uprzejmy. On zacząłby od obelg, potem przeszedł do listy proponowanych tortur, a zakończył na groźbach karalnych. Tymczasem autor listu do prezydenta jawił się jako warmiński Dalajlama, mistrz obywatelskiego zen.

– Myślę, że średnio rozgarnięty kierowca – cytował dalej Smaczek – jak przejedzie się ulicami naszego miasta, to może tak wyregulować ruch drogowy, zwłaszcza światła, które są tam gdzie trzeba i nie trzeba, że nie potrzeba zatrudniać... – Lektor zrobił dramatyczną pauzę i podniósł oskarżycielsko palec, po czym o ton wyżej kontynuował: – ...pseudofachowca, który tworzy kolejne przeszkody, aby co roku gorzej nam się jeździło.

Tadeusz Smaczek schował kartkę.

– Tak jak mówiłem, to jedynie fragmenty.

Szacki mógł go po prostu wyrzucić za drzwi, ale potem pomyślał o całej swojej krwi zepsutej, gotującej się na niezliczonych olsztyńskich skrzyżowaniach.

– Betonman zawsze przekazuje panu swoją korespondencję?

– Słucham? Przepraszam, chyba nie rozumiem.

– Betonman. Jak Spiderman albo Batman. Rozumie pan angielski na tyle? Człowiek nietoperz, człowiek pająk, człowiek beton. To chyba jasne. W Olsztynie tak się nazywa pańskiego pryncypała.

– Obraża pan prezydenta wybranego w demokratycznych wyborach.

– Skądże! To na pewno wspaniały człowiek, prywatnie życzę mu zdrowia, szczęścia i wszelkiej pomyślności. Obrażam jedynie jego kompetencje i jego gust. Obrażam jego wiarę w betonowanie, cementowanie, asfaltowanie i kostkobaumowanie. Ja jestem przyjezdny, mam to gdzieś, poza tym... – zawahał się – ...i tak wyjeżdżam. Ale tych ludzi tutaj mi żal. To miasto od czasów wojny jest konsekwentnie szpecone, niszczone i zamieniane w jakiś potworny, urbanistyczno--architektoniczny rynsztok. Ale to wy je wykończycie.

Smaczek odrobinę się zapowietrzył, ale trzymał urzędniczy fason.

– Odmawia pan przyjęcia zawiadomienia o przestępstwie?

– Oczywiście. Przyjęcie pańskiego zawiadomienie oznaczałoby zgodę na kolejny szczebel waszego urzędniczego szaleństwa. Oznaczałoby zgodę na przekroczenie granicy między władzą zwyczajnie niekompetentną i głupią a władzą w sowiecki sposób złą, prześladującą i zastraszającą obywateli. Co następnego wymyślicie? Wieczną katorgę na Suwalszczyźnie?

Dyrektor położył ręce na swojej teczce, ale nie zabrał jej z biurka.

– Przykro mi, ale ja tego tak nie zostawię. Złożę zażalenie na pańską decyzję. Niestety też na pańskie zachowanie. Widzę, że czekają mnie dwa procesy.

No i dobrze, pomyślał Szacki. Zawsze to jakaś rozrywka od więziennej codzienności, jak mnie będą wozić na terminy.

– Liczyłem na pana. Bałem się, że tutejsi prokuratorzy nie byliby obiektywni. A pan jest spoza Olsztyna, światowy, ma szerszy ogląd.

Od konieczności odpowiedzi wybawił go telefon. Szacki odebrał i się przedstawił.

– Dzień dobry, panie prokuratorze. – Usłyszał damski głos. – Z tej strony Monika Fabiańczyk. Poznaje mnie pan?

Zmarszczył brwi. Niski, lekko kpiarski głos wydawał mu się znajomy, obudził jakąś czułość i nostalgię. Ale głowę by dał, że nigdy jego ścieżki z żadną panią Fabiańczyk ani panem Fabiańczyk się nie przecięły.

Roześmiała się głośno i wtedy ją poznał. Szybko wyprosił z gabinetu Tadeusza Smaczka.

– Dzień dobry, pani redaktor – powiedział, myśląc, że to naprawdę czas pożegnań.

– Nie mogłam się powstrzymać, żeby nie zadzwonić, jak przeczytałam, że zostałeś rzecznikiem prasowym. To tak jakby Hannibala Lectera zrobili szefem kuchni w wegańskiej restauracji.

Zaśmiał się szczerze, chociaż dowcip nie był najwyższych lotów. Zapytał o zmienione nazwisko, czy gratulować zamążpójścia, i słuchał jej trajkotania, myśląc o tym, jak symboliczne jest, że to Monika właśnie teraz do niego zadzwoniła. Ile to? Osiem lat. Trochę ponad. Pamiętał ten upalny warszawski czerwiec, pamiętał młodą dziennikarkę z „Rzeczpospolitej", swoje śmieszne dziś zaangażowanie w typowy dla kryzysu wieku średniego romans. Przez ten romans rozpadło się jego małżeństwo, dlatego potem wyjechał z Warszawy, zerwał więzi ze stolicą i w końcu wylądował w Olsztynie.

Czy dziś zmierzałby do więzienia, gdyby osiem lat temu zachował się przyzwoicie – przecież żonaty – i nie poszedł na randkę do kawiarni na rogu Nowego Światu i Foksal? Pamiętał, że miał ochotę na bezę, ale wziął sernik, bo bał się, że bezą będzie kruszył na wszystkie strony.

– Z tego wszystkiego przesłuchałam rozmowę z tobą w Radiu Olsztyn, jak się przyznajesz do błędów. Rozmawiałam potem o tym z ludźmi i wszyscy byli trochę rozczarowani.

– Dlaczego? – Autentycznie się zdziwił.

– Ja wiem, w świecie dziennikarzy śledczych i kryminalnych jesteś trochę punktem odniesienia, nie pytaj, jak bardzo mojemu mężowi to się podoba. Szeryfem, symbolem sprawiedliwości.

– No to chyba dobrze, że jestem uczciwy.

– Uczciwość i sprawiedliwość to dwie różne rzeczy. Nie oczekujemy od szeryfa szczerości i przyznawania się do błędów. Oczekujemy bezpieczeństwa. Niezłomności w tym, żeby zapewnić porządek, żeby zło zostało ukarane, a dobro nagrodzone, żeby świat stawał się lepszy.

Rozmawiali jeszcze chwilę. Zaraz potem zadzwonił do Edmunda Falka i umówił się z nim w sali sekcyjnej szpitala na Warszawskiej.

2

Prokurator Teodor Szacki zaparkował jak zwykle pod piwiarnią i krzywiąc się przy każdym kroku w mokrych i zimnych butach, pokonał kilkadziesiąt metrów brei, dzielących go od Anatomicum. Miał nadzieję, że przyjdzie pierwszy, ale spotkał Falka na schodach.

Mężczyźni uścisnęli sobie dłonie i ramię w ramię weszli do środka.

Korytarz był pusty i cichy, może dlatego, że pora wczesna i jeszcze nie zdążył zapełnić się studentami. A może dzisiaj akurat adepci anatomii mieli wolne.

Weszli do sali sekcyjnej, tak samo opustoszałej. W powietrzu unosił się co prawda trupi zapaszek, ale nigdzie nie było ani zwłok, ani Frankensteina, ani w ogóle nikogo.

Asesor Edmund Falk rozejrzał się zdziwiony.

– Myślałem, że ktoś tu na nas czeka.

Szacki bez słowa podszedł do lodówki na zwłoki. Zwykle w prosektoriach zajmują więcej miejsca, trzeba tam przechowywać wszystkich znalezionych w mieście nieboszczyków. Tutejsza służyła do celów dydaktycznych, dlatego miała tylko dwa stanowiska. Szacki nacisnął chromowaną klamkę, otworzył drzwi, ze środka powiało chłodem i śmiercią.

Pociągnął za uchwyt, metalowe łóżko wysunęło się lekko i bezszelestnie. Nowy sprzęt, nowoczesny. Hilton dla zwłok, jak to ujął Frankenstein.

Na nierdzewnym blacie leżała Wiktoria Sendrowska. Sina, z fioletową szyją. Już po sekcji, co można było poznać po topornym szwie na korpusie, wielkiej literze Y, której ramiona zaczynały się przy

386

obojczykach i łączyły przy mostku, a nóżka sięgała do wzgórka łonowego.

– Czemu pan mi to pokazuje? – zapytał Falk spokojnie. – Byłem przy czynnościach, jestem prokuratorem prowadzącym sprawę.

Szacki odsunął się od lodówki, swobodnie usiadł na wysokim stole do sekcji i spojrzał na Falka stojącego nad zwłokami dziewczyny.

– Miałem to zostawić innym, ale nie mogłem się powstrzymać. Uznałem, że po tym, co się stało, musimy załatwić sprawę między sobą. Poza tym chciałem dać panu możliwość pożegnania się ze swoją przyjaciółką i ofiarą. W końcu przez wiele lat musiała być dla pana jak siostra.

Edmund Falk zdjął płaszcz, rozejrzał się, przewiesił go starannie na oparcie jednego z krzeseł audytorium. I spojrzał na Szackiego wyczekująco.

Prokurator Teodor Szacki nie spieszył się. Podejrzewał, że Falk czeka na jakieś długie przemówienie, w którym będzie przedstawiał mu swój tok rozumowania, ale był na to zbyt zmęczony. Poza wszystkim nie było się czym chwalić. Mało błyskotliwego rozumowania w stylu Sherlocka, dużo przeczucia i prokuratorskiej intuicji. Już wcześniej drapało go gdzieś z tyłu głowy, dlaczego służbista Falk nie wykonał wszystkich czynności w sprawie Kiwita, dlaczego wbrew jego poleceniom nie przycisnął rodziny. Poza tym jego bunt wobec Klejnockiego, który odgadł motywy zabójców Najmana. Ale przede wszystkim intuicja.

– Mógłbym panu zadać setki pytań – powiedział. – Ale zadam tylko dwa. Nie było jej panu żal? Sprawa jest aż tak ważna?

– Bardzo żal. Ale to był logiczny wybór – odparł Falk. – Wiktoria zresztą myślała nad tym bardzo długo i była na to gotowa. Musi pan wiedzieć, że miała za sobą wiele prób samobójczych. Osobiście ją z jednej odratowałem. A tylko w ten sposób jej... – zawiesił głos, patrząc na Szackiego z delikatnym uśmieszkiem – ...ofiara nie poszła na marne. Chyba nie muszę panu tłumaczyć, jak wielkie to ma znaczenie.

Szacki przytaknął. Jeszcze tego samego wieczoru, wracając do domu, zrozumiał znaczenie śmierci Wiktorii. Dziewczyna nie kierowała się sprawiedliwością społeczną. Jej zemsta miała osobisty motyw, przez to wcześniej czy później, raczej wcześniej, sprawdzając kolejne bazy danych, w końcu by na nią wpadli i zamknęli. Co stanowiło zagrożenie dla całego przedsięwzięcia.

Jej śmierć praktycznie uniemożliwiała wyjaśnienie sprawy Najmana. I Falk miał rację, to był logiczny wybór. Na pewno tłumaczył to dziewczynie tak dokładnie, że wierzyła w to mocniej niż we własne myśli. Tak samo jak wcześniej podsunął jej akta jej rodziny i umiejętnie podsycał nienawiść i żądzę zemsty. Na jak wiele lat do przodu planuje geniusz zbrodni? Ile kombinacji ruchów na szachownicy jest w stanie przewidzieć? Zapewne wiele.

– Dlaczego ja? – zapytał.

Falk przewrócił oczami jakby zniecierpliwiony.

– Przecież pan wie – odpowiedział. – Ponieważ mógł pan odkryć prawdę. Pozbycie się pana było dość wymagającym ćwiczeniem myślowym, przyznaję. Zabójstwa nie dałoby się usprawiedliwić. Jest pan, był pan, jednym z najbardziej prawych pośród znanych mi ludzi. Przekupstwo nie wchodziło w grę. Na wieloletnią manipulację i zmyłki jest pan za mądry, moglibyśmy wpaść przez głupi błąd. A tak? Mamy nagranie śmierci Najmana, które długie dekady będzie spełniało swoje edukacyjne zadanie, wyświetlane odpowiednim ludziom. Ze śmiercią Wiktorii zniknął jedyny ślad prowadzący do nas. Pan jako zabójca jest zniszczony jako człowiek, skończony jako prokurator, pozbawiony wszelkiej wiarygodności jako świadek. Idealne rozwiązanie.

Pokiwał głową.

Wszystko to było prawdą.

– Czy zrozumie pan, jeśli powiem, że celem tej inscenizacji nie było tak naprawdę wyeliminowanie pana z gry?

Spojrzał zdziwiony.

– To logiczny wybór – kontynuował Edmund Falk. – Potrzebujemy kogoś naprawdę wyjątkowego. Prawego, sprawiedliwego, charyzmatycznego i bezkompromisowego. A przy tym doświadczonego śledczego.

– Potrzebujemy do czego?

– Do tego, żeby nas poprowadził.

Szacki westchnął.

– Nie przyszło wam do głowy, żeby poprosić?

– A co by pan na to powiedział?

– Oczywiście najpierw bym się nie zgodził, a potem rozpoczął śledztwo, rozpędził idiotyczną szajkę na cztery wiatry, a pana wsadził za kratki ku przestrodze dla wszystkich świrów ze skłonnościami do samosądu.

– A teraz co pan powie?

– Teraz po prostu się nie zgodzę – skłamał.

Edmund Falk ominął wysuniętą ze ściany szufladę ze zwłokami, podszedł bliżej i stanął naprzeciw Szackiego.

– Miejmy brzydką część za sobą, dobrze? – powiedział powoli. – Rzecz jasna mamy ze szczegółami nagranie tego, co się wydarzyło w nocy ze środy na czwartek. Nie jako narzędzie szantażu, ale jako polisę ubezpieczeniową. Nie zamierzamy tego wykorzystywać, ale zmienimy zdanie, jeśli poczujemy się zagrożeni. Pewnie pan teraz myśli, że ma to w dupie, przecież i tak za chwilę się przyzna do tego, co zrobił. Ale człowiek nie żyje w próżni. Upublicznienie tego, zadbanie o rozgłos, wypaliłoby nieusuwalne piętno na wszystkich, którzy są panu bliscy. Chciałbym, żeby pan o tym pamiętał, ale jednocześnie przemyślał moją propozycję i zgodził się ze względów moralnych.

– Powiedział szantażysta. – Szacki parsknął.

– Dwadzieścia lat stoi pan po stronie prawa – ciągnął Falk niezrażony. – Długa lista sukcesów na papierze dobrze wygląda. Ale my wiemy, czego na papierze nie ma. Spraw tak słabych dowodowo, że nawet ich pan nie wszczął. Albo wszczął i zaraz potem umorzył. Sprawców, którzy wymknęli się przez dziurę w prawie. Niekompetentnych kolegów, przez których jesteśmy najbardziej pogardzaną instytucją w Polsce, którzy swoimi błędami i zaniechaniami nie dość, że świata nie naprawili, to jeszcze zmienili go na gorsze. A przede wszystkim nie ma na tej liście pańskiego ogromnego żalu, że miał pan walczyć o lepsze jutro, a tymczasem tylko wyciera rozlane mleko.

Szacki patrzył na perorującego asesora. Jego twarz nie wyrażała nic.

– Można zatrzymać zło. Przerwać łańcuch przemocy. Ocalić nie tylko jedną rodzinę, ale też niezliczone rodziny w przyszłości. Sprawić, żeby zamiast powtarzać patologię, ludzie budowali dobre związki z dobrymi dziećmi. Żeby nie zostawali budzącymi grozę ojcami, szefami czy kierowcami. Żeby budowali dobre społeczeństwo. A w dobrym społeczeństwie jest mniej zła. To tak jak z miastami. W brzydkiej dzielnicy wszyscy bazgrzą po murach i szczają w bramach. Ale jeśli tam stanie nagle piękna kamienica, to kilka posesji w każdą stronę też się nagle robi czyściej. Rodzin dotyczy ta sama zasada.

Szacki zeskoczył z sekcyjnego stołu. Skrzywił się, kiedy jego skarpetki mokro zamlaskały.

– Jest pan za mądry, żeby wierzyć w to, co pan mówi. Taki eksperyment musi się wymknąć spod kontroli. Dziś walicie po mordach złych mężów, jutro tak się upijecie prawością, że postanowicie prostować łapówkarskich polityków, łamiących przepisy kierowców i wagarujących uczniów. Potem przyjdzie ktoś, kto powie, że łagodne środki nie przynoszą rezultatów, że trzeba bić mocniej i brutalniej. Potem ktoś, komu zaczną wystarczać anonimowe donosy, ze srogą miną zacznie powtarzać, że nie da się zrobić omletu, nie rozbijając kilku jaj. I tak dalej, naprawdę pan tego nie widzi?

Falk podszedł do Wiktorii Sendrowskiej, nawet po śmierci i po sekcji ciągle była ładna. Prawdziwa Śpiąca Królewna.

– Tylko i wyłącznie dwieście siedem. Nic więcej. Nigdy. Tylko jeden rodzaj przestępstwa, tylko taki paragraf. Wąska specjalizacja.

– Podobno chciał się pan zajmować pezetami. – Nie mógł sobie odmówić kpiny.

– Kłamałem. Z przykrością stwierdzam, że moi koledzy ze szkoły są debilami, podniecając się na myśl o pezetach. Długie, żmudne i zazwyczaj jałowe śledztwa, które mają na celu ukaranie jednego ruskiego mafioso za to, że wyrządził światu przysługę, rozwalając w lesie innego gangstera. Szkoda czasu.

Szacki znów się skrzywił.

– Zawsze mi przeszkadzało, że prokuratura wchodzi do gry wtedy, kiedy mleko już się rozlało. Rozumie pan, o czym mówię? W pewien sposób ściganie sprawców przestępstw jest najbardziej gorzką z profesji. Ktoś został skrzywdzony, pobity, zgwałcony lub zamordowany. Zazwyczaj jest mu obojętne, czy sprawca zostanie schwytany, czy nie. Zło zostało już wyrządzone. Nie możemy tego cofnąć. Ale jest jeden rodzaj przestępstw, kiedy możemy działać prewencyjnie. Ukarać sprawcę, odizolować go od ofiar i potencjalnych ofiar, uwolnić kogoś od niebezpieczeństwa. Możemy zatrzymać przemoc, zanim staną się rzeczy nieodwracalne. Możemy przerwać dziedzictwo zła. – Falk urwał na chwilę, jakby szukał właściwych słów. – Dwieście siedem to jedyny fragment prawa, kiedy naprawdę możemy zmienić świat na lepsze, a nie tylko zetrzeć mopem krew z podłogi i udawać, że nic się nie stało. Zajmowanie się tym to logiczny wybór. Tak naprawdę dziwię się, że ktoś chce się zajmować innymi rzeczami.

Szacki uśmiechnął się do siebie smutno, nie mogąc oderwać wzroku od zwłok Wiktorii Sendrowskiej. Tak to już jest z rewolucjonistami. Granica między obłąkanymi świętymi a zwykłymi obłąkanymi jest nad wyraz cienka.

– Rozmawiałem z Frankensteinem – odezwał się Szacki. – Powiedział mi, że to wygląda tak, jakby się z kimś umówiła, że ją udusi. Że jej ciało nie nosi żadnych śladów walki. Nie drapała, nie gryzła, nie walczyła o życie. Jakby chciała umrzeć.

Falk nie skomentował.

– Wie pan, prowadziłem kiedyś taką sprawę, gdzie ważną rolę odgrywała specyficzna psychoterapia.

– Sprawa Telaka. Pisałem o niej pracę roczną.

– Twórca tej terapii wierzył, że więzy rodzinne są silniejsze niż śmierć. Że nawet jeśli ludzie giną, to ich powiązania przechodzą na bliskich, że z pokolenia na pokolenie przenoszą się emocje, przenoszą winy i krzywdy. Gdyby wierzyć tej teorii, Wiktoria zrobiła, co zrobiła, żeby dołączyć do brata i do matki. Ponieważ nie potrafiła sobie wybaczyć, że zginęli.

– Psychologia to pseudonauka – powiedział Falk. – Człowiek żyje, ponieważ dokonuje wyborów. I za te wybory musi ponosić odpowiedzialność.

Szacki uśmiechnął się. Zdecydowanym gestem wsunął szufladę ze zwłokami.

– Cieszę się, że pan to powiedział. Ponieważ niezależnie od tego, co zrobiła Wiktoria i co wszyscy zrobiliście, ja dokonałem pewnego wyboru i muszę za to zapłacić. Więc zróbmy tak: ja pójdę do pierdla, a wy sobie walczcie, z czym chcecie. Ta zabawa oczywiście skończy się źle, ale w sumie, jeśli po drodze paru katów dostanie po ryju, płakać nie będę. Szczerze mówię.

Wiele trudu kosztowało go wypowiedzenie tego kłamstwa z kamienną twarzą. Ale wiedział, że musi zostać w roli, jeśli chce zrealizować plan, który zaczął kształtować się w jego głowie już wtedy, kiedy trzymał w ramionach swoją córkę przed domem, tym ze stygnącymi zwłokami Wiktorii w środku.

Edmund Falk zacisnął dłonie w pięści.

– To nie może być nikt z osobistą motywacją – powiedział. – To musi być ktoś, kto zagwarantuje sprawiedliwość.

Szacki wzruszył ramionami.

– To, co ja panu proponuję, to działanie wspomagające. Na okres przejściowy. Proszę nie myśleć jak prokurator, o karaniu i wymierzaniu sprawiedliwości. Proszę myśleć o zapobieganiu, o ocalaniu, o działaniach, dzięki którym żadna zemsta nie będzie potrzebna. Proszę myśleć o, nazwijmy to, systemie wczesnego ostrzegania wyposażonym w funkcje bojowe.

Szacki milczał.

– Poza tym któż lepiej od pana wie, z czym walczymy.

Spojrzał pytająco na młodego prawnika.

– Myśli pan, że to inny gen zadecydował, że zacisnął pan dłonie na cienkiej kobiecej szyi? Jakiś bardziej szlachetny niż ten, który sprawia, że żona zostaje rzucona na łóżko? Matka odepchnięta, córka uderzona? Obawiam się, że nie. To jest męski gen gotowości na przemoc wobec słabszych.

Prokurator Teodor Szacki zapiął płaszcz. Zrobiło mu się bardzo zimno, trząsł się, pewnie się przeziębił od tej cholernej pogody, od tych mokrych butów. Miał już wszystkiego dość.

– Muszę odbyć karę – powiedział cicho.

Edmund Falk podszedł do niego, stanął tak blisko, że ich nosy by się dotykały, gdyby asesor nie był niższy o piętnaście centymetrów.

– To będzie pańska kara. Pańskie zadośćuczynienie. Piętnaście lat. Tyle pan pewnie dostanie, prawda? Może pan dziś się zgłosić i zacząć je spędzać w więzieniu. Wszyscy tracą, nikt nie zyskuje. Albo może pan złożyć wypowiedzenie i spędzić piętnaście lat na tym, by codziennie dbać o to, aby jak najmniej Najmanów stworzyło jak najmniej Wiktorii.

– Mówi pan tak, jakbym miał jakiś wybór.

– Zawsze mamy wybór.

# ROZDZIAŁ 10

## środa, 1 stycznia 2014

Nowy Rok. Urodziny Zygmunta Starego, Stepana Bandery i Ewy Kasprzyk. Łotwa przystępuje do strefy euro. 5 miejscowości w Polsce zyskuje prawa miejskie, żadne z nowych miast nie znajduje się województwie warmińsko-mazurskim. Absolutnie nic się nie dzieje, w świecie kalendarza gregoriańskiego wszyscy śpią, potem podejmują zobowiązania noworoczne, które w większości łamią jeszcze wieczorem, razem z pierwszym kieliszkiem wina. Na kijowskim Majdanie pół miliona osób zaśpiewało o północy hymn Ukrainy, czekając na nowy, przełomowy rok. W Garmisch-Partenkirchen Kamil Stoch zajmuje 7. miejsce i traci widoki na podium w Turnieju Czterech Skoczni. W Warszawie Donald Tusk udziela noworocznego wywiadu przez twittera. W Iławie uczestnik noworocznej imprezy wyszedł na balkon na papierosa i spadł z trzeciego piętra, nie odniósł żadnych obrażeń. W Olsztynie spokój, jedyną wartą uwagi informacją jest obecność oskarżonego o molestowanie byłego prezydenta Olsztyna (obecnie radnego) w czołówce rankingu na Człowieka Roku 2013. Jasnowidz Jackowski nie ma najlepszych prognoz dla Warmii i Mazur. „To będzie ciężki rok", mówi. Na pocieszenie dodaje, że zima będzie krótka. Na razie pochmurno, temperatura w okolicach zera. Mgła i marznąca mżawka.

# 1

Jan Paweł Bierut nigdy specjalnie nie gustował w alkoholu, uważał wszechpolski zwyczaj zatruwania organizmu za zbędny i nudny, a cenę całodniowego kaca za kilka chwil pijackiej euforii za wygórowaną. Dlatego bez większych problemów pozwolił budzikowi wyrwać się ze snu przed ósmą.

Wstał i otworzył na oścież okno, z zadowoleniem wpuszczając do środka ciszę, której w miastach można doświadczyć jedynie pierwszego stycznia o ósmej rano.

Po czym przeciągnął się i poszedł do kuchni, żeby zrobić sobie śniadanie i kanapki do pracy.

Każdy inny kląłby na czym świat stoi, musząc iść do roboty w Nowy Rok. Ale Jan Paweł Bierut był wniebowzięty. Jeśli przez całą noc nie obudził go żaden telefon, to znaczy że nikt nikogo nie stuknął w czasie szampańskiej zabawy i gdyby to był dla niego normalny dzień pracy, mógłby mieć święty spokój do czasu, kiedy ludzie zaczną się budzić i niektórzy dostrzegą, że ich partnerzy i partnerki wylądowali w cudzych łóżkach.

# 2

Teodor Szacki wysunął się delikatnie z pościeli, żeby nie obudzić Żeni. Chwilę patrzył na swoją śpiącą narzeczoną, która korzystała z nieobecności Heli, żeby paradować nago niemal bez przerwy. Tak też teraz spała, w poprzek łóżka, pochrapująca, z rozrzuconymi na boki nogami i rękami. Nigdy nie widział w żadnej komedii romantycznej, żeby jakaś kobieta spała w ten sposób.

Cmoknął ją w usta, cmoknął ją w sutek i poszedł się ubrać.

Po raz pierwszy od niepamiętnych czasów pytanie „co mam dziś na siebie włożyć" miało dla niego znaczenie. W tym celu dni między

Bożym Narodzeniem a sylwestrem spędził w pustych sklepach, kompletując razem z Żenią i Helą ubrania. Wyrywały mu z ręki wszystko w kolorach ciemnoszarym i czarnym, twierdząc, że dwadzieścia lat ponuractwa to i tak więcej, niż ktokolwiek potrafi znieść. I że w nowej pracy musi zacząć w nowym stylu jako nowy on: beżowy, pastelowy, sportowy, pewny siebie.

Założył więc grube jasne dżinsy, brązowe buty za kostkę, koszulę w delikatne kolorowe prążki i kremowy pulowerek z czerwonym rantem wokół szyi. Oczywiście koszulę odruchowo zapiął na ostatni guzik, przez co wyglądał teraz jak jakiś pedofil. Rozpiął ostatni guzik, poluzował kołnierzyk.

Spojrzał krytycznie w lustro. Teraz wyglądał jak pedofil, który nie chce się zdradzić, że jest pedofilem. Uznał, że to przez pulower, i zamienił go na granatową bluzę z kapturem.

Tragedia. Siwy dziad, który chce udawać młodzieżowca na konferencji, żeby bzyknąć główną księgową po pijaku.

Zamienił bluzę na sportową brązową marynarkę z jakiegoś materiału, którego nie potrafił nazwać.

Lepiej. Teraz wyglądał jak pisarz jednej powieści, który jeździ na spotkania autorskie po gminnych bibliotekach, opowiadając w swojej marynarce o męce tworzenia po czterdziestce.

Żadna z tych stylizacji mu się nie podobała, chociaż wcześniej w przebieralni rzucał „ochy" i „achy" na wszystkie strony, żeby jego dziewczyny były zadowolone i pozwoliły mu w końcu opuścić to straszne miejsce. Zrozumiał, czemu żadna ze stylizacji mu się nie podobała. Wyglądał w nich jak zwykły człowiek. Średnio zadbany facet pod pięćdziesiątkę, przedwcześnie posiwiały, ale mocno zmęczony już prawie pięcioma dekadami, z widocznymi zmarszczkami, z posiniałymi oczodołami, wąskimi ustami, lekko opadającymi ku dołowi.

Zrzucił wszystko, podszedł do szafy i ubrał się normalnie.

Przejechał pustymi ulicami Olsztyna, kierując się w stronę Olsztynka. Przy wyłączonym radiu i otwartym oknie pełną piersią wdychał zapach warmińskiej zimy. Minął Kortowo i wyjechał z miasta, po kilkuset metrach skręcił w lewo, w stronę wsi Ruś.

Droga była straszna, wąska, kręta i dziurawa, zapewne miała na koncie więcej ofiar niż wampir z Zagłębia. Zwolnił do trzydziestu i jakoś dotoczył się do osady na końcu ślepej drogi, malowniczo ciągnącej się wzdłuż Łyny. Część wsi rozłożyła się nad rzeką, część na wysokiej skarpie, i tam wjechał. Chwilę błądził, dopiero poprzedniego dnia wieczorem dostał sms-a od Falka z adresem, w końcu znalazł właściwy adres i zatrzymał się pod bramą, gdzie stało kilka samochodów.

Uśmiechnął się. Podświadomie spodziewał się czegoś wyjątkowego, tajnej siedziby tajnej organizacji. Nowoczesnej willi ukrytej w środku lasu za siedmioma bramami. Ewentualnie neogotyckiego zamku z basztami i tarasami, położonego na cyplu wcinającym się w głąb jeziora. Tymczasem to był zwyczajny dom, przyzwoity, dość nowy, nawiązujący architekturą i ceglanymi ścianami do lokalnej tradycji. Wstydu nie było.

Wysłał sms-a, zgasił silnik i wysiadł z samochodu, uważając, żeby brudnymi drzwiami nie dotknąć czarnego płaszcza lub spodni od ulubionego ciemnografitowego garnituru. Rozumiał, że nie może okazać żadnego wahania, dlatego trzasnął drzwiami, wyprostował się jak struna i pewnym krokiem poszedł w stronę wyjścia.

Piętnaście lat. Zupełnie jak bohater baśni wybrał piętnastoletnią służbę, żeby odpokutować za swoje złe uczynki. Od tego co, zrobi i co teraz powie, zależy następne półtorej dekady. Nie zrezygnował ze swojego idealnie skrojonego munduru, ale co dalej?

Miał niepowtarzalną szansę, żeby porzucić swoją formę, wystudiowane sztywniactwo, chłód i dystans. Zacząć nowe życie jako ciepły człowiek, którym w istocie był, empatyczny, skory do żartów i do przyjaźni. Budujący relacje na płaszczyźnie partnerstwa i zrozumienia, zamiast epatujący wyższością i niedostępnością.

Pomyślał, że to byłaby miła odmiana. Pomyślał, że ludzie za zielonymi drzwiami tego oczekują. Dzięki Falkowi wiedział o nich wszystko. Kim są, dlaczego to robią, jakie są ich mocne i słabe strony. Był pod wrażeniem. Ludzie rozmaitych profesji i z różnymi historiami, razem przyzwoita grupa śledcza, która szybko zbierała informacje, szybko je weryfikowała, szybko działała. Dziś miał ich spotkać po raz pierwszy. Nie pukając, wszedł do środka, przywitał go domowy zapach świeżo parzonej kawy i drożdżowego ciasta.

Powiesił płaszcz, wytarł delikatnie powierzchnie pantofli wyjętą z kieszeni chusteczką, żeby były nieskazitelne. Czuł się lekko spięty, w końcu za kilka chwil skończy się jego dotychczasowe życie i zacznie zupełnie nowy, nieznany etap. Etap, którego długość liczyć się będzie nie w dniach i nie w miesiącach, lecz w latach.

Edmund Falk wszedł do przedpokoju, miał na sobie dżinsy i szarą bluzę z kapturem, wyglądał jak nastolatek. Podszedł do niego.

– Napijesz się czegoś, szefie? – zapytał.

Teodor Szacki spojrzał na niego i poprawił spięte spinkami mankiety. Spinki, szpilka do krawata i jego oczy miały ten sam kolor stali nierdzewnej, wykorzystywanej w salach chirurgicznych.

Uśmiechnął się. Falk odpowiedział tym samym.

Teodor Szacki nasłuchiwał, czekając, aż to usłyszy i przyjacielski grymas zniknie z twarzy Falka. I usłyszał. Rosnący stopniowo dźwięk jadących na sygnale radiowozów. Nie jednego patrolowego auta, lecz całej policyjnej kawalkady, dokonującej obławy w kawaleryjskim stylu.

Wtedy dopiero uśmiechnął się uśmiechem mówiącym „gra skończona" i odchylił połę marynarki, pokazując Falkowi wewnętrzną kieszeń. Wystawała z niej końcówka kuriozalnie kolorowej szczoteczki do zębów. Nie mógł się powstrzymać od tego żartu na sam koniec. Coś mu się należało za to, że cały grudzień robił dobrą minę i dbał o każdy detal, aby Falk uwierzył, że faktycznie zamierza zostać głównym sprawiedliwym w szajce sprawiedliwych.

– Panie szefie – powiedział i zapiął marynarkę. – Wolałbym, żebyśmy zostali przy formach grzecznościowych.

– Skoro pan sobie tego życzy, panie Teo. – Falk wyglądał na rozbawionego, jak nigdy.

A Szacki poczuł, że coś jest nie tak. Na zewnątrz stało pięć aut, ale nie słyszał gwaru głosów, brzęczenia filiżanek i widelczyków do ciasta. Rozejrzał się.

Na szafce na buty w absurdalnie równym rządku leżało pięć kluczyków samochodowych. Każdy z breloczkiem z logo Hertza.

I zrozumiał. Za późno, oczywiście, ale zrozumiał. Klejnocki się mylił. Wiktoria kłamała. Nigdy nie było żadnej szajki mścicieli. Nigdy nie było loży, która postanowiła naprawiać świat, wymierzając sprawiedliwość domowym katom. Nigdy tajemnicza organizacja nie spotykała się w willach na przedmieściach, żeby pić kawę i planować, komu by tym razem wymierzyć srogą karę.

Na swój sposób nawet nie czuł zaskoczenia. Prędzej prokuratorski spokój. Hipoteza z dziwną organizacją słusznych i sprawiedliwych zawsze wydawała mu się wydumana i naciągana, jedna z tych, które często forsują niekompetentni śledczy, bo nie mają ochoty na żmudne sprawdzanie innych wersji.

Nigdy nie było żadnych „onych". A tylko jeden samotny rycerz sprawiedliwości. Szaleniec sprawiedliwości. I zarazem geniusz zbrodni.

– Naprawdę sądził pan, że popełnię taki szkolny błąd? – Edmund Falk nie wydawał się zaniepokojony coraz głośniejszym wyciem policyjnych syren.

– Zawsze popełniacie błędy.

– Ja nie. To logiczny wybór.

# 3

Jan Paweł Bierut jechał w drugim samochodzie w kolumnie, która w sumie liczyła pięć pojazdów. Jako szef akcji powinien siedzieć w pierwszym, ale zawsze w takich wypadkach upierał się, że będzie siedział w drugim. Statystyki były po jego stronie – jeśli kolumna pojazdów brała udział w kolizji, to prawie zawsze poszkodowany był pierwszy lub ostatni samochód.

Oczywiście zawsze gdzieś tam w górze swoje plany snuła siła wyższa, ale Bierut był zdania, że trzeba dawać jej jak najmniej pola do manewru.

Cała akcja została zaplanowana przez Szackiego w szczegółach dawno temu, Bieruta wtajemniczył dopiero przed świętami. Brał w niej udział jako jedyny policjant z Olsztyna, resztę prokurator ściągnął z Warszawy. Byli to zaufani jego starego kumpla o rosyjskim nazwisku.

Na początku Bierut nie rozumiał paranoicznej podejrzliwości Szackiego, ale kiedy w końcu poznał szczegóły sprawy – zgodził się z nim w stu procentach. Przynajmniej co do sposobu przeprowadzenia aresztowania. Bo jeśli chodzi o sam fakt zatrzymania w ogóle – cóż, wstydził się do tego przyznać nawet przed sobą, ale tak na zdrowy rozum ci ludzie robili całkiem potrzebną robotę.

Wytłumaczył sobie, że być może na tym polega różnica między policjantami i prokuratorami.

Pierwszego stycznia zjadł śniadanie, pojechał na umówione miejsce spotkania i czekał na sygnał od Szackiego. Sygnał oznaczający, że się udało, że zdobył ich zaufanie, że wszyscy są w jednym miejscu i że można ich wszystkich zatrzymać i zakończyć sprawę. Sygnałem była wiadomość wygenerowana przez specjalny program w telefonie Szackiego, podająca współrzędne GPS.

Pięć minut później drogi wjazdowe do wsi Ruś zostały zablokowane. Siedem minut później nieoznakowany radiowóz Bieruta zatrzymał się obok bordowego wiśniowego citroena XM, najbardziej charakterystycznego pojazdu olsztyńskiego wymiaru sprawiedliwości.

Zaparkowanego tak sprytnie, że żaden z innych stojących na posesji samochodów nie miał szans wyjechać.

Jan Paweł Bierut podszedł do drzwi i zapukał.

Bez odzewu.

– Policja! – krzyknął. – Chcemy tylko zadać kilka pytań.

Cisza.

W tym czasie ludzie z sekcji AT otoczyli dom.

– Proszę otworzyć!

Cisza.

Dał znak i odsunął się na bok. Niewidoczni spod hełmów, kominiarek i gogli ciemnogranatowi specjaliści ustawili się przy drzwiach. Zanim użyli taranu, spróbowali klamki – ustąpiła.

Wymienili się jakimiś swoimi tajnymi znakami i wpadli do środka.

Bierut wszedł za nimi.

Minutę później zameldowano mu niskim głosem, że na posesji jest czysto. Zrozumiał to jako informację, że mimo stojących samochodów, wbrew ustaleniom z Szackim i wbrew wiadomości od niego oraz elementarnej logice – nikogo tu nie ma.

Podkomisarz Jan Paweł Bierut stał nieruchomo, patrząc na stojącą w przedpokoju szafkę. Na blacie leżało pięć kluczyków z breloczkami od Hertza.

Obok nich kuriozalnie kolorowa szczoteczka do zębów.

# OD AUTORA

Serdecznie dziękuję wszystkim, którzy poświęcili mi czas i odpowiadali cierpliwie na najróżniejsze pytania w czasie pracy nad tą powieścią. Przede wszystkim olsztyńskim prokuratorom i sędziom, których nie wymieniam z nazwiska ze względu na charakter ich pracy. Specjalne podziękowania należą się Joannie Piotrowskiej z Feminoteki, która jedną rozmową i dwiema doskonałymi lekturami (J. Katz, *Paradoks macho. Dlaczego niektórzy mężczyźni nienawidzą kobiet i co wszyscy mężczyźni mogą z tym zrobić*; J. Piotrowska, A. Synakiewicz, *Dość milczenia. Przemoc seksualna wobec kobiet i problem gwałtu w Polsce*) otworzyła mi oczy na powszechność problemu przemocy wobec kobiet i seksizmu w ogóle. Profesorowi Mariuszowi Majewskiemu dziękuję za udostępnienie mi odrobiny jego medycznej wiedzy i za zaskakująco żywą kryminalną wyobraźnię.

Bardzo przepraszam za to, że czasem Wasze słowa i informacje przekręciłem, przeinaczyłem i pokazałem w krzywym zwierciadle powieści kryminalnej. Mam nadzieję, że nie macie mi tego za złe. Czytelników zapewniam, że jeśli w książce coś nie gra, to wszelkie pretensje należy kierować pod adresem autora.

Niezmiennie okazuję niewyrażalną słowami wdzięczność Filipowi Modrzejewskiemu, który jest nie tylko najlepszym, ale też najbardziej cierpliwym spośród redaktorów. Dziękuję też swojej stałej, od lat niezmienionej ekipie pierwszych czytelników: Marcie, Marcinowi Mastalerzowi i Wojtkowi Miłoszewskiemu. Wiem, że wszystkie te kłótnie wyszły książce na dobre, ale naprawdę – ciężkie to były dla mnie chwile. Marcie, Mai i Karolowi jak zwykle należy się medal za znoszenie zamkniętego w swoim gabinecie furiata. Mai dołożę jeszcze jeden medal, żeby ją udobruchać i żeby nie pomyślała, że została sportretowana w osobie córki Szackiego. Po prostu każda szesnastolatka jest spiżowo bezkompromisowa i ma wiele w stu procentach wiarygodnych wymówek, żeby nie odebrać telefonu od ojca.

Chciałbym też skorzystać z okazji i szczególnie podziękować fantastycznym ludziom i doskonałym lekarzom z Olsztyna, którzy w opisanym na kartach powieści szpitalu na Warszawskiej profesjonalnie i z wielką troską przywrócili mojego ojca do zdrowia. Kłaniam się w tym miejscu nisko doktor Monice Barczewskiej i profesorowi Wojciechowi Maksymowiczowi.

Proszę wszystkich olsztyńskich lokalnych patriotów o wybaczenie, jeśli poczuli, że miłość do miasta i jego jedenastu jezior została obrażona. Nic nie poradzę, że Teodor Szacki to taki zgryźliwy warszawski zrzęda. Zapewniam, że sam jestem w rodzinnym mieście mojej żony szczerze zakochany, choć przyznaję, że mimo to – a może właśnie dzięki temu – wszelkie jego niedoskonałości jakoś bardziej działają mi na nerwy.

Przygody prokuratora Teodora Szackiego dobiegły końca. Dziękuję wszystkim Państwu, którzy dotarli aż tutaj.

*Do zobaczenia,*
Z.

Warszawa–Radziejowice, 2013–2014

# SPIS RZECZY

Redakcja: Filip Modrzejewski
Adiustacja: Klaudia Bryła, Katarzyna Przeździecka, Katarzyna Zegarek
Korekta: Małgorzata Denys, Magdalena Marciniak

Projekt okładki i stron tytułowych:
Joanna Górska, Jerzy Skakun · homework.com.pl

Fotografia na I stronie okładki: © Mieczysław Wieliczko
Fotografia Zygmunta Miłoszewskiego na skrzydełku: © Tisha Minö
Fotografia Roberta Więckiewicza na skrzydełku:
© Tomasz Urbanek / East News

Skład i łamanie: Tekst · Małgorzata Krzywicka
Druk i oprawa: Toruńskie Zakłady Graficzne ZAPOLEX Sp. z o.o.

Książkę wydrukowano na papierze Creamy 70 g/m², vol. 2.0,
dostarczonym przez

PaperlinX

Grupa Wydawnicza Foksal Sp. z o.o.
00-372 Warszawa, ul. Foksal 17
tel. 22 828 98 08, 22 894 60 54
biuro@gwfoksal.pl
gwfoksal.pl

ISBN 978-83-280-0935-6